Николай Бердяев

САМОПОЗНАНИЕ

МОСКВА

«ДЭМ»

1990

ББК 87. 3
Б48

Книга подготовлена к изданию **А. В. Вадимовым**

Бердяев Н. А.

Б48   Самопознание (опыт философской автобиографии). — М.: Междунар. отношения, 1990. — 336 с.

ISBN 5—85207—006—8

Настоящее издание является первым полным воспроизведением текста «Самопознания». Оно подготовлено по рукописи, которая хранится (в соответствии с завещанием Н. Бердяева) на его родине.

Для читателей, интересующихся историей философии.

Б $\dfrac{0301030000-002}{\text{ДЭМ}-90}$ Без объявл.

ББК 87. 3

ISBN 5—85207—006—8   © Составление ДЭМ, 1990

К ЧИТАТЕЛЮ

Хорошо помню, как много лет назад, читая впервые эту книгу, я пережил в какой-то момент острое чувство недоверия к ее автору за чрезмерное (как мне казалось тогда) внимание к своей личности. Что-то, видимо, безотчетно взбунтовалось во мне — в то время молодом человеке, выросшем и воспитанном в ином духе, когда не принято было заниматься «самопознанием», — против этой навязчивой его идеи. После прочтения книги это чувство, однако, исчезло, искренность ее покорила меня, и я жалел лишь о том, что, узнав из нее много интересного, мало что понял в самих основах бердяевского опыта «самопознания». Встретиться же с книгой еще раз, чтобы разобраться в этом, мне долго не удавалось.

И вот она снова передо мной. Ровно через сорок лет после ее первого издания во Франции, где философ многие годы жил в изгнании, она выходит, наконец, на его родине и есть возможность не только к ней подступиться, но и, внимательно читая, вдуматься, оценить*.

Подобно герою детективного романа Николай Александрович Бердяев (1874—1948) — это читатель заметит, я думаю, сразу — также стремится в своей «автобиографии» к раскрытию *тайны*. Но интересует его, как философа, естественно, не тайна преступления, а тайна личности, ее свободы. «Личность человеческая, — говорит он, — более таинственна, чем мир», ее тайна «никому не известна до конца» (С. 8). Но если это так и тайна действительно не объяснима, то, казалось бы, зачем писать книгу? Чтобы поделиться по этому поводу своими сомнениями? Или рассказать читателю о трудностях и необычности своего жизненного пути?..

---

* Настоящее издание представляет собой первое полное воспроизведение авторского текста «Самопознания», осуществляемое по рукописи, находящейся в Москве в Центральном государственном архиве литературы и искусства. Первое издание вышло в Париже в изд-ве ИМКА-Пресс.

Размышляя в свое время о сходных проблемах, Иммануил Кант, на которого Бердяев ссылается неоднократно в своей книге, писал: «Леность и трусость — вот причины того, что люди, которых природа давно освободила от чужого руководства, все же охотно остаются всю жизнь несовершеннолетними. И по этим же причинам так легко другие присваивают себе право быть их опекунами». «Ведь так удобно, — замечал он с иронией, — быть несовершеннолетним. Если у меня есть книга, мыслящая за меня, если у меня есть "пастырь", совесть которого может заменить мою, или врач, предписывающий мне такой-то образ жизни, то стоит ли мне утруждать себя!»*

Кант считал, что выход человека из состояния несовершеннолетия, в котором он находится по собственной вине, возможен лишь на путях публичной свободы выражения своих мыслей. Или, как сказал бы в этом случае Бердяев, на путях духовного, творческого самовыражения, что, по его мнению, и составляет тайну исторического существования человека. То есть его способности вершить собственную судьбу.

По своим убеждениям автор «Самопознания», несомненно, был христианским гуманистом, не только ценившим свою личную свободу, но и глубоко понимавшим, насколько труднодостижима такая свобода. Ибо он явно полагал, и думаю справедливо, что можно добиться скорее устранения внешнего деспотизма, чем изменения образа мыслей.

Бердяев предупреждает, что его книга не просто воспоминания и не исповедь, а история его философской судьбы, связанной с трагическими событиями XX века. Отсюда ее пафос («я нахожусь в совершенном разрыве со своей эпохой. Я воспеваю свободу, когда моя эпоха ее ненавидит...»), ее замысел и сам характер и выбор обсуждаемых им проблем, таких как: назначение человека, его противостояние злу, оправдание творчества. «Самопознание» писалось в годы войны, уже на склоне жизни автора, и является одной из самых ярких его книг. Благодаря своей откровенности она показательна в том отношении, что позволяет более объективно судить о нем как о мыслителе и человеке. В ней подводятся своего рода итоги не только собственному полувековому творчеству Бердяева, но и общему развитию отечественной мысли XIX — начала XX века.

---

* Кант И. Соч. в 6-ти тт.: Т. 6. — М., 1966. — С. 27.

Рассказывая о сложности и противоречивости своей натуры, Бердяев совершенно искренен, когда говорит, что одни и те же мотивы — любовь к истине и свободе и отвращение к насилию — привели его к революции и религии. Ибо таков был действительно дух этого человека, всегда стремившегося к критике и преодолению любых форм догматизма, где бы они ни проявлялись. Не случайно он называл себя «верующим вольнодумцем». Но бунт, приведший Бердяева от марксизма к христианству, и типичный для него, ничем не ограниченный примат чувства свободы, экзистенциальной убежденности в своей правоте все же не дали ему, как он признается в этом сам, приобщиться к той последней полноте Духа, которую он искал.

Сегодня у нас еще нет возможности в полном объеме судить о жизненных и философских исканиях Бердяева, поскольку не изданы все его произведения (а он написал только книг более 40). Однако путь к изучению творческого наследия философа открыт, о чем свидетельствует и эта публикация его автобиографии.

Нередко говорят, что произведение рождается из внутренней потребности автора поделиться с читателем некоей тайной, которая его волнует. Но столь же очевидно и другое. Что эта потребность должна быть достаточно страстной, чтобы произведение обрело свою жизнь в культуре.

Написанная страстно, с присущей Бердяеву-писателю интонацией профетизма, эта книга по-своему уникальна в русской философской литературе и, безусловно, заинтересует каждого, кто обратится к ней в поисках разгадки собственной души.

Ю. П. СЕНОКОСОВ
член редакционного совета издания
«Из истории отечественной философской мысли»

ПРЕДИСЛОВИЕ

Книга эта мной давно задумана. Замысел книги мне представляется своеобразным. Книги, написанные о себе, очень эгоцентричны. В литературе «воспоминаний» это часто раздражает. Автор вспоминает о других людях и событиях и говорит больше всего о себе. Есть несколько типов книг, написанных о себе и своей жизни. Есть, прежде всего, дневник, который автор вел из года в год, изо дня в день. Это очень свободная форма, которую сейчас особенно любят французы. „Дневник" Амиеля[1] — самый замечательный образец этого типа, из более новых — *Journal*[2] А. Жида. Есть исповедь. Блаженный Августин и Ж. Ж. Руссо дали наиболее прославленные примеры. Есть воспоминания. Необъятная литература, служащая материалом для истории. «Былое и думы» Герцена — самая блестящая книга воспоминаний. Наконец, есть автобиография, рассказывающая события жизни внешние и внутренние в хронологическом порядке. Все эти типы книг хотят с большей или меньшей правдивостью и точностью рассказать о том, что было, запечатлеть бывшее. К бывшему принадлежат, конечно, и мысли и чувства авторов. Моя книга не принадлежит вполне ни к одному из этих типов. Я никогда не писал дневника. Я не собираюсь публично каяться. Я не хочу писать воспоминаний о событиях жизни моей эпохи, не такова моя главная цель. Это не будет и автобиографией в обычном смысле слова, рассказывающей о моей жизни в хронологическом порядке. Если это и будет автобиографией, то автобиографией философской, историей духа и самосознания. Воспоминание о прошлом никогда не может быть пассивным, не может быть точным воспроизведением и вызывает к себе подозрительное отношение. Память активна, в ней есть творческий, преображающий элемент, и с ним связана неточность, неверность воспоминания. Память совершает отбор, многое она выдвигает на первый план, многое же оставляет в забвении, иногда бессознательно, иногда же сознательно. Моя память о моей жизни и моем пути будет сознательно активной, то есть будет творческим усилием моей мысли, моего познания сегодняшнего дня. Между фактами моей жизни и книгой о них будет лежать акт познания, который меня более всего и интересует. Гете написал книгу о себе под замечательным заглавием «Поэзия и правда моей жизни». В ней не все правда, в ней есть и творчество поэта. Я не поэт, я философ. В книге, написанной мной о себе, не будет выдумки, но будет философское познание и осмысливание меня самого и моей жизни. Это философское познание и осмысливание не есть память о бывшем, это есть творческий акт, совершаемый в мгновении настоящего. Ценность этого акта определяется тем, насколько он возвышается над временем, приобщается ко времени экзистенциальному, то есть к вечности. Победа над смертоносным временем всегда была основным мотивом моей жизни. Книга эта откровенно и сознательно эгоцентрическая. Но эгоцентризм, в котором всегда есть что-то отталкивающее, для меня искупается тем, что я самого себя и свою жизненную судьбу делаю предметом философского познания. Я не хочу обнажать души, не хочу выбрасывать во вне сырья своей души. Эта книга по замыслу своему философская, посвященная философской проблематике. Дело идет о самопознании, о потребности понять себя, осмыслить свой тип и свою судьбу. Так называемая экзистенциальная философия, новизна которой мне представляется преувеличенной, понимает философию как познание человеческого существования и познание мира через человеческое существование. Но наиболее экзистенциально собственное существование. В познании о себе самом человек приобщается к тайнам, неведомым в отношении к другим. Я пережил мир, весь мировой и исторический процесс, все события моего времени как часть моего микрокосма, как мой духовный путь. На мистической глубине все происшедшее с миром произошло со мной. И настоящее осмысливание заключается в том, чтобы понять все происшедшее с миром как происшедшее со мной. И тут я сталкиваюсь с основным противоречием моей противоречивой натуры. С одной стороны, я переживаю все события моей эпохи, всю судьбу мира как события, происходящие со мной, как собственную судьбу, с другой стороны, я мучительно переживаю чуждость мира, далекость всего, мою неслиянность ни с чем. Если бы я писал дневник, то, вероятно, постоянно записывал в него слова: «Мне было это чуждо, я ни с чем не чувствовал слияния, опять, опять тоска по иному, по трансцендентному». Все мое существование стояло под знаком тоски по трансцендентному.

Мне пришлось жить в эпоху катастрофическую и для моей родины, и для всего мира. На моих глазах рушились целые миры и возникали новые. Я мог наблюдать необычайную превратность человеческих судеб. Я видел трансформации, приспособления и измены людей, и это, может быть, было самое тяжелое в жизни. Из испытаний, которые мне пришлось пережить, я вынес веру, что меня хранила Высшая Сила и не допускала погибнуть. Эпохи, столь наполненные событиями и изменениями, принято считать интересными и значительными, но это же эпохи несчастные и страдальческие для отдельных людей, для целых поколений. История не щадит человеческой личности и даже не замечает ее. Я пережил три войны, из которых две могут быть названы мировыми, две революции в России, малую и большую, пережил духовный ренессанс начала XX века, потом русский коммунизм, кризис мировой культуры, переворот в Германии, крах Франции и оккупацию ее победителями, я пережил изгнание, и изгнанничество мое не кончено. Я мучительно переживал страшную войну против России. И я еще не знаю, чем окончатся мировые потрясения. Для философа было слишком много событий: я сидел четыре раза в тюрьме, два раза в старом режиме и два раза в новом, был на три года сослан на север, имел процесс, грозивший мне вечным поселением в Сибири, был выслан из своей родины и, вероятно, закончу свою жизнь в изгнании. И вместе с тем я никогда не был человеком политическим. Ко многому я имел отношение, но, в сущности, ничему не принадлежал до глубины, ничему не отдавался вполне, за исключением своего творчества. Глубина моего существа всегда принадлежала чему-то другому. Я не только не был равнодушен к социальным вопросам, но и очень болел ими, у меня было «гражданское» чувство, но в сущности, в более глубоком смысле, я был асоциален, я никогда не был «общественником». Общественные течения никогда не считали меня вполне своим. Я всегда был «анархистом» на духовной почве и «индивидуалистом».

Книга моя написана свободно, она не связана систематическим планом. В ней есть воспоминания, но не это самое главное. В ней память о событиях и людях чередуется с размышлением, и размышления занимают больше места. Главы книги я распределил не строго хронологически, как в обычных автобиографиях, а по темам и проблемам, мучившим меня всю жизнь. Но некоторое значение имеет и последовательность во времени. Наибольшую трудность я вижу в том, что возможно повторение одной и той же темы в разных главах. Единственное оправдание, что тема вновь будет возникать в другой связи и другой обстановке. Я решаюсь занять собой не только потому, что испытываю потребность себя выразить и отпечатлеть свое лицо, но и потому, что это может способствовать постановке и решению проблем человека и человеческой судьбы, а также пониманию нашей эпохи. Есть также потребность объяснить свои противоречия. Такого рода книги связаны с самой таинственной силой в человеке, с памятью. Память и забвение чередуются. Я многое на время забываю, многое исчезает из моего сознания, но сохраняется на большей глубине. Меня всегда мучило забвение. Я иногда забывал не только события, имевшие значение, но забывал и людей, игравших роль в моей жизни. Мне всегда казалось, что это дурно. В памяти есть воскрешающая сила, память хочет победить смерть. Но наступало мгновение, когда я вновь вспоминал забытое. Память эта имела активно-преображающий характер. Я не принадлежу к людям, обращенным к прошлому, я обращен к будущему. И прошлое имеет для меня значение как чреватое будущим. Мне не свойственно состояние печали, характерное для людей, обращенных к прошлому. Мне свойственно состояние тоски, что совсем иное означает, чем печаль. Я человек более драматический, чем лирический, и это должно отпечатлеться на моей автобиографии. Думая о своей жизни, я прихожу к тому заключению, что моя жизнь не была жизнью метафизика в обычном смысле слова. Она была слишком полна страстей и драматических событий, личных и социальных. Я искал истины, но жизнь моя не была мудрой, в ней не господствовал разум, в ней было слишком много иррационального и нецелесообразного. Светлые периоды моей жизни чередовались с периодами сравнительно темными и для меня мучительными, периоды подъема чередовались с периодами упадка. Но никогда, ни в какие периоды я не переставал напряженно мыслить и искать. Наиболее хотел бы я воскресить более светлые и творческие периоды моей жизни. Хотел бы я, чтобы память победила забвение в отношении ко всему ценному в жизни. Но одно я сознательно исключаю, я буду мало говорить о людях, отношение с которыми имело наибольшее значение для моей личной жизни и моего духовного пути. Это понятно. Но память наиболее это хранит и хранит для вечности. Марсель Пруст, посвятивший все свое творчество проблеме времени, говорит в завершительной своей книге *Le temps retrouvé*: „J'avais trop expérimenté l'impossibilité d'atteindre dans la réalité ce qui était au fond moi-même"[3]. Эти слова я мог бы взять эпиграфом к своей книге. То, о чем говорит Пруст, было опытом всей моей жизни. Противоречив замысел моей книги уже потому, что самый скрытный человек пытается себя раскрыть. Это очень трудно. Дискретность не позволяет мне говорить о многом, что играло огромную роль не только во внешней, но и во внутренней моей жизни. С трудом выразима та положительная ценность, которая получена от общения с душой другого. С трудом выразим и скрытый трагизм жизни.

Несмотря на западный во мне элемент, я чувствую себя принадлежащим к русской интеллигенции, искавшей правду. Я наследую традицию славянофилов и западников, Чаадаева и Хомякова, Герцена и Белинского, даже Бакунина и Чернышевского, несмотря на различие миросозерцаний, и более всего Достоевского и Л. Толстого, Вл. Соловьева и Н. Федорова. Я русский мыслитель и писатель. И мой универсализм, моя вражда к национализму — русская черта. Кроме того, я сознаю себя мыслителем аристократическим, признавшим правду социализма. Меня даже называли выразителем аристократизма социализма. Мной руководило желание написать эту книгу с наибольшей простотой и прямотой, без художественного завуалирования.

То, что носит характер воспоминаний и является биографическим материалом, написано у меня сухо и часто схематично. Эти части книги мне нужны были для описания разных атмосфер, через которые я проходил в истории моего духа. Но главное в книге не это, главное — самопознание, познание собственного духа и духовных исканий. Меня интересует не столько характеристика среды, сколько характеристика моих реакций на среду.

Писано в Clamart и Pilat-plage в 1940 году.

Глава I

ИСТОКИ И ПРОИСХОЖДЕНИЕ.
Я И МИРОВАЯ СРЕДА. ПЕРВЫЕ ДВИГАТЕЛИ.
МИР АРИСТОКРАТИЧЕСКИЙ

Истоки человека лишь частично могут быть поняты и рационализированы. Тайна личности, ее единственности, никому не понятна до конца. Личность человеческая более таинственна, чем мир. Она и есть целый мир. Человек — микрокосм и заключает в себе все. Но актуализировано и оформлено в его личности лишь индивидуально-особенное. Человек есть также существо многоэтажное. Я всегда чувствовал эту свою многоэтажность. Огромное значение имеет первая реакция на мир существа, в нем рождающегося. Я не могу помнить первого моего крика, вызванного встречей с чуждым мне миром. Но я твердо знаю, что я изначально чувствовал себя попавшим в чуждый мне мир, одинаково чувствовал это и в первый день моей жизни, и в нынешний ее день. Я всегда был лишь прохожим. Христиане должны себя чувствовать не имеющими здесь пребывающего града и града грядущего взыскующими. Но то первичное чувство, которое я здесь описываю, я не считал в себе христианской добродетелью и достижением. Иногда мне казалось, что в этом есть даже что-то плохое, есть какой-то надлом в отношении к миру и жизни. Мне чуждо было чувство вкорененности в землю. Мне более свойственно орфическое понимание происхождения души, чувство ниспадания ее из высшего мира в низший.

> И звуков небес заменить не могли
> Ей скучные песни земли.

У меня никогда не было чувства происхождения от отца и матери, я никогда не ощущал, что родился от родителей. Нелюбовь ко всему родовому — характерное мое свойство. Я не люблю семьи и семейственности, и меня поражает привязанность к семейному началу западных народов. Некоторые друзья шутя называли меня врагом рода человеческого. И это при том,

11

что мне очень свойственна человечность. У меня всегда была мучительная нелюбовь к сходству лиц, к сходству детей и родителей, братьев и сестер. Черты родового сходства мне представлялись противоречащими достоинству человеческой личности. Я любил лишь «лица необщее выражение»[1]. Но ошибочно было бы думать, что я не любил своих родителей. Наоборот, я любил их, считал хорошими людьми, но относился к ним скорее как отец к детям, заботился о них, боялся, чтобы они не заболели, и мысль об их смерти переживал очень мучительно. У меня всегда было очень слабое чувство сыновства. Мне ничего не говорило «материнское лоно», ни моей собственной матери, ни матери-земли. Мать моя была очень красива, ее считали даже красавицей. В 50 лет она была еще очень красивой женщиной. Но я никогда не мог открыть в себе ничего похожего на Эдипов комплекс, из которого Фрейд создал универсальный миф. Родство всегда казалось мне исключающим всякую влюбленность. Предмет влюбленности должен быть далеким, трансцендентным, не похожим на меня. На этом ведь был основан культ «прекрасной дамы». Я русский романтик начала XX века.

По своему происхождению я принадлежу к миру аристократическому. Это, вероятно, не случайно и наложило печать на мою душевную формацию. Мои родители принадлежали к «светскому» обществу, а не просто к дворянскому обществу. В доме у нас говорили главным образом по-французски. Родители мои имели большие аристократические связи, особенно в первую половину жизни. Эти связи были частью родственные, частью по службе моего отца в кавалергардском полку. В детстве мне было известно, что мои родители были друзья обергофмейстерины княгини Кочубей, которая имела огромное влияние на Александра III. Дворцовый комендант, генерал-адъютант Черевин, тоже близкий Александру III, был товарищем моего отца по кавалергардскому полку. Со стороны отца я происходил из военной семьи. Все мои предки были генералы и георгиевские кавалеры, все начали службу в кавалергардском полку. Мой дед М. Н. Бердяев был атаманом войска Донского. Прадед генерал-аншеф Н. М. Бердяев был новороссийским генерал-губернатором. Его переписка с Павлом I была напечатана в «Русской старине». Отец был кавалергардским офицером, но рано вышел в отставку, поселился в своем имении Обухове, на берегу Днепра, был одно время предводителем дворянства, в Турецкую войну опять поступил на военную службу, потом в течение 25 лет был председателем правления Земельного банка Юго-Западного края. У него не было никакой склонности делать карьеру, и он даже отказался от чина, который ему полагался за то, что более двадцати пяти лет он был почетным мировым судьей. Я с детства был зачислен в пажи за заслуги предков. Но так как мои родители жили в Киеве, то я поступил в Киевский кадетский корпус, хотя за мной осталось право в любой момент быть переведенным в пажеский корпус. Мать моя была рожденная княжна Кудашева. Она была полуфранцуженка. Ее мать, моя бабушка, была графиня Шуазель. В сущности, мать всегда была более француженка, чем русская, она получила французское воспитание, в ранней молодости жила в Париже, писала письма исключительно по-французски и никогда не научилась писать грамотно по-русски, будучи православной по рождению, она чувствовала себя более католичкой и всегда молилась по французскому католическому молитвеннику своей матери. Я шутя ей говорил, что она никогда не перешла с Богом на «ты». Интересно, что у меня была бабушка монахиня и прабабушка монахиня. Мать моего отца, рожденная Бахметьева, была в тайном постриге еще при жизни моего деда. Она была близка к Киево-Печерской лавре. Известный старец Парфений был ее духовником и другом, ее жизнь была им целиком определена. Помню детское впечатление. Когда умерла бабушка и меня привели на ее похороны, мне было лет шесть, я был поражен, что она лежала в гробу в монашеском облачении и ее хоронили по монашескому обряду. Монахи пришли и сказали: «Она наша». Бабушка моей матери, княгиня Кудашева, рожденная княжна Баратова, стала после смерти мужа настоящей монахиней. У меня и в советский период висел ее большой портрет масляными красками в монашеском облачении с очень строгим лицом. Бабушка Бердяева жила в собственном доме с садом в верхней старинной части Киева, которая называлась Печерск. Атмосфера Печерска была особая, это смесь монашества и воинства. Там была Киево-Печерская лавра, Никольский монастырь и много других церквей. На улицах постоянно встречались монахи. Там была Аскольдова могила, кладбище на горе над Днепром, где похоронена бабушка и другие мои предки. Вместе с тем Печерск был военной крепостью, там было много военных.

Это старая военно-монашеская Россия, очень мало подвергавшаяся модернизации. Киев один из самых красивых городов не только России, но и Европы. Он весь на горах, на берегу Днепра, с необыкновенно широким видом, с чудесным Царским садом, с Софиевским собором, одной из лучших церквей России. К Печерску примыкали Липки, тоже в верхней части Киева. Это дворянско-аристократическая и чиновничья часть города, состоящая из особняков с садами. Там всегда жили мои родители, там был у них дом, проданный, когда я был еще мальчиком. Наш сад примыкал к огромному саду доктора Меринга, занимавшему сердцевину Киева. У меня на всю жизнь сохранилась особенная любовь к садам. Но я чувствовал себя родившимся в лесу и более всего любил лес. Все мое детство и отрочество связано с Липками. Это уже был мир несколько иной, чем Печерск, мир дворянский и чиновничий, более тронутый современной цивилизацией, мир, склонный к веселью, которого Печерск не допускал. По другую сторону Крещатика, главной улицы с магазинами между двумя горами, жила буржуазия. Совсем внизу около Днепра был Подол, где жили главным образом евреи, но была и Киевская духовная академия. Наша семья, хотя и московского происхождения, принадлежала к аристократии Юго-Западного края, с очень западными влияниями, которые всегда были сильны в Киеве. Особенно семья моей матери была западного типа, с элементами польскими и французскими. В Киеве всегда чувствовалось общение с Западной Европой. Я с детства часто ездил за границу. Первый раз ездил за границу семи лет в Карлсбад, где моя мать лечила болезнь печени. Первое мое впечатление от заграницы была Вена, которая мне очень понравилась.

Из моих предков наиболее яркой и интересной фигурой был мой дед М. Н. Бердяев. О нем я слыхал много рассказов с детства. Отец любил рассказывать, как дед победил Наполеона. В 1814 году, в Кульмском сражении, армия Наполеона побеждала русскую и немецкую армии. В той части русской армии, где находился мой дед, были убиты все начальствовавшие, начиная с генерала. Мой дед был молодым поручиком кавалергардского полка, но должен был вступить в командование целой частью. Он перешел в бурное наступление и атаковал французскую армию. Французы подумали, что противник получил подкрепление. Армия Наполеона дрогнула и проиграла Кульмское сражение. Мой дед получил Крест Святого Георгия и прусский Железный Крест. Другой рассказ. Дед командует полком. Он исключительно хорошо относился к солдатам. Для военного времени Николая I он был исключительно гуманным человеком. По рассказам отца, он всегда с отвращением относился к крепостному праву и стыдился его. После того, как он был произведен в генералы и отправился на войну, солдаты его полка поднесли ему медаль в форме сердца с надписью: «Боже, храни тебя за твою к нам благодетель». Эта медаль всегда висела у отца в кабинете, и он особенно ею гордился. Третий рассказ. Дед — атаман Войска Донского. Приезжает Николай I и хочет уничтожить казацкие вольности. Это была тенденция к унификации. Был парад войска в Новочеркасске, и Николай I обратился к моему деду, как начальнику края, с тем, чтобы было приведено в исполнение его предписание об уничтожении казацких вольностей. Мой дед говорит, что он считает вредным для края уничтожение казацких вольностей, и просит уволить его в отставку. Все в ужасе и ждут кар со стороны Николая I, который нахмурился. Но потом настроение его меняется, он целует деда и отменяет свое распоряжение. Уже старым и больным дед проявлял нелюбовь к монахам, хотя он был православным по своим верованиям.

Тут уместно сказать о некоторых наследственных свойствах характера нашей семьи. Я принадлежу к расе людей чрезвычайно вспыльчивых, склонных к вспышкам гнева. Отец мой был очень добрый человек, но необыкновенно вспыльчивый, и на этой почве у него было много столкновений и ссор в жизни. Брат мой был человек исключительной доброты, но одержимый настоящими припадками бешенства. Я получил по наследству вспыльчивый, гневливый темперамент. Это русское барское свойство. Мальчиком мне приходилось бить стулом по голове. С этим связана и другая черта — некоторое самодурство. При всех добрых качествах моего отца, я в его характере замечал самодурство. Этот недостаток барски-русский есть и у меня. Я иногда замечаю что-то похожее на самодурство даже в моем процессе мысли, в моем познании. Если глубина духа и высшие достижения личности ничего наследственного в себе не заключают, то в душевных и душевно-телесных свойствах есть много наследственного. Когда я был в ссылке в Вологде, то побил палкой чиновника Губернского правления за то, что тот преследовал на улице знакомую мне барышню. Побив его, я ему сказал: «Завтра вы будете уволены в отставку». Очевидно, кровь предков мне бросилась в голову. Мне приходилось испытывать настоящий экстаз гнева. Вспоминая свое прошлое, я думаю, что мог часто безнаказанно проявлять такую гневливость и вспыльчивость потому, что находился в привилегированном положении. Мы жили еще в патриархальных нравах. Мой отец, который во вторую половину жизни имел взгляды очень либеральные, не представлял жизни иначе, чем в патриархальном обществе, где родственные связи играют определенную роль. Когда меня арестовали и делали обыск, то жандармы ходили на цыпочках и говорили шепотом, чтобы не разбудить отца. Жандармы и полиция знали, что отец на «ты» с губернатором, друг генерал-губернатора, имеет связи в Петербурге. Будучи социал-демократом и занимаясь революционной деятельностью, я, в сущности, никогда не вышел окончательно из положения человека, принадлежащего к привилегированному, аристократическому миру. И это и после того, как я сознательно порвал с этим миром. Так создавалось некоторое неравенство с моими товарищами, которые всегда меня чувствовали барином.

Из людей, окружавших меня в детстве, особенно запечатлелся мне образ моей няни Анны Ивановны Катаменковой. Русская няня была поразительным явлением старой России. Можно поражаться, как она могла вырасти на почве крепостного права. Моя няня была крепостной моего деда. Она была няня двух поколений Бердяевых, моего отца и моей. Отец относился к ней с огромной любовью и уважением. Она представляла собой классический тип русской няни. Горячая православная вера, необыкновенная доброта и заботливость, чувство достоинства, возвышавшее ее над положением прислуги и превращавшее ее в члена семьи. Няни в России были совсем особым социальным слоем, выходящим из сложившихся социальных классов. Для многих русских бар няня была единственной близкой связью с народом. Моя няня умерла в глубокой старости, когда мне было около четырнадцати лет. Первое мое впечатление связано с ней. Помню, что я с няней иду по аллее сада в родовом имении моего отца, Обухове, на берегу Днепра. Мне было, вероятно, года три или четыре. До этого ничего не могу припомнить. После этого тоже некоторое время ничего не припоминаю. Следующее воспоминание уже связано с нашим домом в Киеве. Родовое имение моего отца было продано, когда я был еще ребенком, и был куплен в Киеве дом с садом. Отец мой всегда имел тенденцию к разорению. Всю жизнь он не мог утешиться, что имение продано, и тосковал по нем. У него было тяготение к деревне. Мать же больше любила город. На этой почве были споры. Я всегда мечтал о деревне и надеялся, что отец купит новое имение, хотя бы более скромное. В воображении часто представлял себе, какой будет усадьба, непременно около леса, столь мною любимого. Но этого не случилось. У моего отца оставалось еще майоратное имение в Польше, пожалованное моему деду за заслуги. В этом майоратном имении, находившемся на самой границе Германии, мы никогда не жили. Оно было в аренде. Я всего раз в жизни, еще юношей, был там проездом из Германии. Никакой связи с этой собственностью не было. Как майорат, это имение нельзя было ни продать, ни заложить, и это спасло от полного разорения. У меня было всегда странное отношение к собственности. Я не только не считал собственность священной, но и никогда не мог освободиться от чувства греховности собственности. Сильное чувство собственности у меня было только на предметы потребления, особенно на книги, на мой письменный стол, на одёжу. Деньги, необходимые для жизни, мне казались дарованными Богом, чтобы я мог отдаться единственно творчеству. При этом у меня была некоторая расчетливость при крайней непрактичности. Если не считать моего детства и юности, то большую часть жизни я испытывал материальную стесненность, а иногда и критическое положение. Мальчиком я обыкновенно проводил лето в великолепном имении моей тети, Ю. Н. Гудим-Левкович. С семьей Гудим-Левковичей, которая представляла один из центров киевского светского общества, мы были очень связаны. Наша семья была невеселая. В доме Гудим-Левковичей бывало много молодежи, веселились. С кузинами я был дружен, особенно с Наташей, с которой у меня сохранились отношения и в Париже, до ее трагической кончины. Это была семья благополучная. В нашей же семье я всегда чувствовал неблагополучие, неприспособленность к жизни, надлом, слишком большую чувствительность. Она уже вышла из крепкого, оформленного быта и менее всего приспособилась к новому буржуазному быту. У отца моего происходил перелом миросозерцания, он все более проникался либеральными взглядами, порывал с традициями и часто вступал в конфликт с окружающим обществом. Надлом в нашу семью внесли отношения между моими родителями и семьей моего брата, который был на пятнадцать лет старше меня. Семья брата имела огромное значение в моей жизни и моей душевной формации. Брат был человек очень одаренный, хотя совсем в другом направлении, чем я, очень добрый, но нервно больной, бесхарактерный и очень несчастный, не сумевший реализовать своих дарований в жизни. У нас образовалась атмосфера, родственная Достоевскому.

§

В детстве и юности я знал мир феодально-аристократический высшего стиля. Это связано с польскими родственниками моей матери. Графиня Марья Евстафьевна Браницкая, урожденная княжна Сапега, была кузиной моей матери, муж ее был двоюродным дядей моей матери. Она была близким другом моей матери, и в моем детстве мы часто у них жили. Был даже особенный павильон, предназначенный для нашей семьи. Браницкая была владелицей города Белая Церковь, у нее было 60 000 десятин в Киевской губернии, были дворцы в Варшаве, Париже, Ницце и Риме. Браницкие были родственники царской семьи. Дочь Екатерины II и Потемкина была выдана замуж за гетмана Малороссии Браницкого. На окраине Белой Церкви была Александрия, летний дворец Браницких, с одним из лучших парков не только России, но и Европы. Это был стиль барокко. Белая Церковь и Александрия представляли настоящее феодальное герцогство, с двором, с неисчислимым количеством людей, питавшихся вокруг двора, с огромными конюшнями породистых лошадей, с охотами, на которые съезжалась вся аристократия Юго-Западного края. За обедом давали до пятнадцати утонченных блюд. Осенью мы постоянно жили с матерью в Белой Церкви. У меня был кабриолет с двумя пони, я сам правил и ездил в лес за грибами, сзади сидел кучер в польской ливрее. Кроме того был осел, на котором я ездил по парку. Но я бывал в Белой Церкви и значительно позже, уже студентом и социал-демократом. Я иногда ездил туда на месяц для уединенных занятий и жил в зимнем дворце гетмана Браницкого. Но я никогда не любил этого мира и еще в детстве был в оппозиции. Я всегда чувствовал большое несоответствие между мной и стилем Браницких, хотя графиня Браницкая, светски умная и с большим шармом, была со мной очень мила и тогда, когда я был уже марксистом и приезжал после споров с Луначарским. Но я всегда одевался элегантно, у меня всегда была склонность к франтовству, и я обращал большое внимание на внешность. Я всегда любил сигары и духи, это для меня характерно. Любил я ходить в уединении по чудесному парку Александрии и мечтать об ином мире. В разгар революции усадьба Браницких была разгромлена, дом сожжен. Сама графиня Браницкая, женщина по-своему гуманная, должна была бежать и скоро умерла. Когда я, будучи марксистом, сидел в салоне Браницкой, то не предполагал, что из марксизма могут произойти такие плоды. В Париже, в период изгнания, я встречал дочь Браницкой — княгиню Битет-Раздвил. К феодальному миру, о котором вспоминаю как о чем-то доисторическом, принадлежали также светлейшие князья Лопухины-Демидовы. Княгиня Лопухина-Демидова была кузиной моей матери. Ее муж, товарищ моего отца по кавалергардскому полку, был моим крестным отцом. Ольга Валериановна Лопухина-Демидова была женщина высокого стиля, величественная, гордая, властная, очень красивая. Мой отец был с ней в ссоре. Поэтому в их майоратном имении Корсуне я не бывал. Между Браницкими и Лопухиными-Демидовыми была конкуренция в первенстве. Лопухины-Демидовы имели тенденцию к разорению, и их периодически поддерживала царская семья. С тетей Лопухиной-Демидовой я встречался в Берлине, в эмиграции, незадолго до ее смерти. Она выражала большое презрение к русским правым монархистам, чувствуя в них что-то неаристократическое, плебейское. «Союз русского народа» всегда ведь носил плебейский характер, и его чуждалась аристократия. Моя тетя что-то вязала для императрицы Марии Федоровны, с которой была близка, и в то же время презирала русских монархистов и даже главных деятелей не пускала к себе в дом.

§

Я воспитывался в военном учебном заведении, в Киевском кадетском корпусе. Но жил дома и был приходящим, что представляло собой исключение. Чтобы поступить в университет, я должен был держать экзамен на аттестат зрелости экстерном. Я не любил корпуса, не любил военщины, все мне было не мило. Когда я поступил во второй класс кадетского корпуса и попал во время перемены между уроками в толпу товарищей кадетов, я почувствовал себя совершенно несчастным и потерянным. Я никогда не любил общества мальчиков-сверстников и избегал вращаться в их обществе. Лучшие отношения у меня были только с девочками и барышнями. Общество мальчиков мне всегда казалось очень грубым, разговоры низменными и глупыми. Я и сейчас думаю, что нет ничего отвратительнее разговоров мальчиков в их среде. Это источник порчи. Кадеты же мне показались особенно грубыми, неразвитыми, пошлыми. К тому же товарищи иногда насмехались над моими нервными движениями хореического характера, присущими мне с детства. У меня совсем не выработалось товарищеских чувств, и это имело последствие для всей моей жизни. Единственным товарищем моего детства был моряк Н. М., которому мой отец помог окончить образование. Я был очень к нему привязан, и отношения сохранились на всю жизнь. Он стал как бы членом нашей семьи. Впоследствии он стал очень храбрым моряком, совершал экспедиции. Он был вместе со мной в ссылке в Вологде. Но в коллективной атмосфере военного учебного заведения я был резким индивидуалистом, очень отъединенным от других. На меня смотрели как на аристократическое дитя, пажа, будущего гвардейца. Преобладали же армейцы. Но мое расхождение с кадетами и со всей кадетской атмосферой имело более глубокие причины. Во мне необычно рано пробудился интерес к философским проблемам, и я сознал свое философское призвание еще мальчиком. Учился я всегда посредственно и всегда чувствовал себя мало способным учеником. Одно время у меня был домашний репетитор. Однажды он пришел к отцу и сказал, что ему трудно заниматься с таким неспособным учеником. В это время я уже много читал и рано задумывался над смыслом жизни. Но я никогда не мог решить ни одной математической задачи, не мог выучить четырех строк стихотворения, не мог написать страницы диктовки, не сделав ряд ошибок. Если бы я не знал с детства французский и немецкий языки, то, вероятно, с большим трудом овладел бы ими. Но ввиду знания языков, я имел в этом преимущество перед другими кадетами. Я сносно знал теорию математики и потому мог кое-как обернуться, не умея решать задачи. Я недурно писал сочинения, несмотря на неспособность овладеть орфографией. Лучше других предметов я знал историю и естествознание. Программа кадетских корпусов была близка к программе реальных училищ. Большое значение имела математика, и преподавалась в старшем классе даже аналитическая геометрия и элементы высшей математики. Преподавалось естествознание, ботаника, зоология, минералогия, физика и химия, космография. Поступив в университете на естественный факультет, я лучше других студентов ориентировался в естественных науках. Большое значение имели новые языки. Но греческий и латинский я изучал всего два года, готовясь на аттестат зрелости. Преподавание в киевском корпусе было неплохое, среди преподавателей были даже приват-доценты университета. Директор кадетского корпуса генерал А. был человек хороший и ко мне он относился хорошо. Но я не мог принять никакого учебного заведения, не мог принять и университета. Психологически я себе объясняю, почему я всегда был неспособным учеником, несмотря на очень раннее мое умственное развитие и на чтение книг, которых в моем возрасте никто не читал. Когда я держал выпускной экзамен по логике, то я уже прочел «Критику чистого разума» Канта и «Логику» Д. С. Милля. Мои способности обнаруживались лишь тогда, когда умственный процесс шел от меня, когда я был в активном и творческом состоянии, и я не мог обнаружить способностей, когда нужно было пассивное усвоение и запоминание, когда процесс шел извне ко мне. Я, в сущности, никогда не мог ничего пассивно усвоить, просто заучить и запомнить, не мог поставить себя в положение человека, которому задана задача. Поэтому экзамен был для меня невыносимой вещью. Я не могу пассивно отвечать. Мне сейчас же хочется развить собственные мысли. По Закону Божьему я однажды получил на экзамене единицу при двенадцатибалльной системе. Это был случай небывалый в истории кадетского корпуса. Я никогда не мог бы конспектировать ни одной книги. И я, вероятно, срезался бы, если бы мне предложили конспектировать мою собственную книгу. Я очень много читал в течение всей моей жизни и очень разнообразно. Я читаю быстро и легко. С необычайной легкостью ориентируюсь в мире мысли данной книги, сразу же знаю, что к чему относится, в чем смысл книги. Но я читаю активно, а не пассивно, я непрерывно творчески реагирую на книгу и помню хорошо не столько содержание книги, сколько мысли, которые мне пришли в голову по поводу книги. Для меня это очень характерно. Вместе с тем я никогда не мог признать никакого учителя и руководителя занятий. В этом отношении я автодидакт. Во мне не было ничего педагогического. Я понимал жизнь не как воспитание, а как борьбу за свободу. Я сам составлял себе план занятий. Никогда никто не натолкнул меня на занятия философией, это родилось изнутри. Я никогда не мог принадлежать ни к какой школе. Я всю жизнь учился, учусь и сейчас. Но это есть свободное приобщение к мировому знанию, к которому я сам определяю свое отношение. Покупка книг была для меня большим наслаждением. Вспоминаю, как я ходил в большой книжный магазин Оглоблина на Крещатике. Почти каждый день я ходил осматривать новые книги. Любовь к книжным магазинам у меня сохранилась и доныне.

Как я говорил уже, я принадлежу к военной семье со стороны отца и воспитывался в военном учебном заведении. И у меня была антипатия к военным и всему военному, я всю жизнь приходил в плохое настроение, когда на улице встречал военного. Я с уважением относился к военным во время войны, но не любил их во время мира. Будучи кадетом, я с завистью смотрел на студентов, потому что они занимались интеллектуальными вопросами, а не маршировкой. Я около шести лет учился строевой службе. Кадетский корпус был единственным местом, где было физическое воспитание и спорт, конечно, того времени. Гимнастика была обязательным предметом, как и танцы. Отвращение к военщине вызывало во мне нелюбовь к физическим упражнениям. Гимнастика казалась мне скучной, и лишь впоследствии, для гигиены, я делал по утрам гимнастику. Танцы я не любил и танцевал плохо. Балы казались мне необыкновенно скучными. Две вещи, не связанные с интеллектуальной жизнью, требующие физической умелости, я делал хорошо: я очень хорошо ездил верхом и хорошо стрелял в цель. Ездить верхом я очень любил. Когда мне было около 9 лет, ко мне приезжал казак, он обучал меня верховой езде, мы ездили за город. Я умел ездить по-казачьи и по-кавалерийски. Быстрая езда карьером была для меня наслаждением. В этом я, наверное, превосходил моих товарищей по кадетскому корпусу. Меня огорчало, что потом наступили времена, когда трудно было ездить верхом. Я также хорошо стрелял в цель, почти без промаха. Думая о физическом труде и тренировке тела, я на опыте подтверждаю для себя глубокое убеждение, что человек есть микрокосм, потенциальная величина, что в нем все заложено. Маленьким мальчиком я очень увлекался ремеслами, я был и столяром, и маляром, и щекатуром. Особенно любил столярное ремесло, даже обучался ему в столярной мастерской и делал какие-то рамки и стулья. И сейчас я с любовью вхожу в столярную мастерскую. Одно время был даже огородником и сажал какие-то овощи. Этим как будто бы исчерпались все мои возможности физического труда, и всю жизнь я был неумелым в этой области. Я был также художником и даже очень увлекался живописью. У меня были довольно большие способности к рисованию и в кадетском корпусе я был одним из первых по рисованию. Я даже кончил рисовальную школу, три года учился. Начал уже писать масляными красками. Настоящего таланта у меня, наверное, не было, были способности. Но как только я сознал свое философское призвание, а его я сознал очень рано, еще мальчиком, я совершенно бросил живопись. Я начал писать романы философского направления. Возвращаюсь к своей реакции на кадетский корпус. Когда я наблюдаю современное поколение молодежи, увлеченное милитаризацией и идеалом военного, то это вызывает во мне особенное раздражение, потому что я получил военное воспитание, испытал на себе военную дисциплину, знаю, что такое значит принадлежать к военному коллективу. Пребывание в кадетском корпусе оказало на меня большое влияние в смысле сильной реакции против военной среды и атмосферы. По характеру своему я принадлежу к людям, которые отрицательно реагируют на окружающую среду и склонны протестовать. Это также форма зависимости. Я всегда разрывал со всякой средой, всегда уходил. У меня очень слабая способность к приспособлению, для меня невозможен никакой конформизм. Эта неприспособленность к окружающему миру — мое основное свойство. Я никому и ничему никогда не мог подчиниться. Это я проверил на опыте всей моей жизни. Еще до кадетского корпуса, совсем маленьким, я надевал белый кавалергардский мундир моего отца, ленты и звезды моего деда. Меня интересовал образ Суворова. Я даже делал план сражения. На этом были совершенно изжиты мои милитаристические наклонности. Некоторая воинственность моего характера целиком перешла в идейную борьбу, в сражения в области мысли. Все военное было для меня нестерпимым, ибо делало человека подчиненной частью коллективного целого. Я даже избегал соблюдать кадетскую форму. Не стриг коротко волос, как полагалось кадетам. Старался избегать встреч с генералами, чтобы не становиться во фронт. Ни с одним товарищем по кадетскому корпусу у меня не возникло никаких отношений. Тут большую роль играла моя скрытность. Затрудняла товарищеские отношения со мной также моя вспыльчивость. Со мной не очень приятно было играть в карты, потому что я мог прийти в настоящее бешенство против моего партнера. Кстати, любовь к карточной игре и притом с азартом я изжил мальчиком и более к этому не возвращался. Любовь к философии, к познанию смысла жизни вытесняла во мне все. В моей природе есть кавалергардские инстинкты, но они были мной задавлены и вытеснены. Преодоление их усложнило мою натуру. О произошедшем во мне перевороте речь впереди. До переворота у меня было много неприятных черт, от которых я освободился. Я был переведен в пажеский корпус и должен был жить в Петербурге у сановного двоюродного брата моего отца. Вместо этого переезда я осуществил свою мечту, вышел из шестого класса кадетского корпуса и начал готовиться на аттестат зрелости для поступления в университет. Вспоминая прошлое, должен сказать, что единственный быт, с которым у меня была какая-то связь, есть все-таки помещичий, патриархальный быт. Я очень любил русскую деревню и тоскую по ней и сейчас.

§

Огромную роль в моей жизни играли болезни. В этом отношении я с детства пережил травмы. Я считаю себя человеком храбрым, морально храбрым в максимальном смысле, но и физически храбрым в важные моменты жизни. Я это доказал во многих опасных случаях моей жизни. Возможно, что тут играет роль моя военная наследственность. Но в этом отношении моя храбрость имеет границы и я малодушен и труслив. Я страшно боюсь болезней, болезни внушают мне почти мистический ужас. Ошибочно было бы это объяснить страхом смерти. У меня никогда не было особенно страха смерти, это не моя черта. Если я боюсь смерти, то не столько своей, сколько близких людей. Я боюсь именно болезней, заразы, всегда представляю себе дурной исход болезни. Я человек мнительный. И это относится не только ко мне, но в такой же степени к другим. Мое сильно развитое воображение направлено в худшую сторону. Мне кажется, что я не боюсь быть убитым пулей или бомбой. Я это проверил на опыте в дни октябрьского переворота 17 года в Москве, когда бомбы летали над нашим домом и одна разорвалась в нашем дворе. Я в это время продолжал писать. Я также совершенно не боялся бомбардировок Парижа. Но я боюсь заразиться тифом, дифтеритом, даже простым гриппом. Отчасти это объясняется тем, что в нашей семье болезни играли огромную роль. Я мало подвергаюсь внушению, но в детстве мне была внушена мысль, что жизнь есть болезнь. Лучший профессор медицины приезжал осматривать всех членов нашей семьи. У моей матери в течение 40 лет была тяжелая болезнь печени. По ночам были припадки печени с прохождением камней, и я слышал ее крики. Каждый раз думали, что она может умереть. Это очень тяжело на меня действовало. Отец постоянно лечился. Меня самого постоянно лечили. Совсем маленьким я год пролежал в кровати, у меня была ревматическая горячка. Семья наша была необыкновенно нервной. У меня была нервная наследственность, выражающаяся в моих нервных движениях. Это, вероятно, связано с судорожностью моей натуры, мои душевные движения также судорожны. Особенная нервность была со стороны отца. Мать часто говорила, что Бердяевы не совсем нормальны, Кудашевы же нормальны. Мой брат был человек нервно больной в тяжелой форме. Многие находили, что у него были ненормальности. С этим связаны у меня травмы, сохранившиеся в моем подсознательном. Мне часто в семье приходилось играть роль посредника. Семья брата была для меня первым выходом из аристократической среды и переходом в другой мир. Брат был человеком, готовым отдать последнее. Деньги не могли у него удержаться и одного дня. И он всегда был в затруднительном положении. У него было очень красивое, почти греческое лицо. Но он периодически опускался, не брился, не мылся, одевался так, что производил впечатление оборванца. Потом вдруг появлялся очень элегантным. У него были способности, которых не было у меня, была изумительная память, дар к математике и языкам. Он писал стихи даже понемецки, но не было никакой склонности к философии. В семье брата я рано столкнулся с явлениями оккультизма, к которым был в решительной оппозиции. Мой брат иногда впадал в трансы, начинал говорить рифмованно, нередко на непонятном языке, делался медиумом, через которого происходило сообщение с миром индусских махатм. Однажды через брата, находившегося в состоянии транса, махатма сказал обо мне: «Он будет знаменит в Европе вашей старой». Эта атмосфера действовала на меня отрицательно, и я боролся против нее. Но атмосфера была напряженной, были напряженные духовные интересы.

В моей семье совершенно отсутствовала авторитарность. Я в ней не чувствовал инерции традиционного быта. В ней было что-то заколебавшееся. Она принадлежала к толстовскому кругу, но было что-то от Достоевского. Уже в моем отце, во вторую половину жизни, было что-то переходное от наших предков ко мне. Меня никогда не стесняли и не насиловали. Я не помню, чтобы меня когда-либо наказывали. Вероятно, из гордости я себя держал так, чтобы не было и поводов для наказания. В детстве я никогда не капризничал и не плакал, мне были мало свойственны и детские шалости. Единственное, что мне было свойственно, это припадки вспыльчивости. Отца всегда пугало, когда я делался белым как полотно от припадка вспыльчивости. Мне свойственна изначальная свобода. Я эмансипатор по истокам и пафосу. Во мне образовался собственный внутренний мир, который я противополагал миру внешнему. Это выражалось и в том, что я любил устраивать свою комнату и выделять ее из всей квартиры, не выносил никаких посягательств на мои вещи. С детства собирал собственную библиотеку. Думаю, что мне всегда был свойствен эгоизм, эгоизм главным образом защитительный. Но я не был эгоцентриком, то есть не был исключительно поглощен собой и не относил всего к себе. Я всегда был педантически аккуратен, любил порядок в распределении дня, не выносил ни малейшего нарушения порядка на моем письменном столе. Это обратная сторона моего прирожденного анархизма, моего отвращения к государству и власти. Помню один важный разговор, который имел со мной отец. Во время разговора отец заплакал. Разговор этот имел для меня большое значение, после него многое во мне изменилось, и я благодарно об этом вспоминаю. Отец меня очень любил, и эта любовь со временем вырастала. С матерью отношения были более легкими. В ней всегда чувствовалось что-то французское, и в ней было больше светскости, чем в отце. Вместе с тем в ней было много доброты. Я не любил светское аристократическое общество, и с известного момента это превратилось в глубокое отталкивание и жажду полного разрыва. Я никогда не любил элиты, претендующей на аристократизм. Мой собственный аристократизм сказывался в отталкивающем чувстве, которое мне внушали parvenus и арривисты, люди, проталкивающиеся из низов к верхним слоям, нелюбви к подбору, который я считаю не аристократическим принципом. Аристократизм определяется по происхождению, а не по достижению. В детстве у меня наверное были аристократические предрассудки. Но в бурной реакции, или, вернее, революции, я победил их. В аристократическом обществе я не видел настоящего аристократизма и видел чванство, презрение к низшим, замкнутость. В России не было настоящих аристократических традиций. У меня была, конечно, «господская» психология, предки мои принадлежали к «господам», к правящему слою. Но у меня это соединялось с нелюбовью к господству и власти, с революционным требованием справедливости и сострадательности. Я принадлежу к «кающимся дворянам», хотя одно время усиленно боролся против такой душевной формации. Отец мой потом смеялся над моим социализмом и говорил, что я барин-сибарит более, чем он. В сущности, я стремился не к равенству и не к преобладанию и господству, а к созданию своего особого мира.

§

С детства я жил в своем особом мире, никогда не сливался с миром окружающим, который мне всегда казался не моим. У меня было острое чувство своей особенности, непохожести на других. О схожем чувстве говорит А. Жид в своем «Дневнике», но причины иные. Внешне я не только не старался подчеркнуть свою особенность, но наоборот, всегда старался сделать вид, притвориться, что я такой же, как другие люди. Это чувство особенности не следует смешивать с самомнением. Человек огромного самомнения может себя чувствовать слитым с окружающим миром, быть очень социализированным и иметь уверенность, что в этом мире, совсем ему не чуждом, он может играть большую роль и занимать высокое положение. У меня же было чувство неприспособленности, отсутствие способностей, связанных с ролью в мире. Меня даже всегда удивляло, что впоследствии, при моей неспособности к какому-либо приспособлению и конформизму, я приобрел большую европейскую и даже мировую известность и занял «положение в мире». Я даже стал «почтенным» человеком, что мне кажется совсем не соответствующим моей беззаконной и возмутившейся природе. Вместе с тем это мое коренное чувство не следует смешивать с complex d'infériorité[2], которого у меня совсем нет. Я отнюдь не застенчивый человек, и я всегда говорил и действовал уверенно, если это не касалось деловой, «практической» стороны жизни, где я всегда себя чувствовал беспомощным. В обыденной жизни я был скорее робок, неумел, не самоуверен и был мужествен и храбр лишь когда речь шла об идейной борьбе или в минуты серьезной опасности. Чувство жизни, о котором я говорю, я определяю как чуждость мира, неприятие мировой данности, неслиянность, неукорененность в земле, как любят говорить, болезненное отвращение к обыденности. Часто это называли моим «индивидуализмом», но я считаю это определение неверным. Я не только выхожу из себя к миру мысли, но и к миру социальному. Человек есть сложное и запутанное существо. Мое «я» переживает себя как пересечение двух миров. При этом «сей мир» переживается как не подлинный, не первичный и не окончательный. Есть «мир иной», более реальный и подлинный. Глубина «я» принадлежит ему. В художественном творчестве Л. Толстого постоянно противополагается мир лживый, условный и мир подлинный, божественная природа (князь Андрей в петербургском салоне и князь Андрей, смотрящий на поле сражения на звездное небо). С этой темой связана для меня роль воображения и мечты. Действительности противостоит мечта, и мечта в каком-то смысле реальнее действительности. Это могут определить как романтизм, но тоже неточно. У меня всегда было очень реалистическое, трезвое чувство действительности, была даже очень малая способность к идеализации и к иллюзиям. Но что казалось мне всегда очень мучительным и дурным, так это моя страшная брезгливость к жизни. Я прежде всего человек брезгливый, и брезгливость моя и физическая, и душевная. Я старался это преодолеть, но мало успевал. У меня совсем нет презрения, я почти никого и ничего не презираю. Но брезгливость ужасная. Она меня всю жизнь мучила, например, в отношении к еде. Брезгливость вызывает во мне физиологическая сторона жизни. Я прошел через жизнь с полузакрытыми глазами и носом вследствие отвращения. Я исключительно чувствителен к миру запахов. Поэтому у меня страсть к духам. Я хотел бы, чтобы мир превратился в симфонию запахов. Это связано с тем, что я с болезненной остротой воспринимаю дурной запах мира. У меня есть брезгливость и к самому себе. Думаю, что брезгливость связана у меня со структурой моего духа. Душевная брезгливость у меня не меньшая. Дурной нравственный запах мучит меня не меньше, чем дурной физический запах. Брезгливость вызывают интриги жизни, закулисная сторона политики. Я не эстет по своему основному отношению к жизни и имею антипатию к эстетам. Моя преобладающая ориентировка в жизни этическая. По типу своей мысли я моралист. Но у меня всегда был сильный чувственно-пластический эстетизм, я любил красивые лица, красивые вещи, одёжу, мебель, дома, сады. Я люблю не только красивое в окружающем мире, но и сам хотел быть красивым. Я страдал от всякого уродства. Прыщик на лице, пятно на башмаке вызывали уже у меня отталкивание, и мне хотелось закрыть глаза. У меня была необыкновенная острота зрения, один окулист сказал мне, что оно вдвое сильнее нормального. Входя в гостиную, я видел всех и все, малейший дефект бросался мне в глаза. Я всегда считал это несчастным свойством. В мире, особенно в человеческом мире, больше уродства, чем красоты. Я замечаю, что у меня отсутствует целый ряд дурных страстей и аффектов, вероятно, потому, что я не приобщаюсь до глубины к борьбе и соревнованию, которые происходят в мировой жизни. Я совершенно неспособен испытывать чувства ревности, мне не свойствен аффект зависти, и нет ничего более чуждого мне, чем мстительность, у меня атрофировано совершенно всякое чувство иерархического положения людей в обществе, воля к могуществу и господству не только мне несвойственна, но и вызывает во мне брезгливое отвращение. Слишком многие страсти, господствующие над жизнью людей, мне чужды и непонятны. Это могут объяснить ущербностью моей природы, безразличием ко многому, прежде всего безразличием к успехам в жизни. Я боролся с миром не как человек, который хочет и может победить и покорить себе, а как человек, которому мир чужд и от власти которого он хочет освободить себя.

Я лишен изобразительного художественного дара. В моей выразительности есть бедность, бедность словесная и бедность образов. Я бы не мог написать романа, хотя у меня есть свойства, необходимые беллетристу. Я полон тем для романов, и в моей восприимчивости (не изобразительности) есть элемент художественный. Я прежде всего должен признать в себе очень большую силу воображения. Воображение играло огромную роль в моей жизни и часто несчастную для меня роль. В воображении я переживал несчастье и страдал с большей остротой, чем в действительности. Я находил в себе духовные силы пережить смерть людей, но совершенно изнемогал от ожидания этой смерти в воображении. Когда я читал *Mémoires d'outre tombe*[3] Шатобриана, то меня поразила одна черта сходства с ним, несмотря на огромное различие в других отношениях. Как у Шатобриана, у меня очень сильное воображение, гипертрофия воображения и именно вследствие этого невозможность удовольствоваться какой-либо действительностью и реальностью. Но сила воображения, конечно, не связана у меня с даром художественной изобразительности, как у Шатобриана. Отношение к женщинам определялось у Шатобриана именно силой воображения, не соответствующего действительности. Меланхолия сопровождала всю жизнь Шатобриана, несмотря на исключительный успех, славу, блеск его жизни. Он ни от чего не мог испытать удовлетворения. Я тоже почти ни от чего не могу испытать удовлетворения и именно вследствие силы воображения. Подобно Шатобриану, я ухожу из каждого мгновения жизни. Каждое мгновение мне кажется устаревшим и не удовлетворяющим. О Ницше еще было сказано родственное мне. У Ницше была огромная потребность в энтузиазме, в экстазе, при брезгливом отвращении к действительной жизни. Это мне очень близко. У меня есть потребность в энтузиазме, и я испытывал в жизни энтузиазм. У меня были творческие экстазы. Но брезгливое отношение к жизни, демон трезвости, малая способность к эротической идеализации действительности подкашивали мой энтузиазм. У меня не было романтического отношения к действительности, наоборот, было очень реалистическое, у меня было романтическое отношение к мечте, противоположной действительности. Мне еще близко то, что сказал о себе вообще не близкий мне Морис Баррес: «Mon évolution ne fut jamais une course vers quelque chose, mais une fuite vers ailleurs»[4]. Я всегда чувствовал себя далеким от того, что называют «жизнью». Я, в сущности, не любил так называемой «жизни», в молодости еще меньше, чем теперь. Впрочем, не точно было бы сказать, что я не люблю жизни. Вернее было бы сказать, что я люблю не жизнь, а экстаз жизни, когда она выходит за свои пределы. И тут я вижу в себе страшное противоречие. Я не был человеком с пониженным жизненным инстинктом, у меня был сильный жизненный инстинкт, была напряженность жизненной силы, иногда переливающей через край. Думаю, что моя нелюбовь к так называемой «жизни» имеет не физиологические, а духовные причины, даже не душевные, а именно духовные. У меня был довольно сильный организм, но было отталкивание от физиологических функций организма, брезгливость ко всему, связанному с плотью мира, с материей. Я люблю лишь формы плоти. Я никогда не любил рассказов об эмоциональной жизни людей, связанных с ролью любви; для меня всегда было в этом что-то неприятное, мне всегда казалось, что это меня не касается, у меня не было интереса к этому, даже когда речь шла о близких людях. Еще большее отталкивание вызывало во мне все связанное с человеческим самолюбием и честолюбием, с борьбой за преобладание. Я старался не слушать, когда говорили о конкуренции между людьми. Я чувствовал облегчение, когда речь переходила в сферу идей и мысли. Но половая любовь и борьба за преобладание и могущество наполняют то, что называют «жизнью». Мне часто казалось, что я, в сущности, в «жизни» не участвую, слышу о ней издалека и лишь оцарапан ею. И при этом я ко многому в жизни имел отношение и на меня рассчитывали в борьбе, происходившей в жизни. По-настоящему жил я в другом плане. Мне как бы естественно присуще эсхатологическое чувство. Я не любил «жизни» прежде и больше «смысла», я «смысл» любил больше жизни, «дух» любил больше мира. Было бы самомнением и ложью сказать, что я стоял выше соблазнов «жизни», я, наверное, был им подвержен, как и все люди, но духовно не любил их. Для меня не ставилась проблема «плоти» как, например, у Мережковского и других, для меня ставилась проблема свободы. Я не мог мыслить так, что «плоть» греховна или «плоть» свята, я мог мыслить лишь о том, есть ли «плоть» отрицание свободы и насилие или нет. Моя изначальная, ранняя любовь к философии и к философии метафизической связана с моим отталкиванием от «жизни» как насилующей и уродливой обыденности. Мне доставляло мало удовлетворения переживание самой жизни, за исключением творчества, больше наслаждения я испытывал от воспоминания о жизни или мечты о жизни. И самым большим моим грехом, вероятно, было то, что я не хотел просветленно нести тяготу этой обыденности, то есть «мира», и не достиг в этом мудрости. Но философия моя была, как теперь говорят, экзистенциальна, она выражала борения моего духа, она была близка к жизни, жизни без кавычек. Еще об отношении к тому, что называют «жизнью», и об аскезе. Физиологические потребности никогда не казались мне безотлагательными, все мне представлялось зависящим от направленности сознания, от установки духа. Близкие даже иногда говорили, что у меня есть аскетические наклонности. Это неверно, мне, в сущности, чужд аскетизм. Я был с детства избалован, нуждался в комфорте. Но я никогда не мог понять, когда говорили, что очень трудно воздержание и аскеза. Мне это казалось выдумкой, ложным направлением сознания. Когда мне кто-нибудь говорил, что воздержание от мясной пищи дается трудной борьбой, то мне это было мало понятно, потому что у меня всегда было отвращение к мясной пище, и я должен был себя пересиливать, чтобы есть мясо. Никакой заслуги в этом я не вижу. Труднее всего мне было выносить плохой запах. Я никогда не знал усталости, мог спорить целую ночь, мог бегать с необыкновенной быстротой. Сейчас знаю усталость от возраста и болезней. Болел я часто и в прошлом, но у меня находили почти атлетическое сложение. Мне всегда казалось неверным и выдуманным, что дух должен бороться с плотью (соблазнами плоти). Дух должен бороться с духом же (с соблазнами духа, которые выражаются и в плоти). Но мой дух бывал ложно направленным. У каждого человека кроме позитива есть и свой негатив. Моим негативом был Ставрогин. Меня часто в молодости называли Ставрогиным, и соблазн был в том, что это мне даже нравилось (например, «аристократ в революции обаятелен», слишком яркий цвет лица, слишком черные волосы, лицо, походящее на маску). Во мне было что-то ставрогинское, но я преодолел это в себе. Впоследствии я написал статью о Ставрогине, в которой отразилось мое интимное отношение к его образу. Статья вызвала негодование.

Очень поверхностно и наивно удивление перед противоречиями человека. Человек есть существо противоречивое. Это глубже в человеке, чем кажущееся отсутствие противоречий. Я усматриваю в себе целый ряд сплетающихся противоречий. Таково, например, сочетание гордости и смирения. Я всегда считал себя существом многопланным и многоэтажным. Меня всегда удивляли, а иногда и смешили отзывы обо мне. Нет ничего мне более чуждого, чем гордая манера себя держать. Я, наоборот, никогда не хотел иметь вид человека, возвышающегося над людьми, с которыми приходил в соприкосновение. У меня была даже потребность привести себя во внешнее соответствие со средними людьми. Поэтому я часто вел самые незначительные разговоры. Я любил стушевываться. Мне было противно давать понять о своей значительности и умственном превосходстве. Это отчасти объясняется моей крайней скрытностью, охранением своего внутреннего мира и слабой способностью к общению. За этим внешним пластом скрывалась, вероятно, гордость, но гордость, которой я не хотел обнаружить. Я никогда не хотел гордиться перед людьми. Когда уже под старость меня иногда рассматривали как знаменитость, меня это мало радовало и очень стесняло и почти шокировало. Меня всегда соблазняло инкогнито. Если гордость была в более глубоком пласте, чем мое внешнее отношение к людям, то в еще большей глубине было что-то похожее на смирение, которое я совсем не склонен рассматривать как свою добродетель. Это скорее естественное свойство, чем духовное достижение. У меня вообще мало достижений. Я думаю о себе, что я бунтарь, но человек смиренный. Анализируя себя, я по совести должен сказать, что принадлежу к мало самолюбивым людям. Я почти никогда не обижался. Иногда пробовал обидеться, но мне это мало удавалось. Состояние ободранного самолюбия мне было мало понятно, и меня очень отталкивало это состояние в людях. Во мне вообще мало подпольности, хотя это совсем не значит, что у меня мало плохого. Думаю, что много плохого. Но я совсем не принадлежу к типу людей, находящихся в постоянном конфликте с собой и рефлектирующих. В своих писаниях я не выражаю обратного тому, что я на самом деле. Я могу себя скрывать, могу прямо выражать свои противоречия, но мне мало свойственна та компенсация, которой такое значение придает современная психопатология. То, что я мало самолюбив, я объясняю гордостью. Гордостью же можно объяснить, что я, в конце концов, мало честолюбив и славолюбив. Я никогда не искал известности и славы людской, которая так пленяла князя Андрея и самого Л. Толстого. Немалую роль тут играло и равнодушие. Я мало интересовался тем, что обо мне пишут, часто даже не читал статей о себе. Мне даже казалось, что высокая оценка моей мысли меня стесняет и лишает свободы. Я боялся единомышленников и последователей как стеснения моей творческой свободы. Лучше всего я себя чувствовал при конфликте, тогда мысль моя достигала наибольшей остроты. Свобода духа мне казалась связанной с incognito. Когда в каком-нибудь собрании меня считали очень почтенным и известным, то я хотел провалиться сквозь землю. Это не есть настоящее смирение. Тут слишком много от гордости, равнодушия, изолированности, чуждости всему, жизни в мечте.

Есть еще одно противоречие, которое я остро в себе

сознавал. Я всегда был человеком чрезвычайной чувствительности, я на все вибрировал. Всякое страдание, даже внешне мне мало заметное, даже людей совсем мне не близких, я переживал болезненно. Я замечал малейшие оттенки в изменении настроений. И вместе с тем эта гиперчувствительность соединялась во мне с коренной суховатостью моей природы. Моя чувствительность сухая. Многие замечали эту мою душевную сухость. Во мне мало влаги. Пейзаж моей души иногда представляется мне безводной пустыней с голыми скалами, иногда же дремучим лесом. Я всегда очень любил сады, любил зелень. Но во мне самом нет сада. Высшие подъемы моей жизни связаны с сухим огнем. Стихия огня мне наиболее близка. Более чужды стихия воды и земли. Это делало мою жизнь мало уютной, мало радостной. Но я люблю уют. Я никогда не мог испытывать мления и не любил этого состояния. Я не принадлежал к так называемым «душевным» людям. Во мне слабо выражена, задавлена лирическая стихия. Я всегда был очень восприимчив к трагическому в жизни. Это связано с чувствительностью к страданию. Я человек драматической стихии. Более духовный, чем душевный человек. С этим связана сухость. Я всегда чувствовал негармоничность в отношениях моего духа и душевных оболочек. Дух был у меня сильнее души. В эмоциональной жизни души была дисгармония, часто слабость. Дух был здоров, душа же больная. Самая сухость души была болезнью. Я не замечал в себе никакого расстройства мысли и раздвоения воли, но замечал расстройство эмоциональное. Как будто бы оболочки души не были в порядке. Было несоответствие между силой духа и сравнительной слабостью душевных оболочек. Независимость духа я всегда умел отстаивать. Но ничего более мучительного для меня не было, чем мои эмоциональные отношения с людьми. Расстройство эмоциональной жизни выражалось уже в мой гневливости. У меня были не только внешние припадки гнева, но я иногда горел от гнева, оставаясь один в комнате и в воображении представляя себе врага. Я говорил уже, что не любил военных, меня отталкивало все, связанное с войной. У меня было отвращение к насилию. Но характер у меня воинственный, и инстинктивно я склонен действовать силой оружия. В прошлом я даже всегда носил револьвер. Я чувствую сходство с Л. Толстым, отвращение к насилию, пасифизм и склонность действовать насилием, воинственность. Мне легко было выражать свою эмоциональную жизнь лишь в отношении к животным, на них изливал я весь запас своей нежности. Моя исключительная любовь к животным может быть с этим связана. Эта любовь человека, который имеет потребность любви, но с трудом может ее выражать в отношении к людям. Это обратная сторона одиночества. У меня есть страстная любовь к собакам, к котам, к птицам, к лошадям, ослам, козлам, слонам. Более всего, конечно, к собакам и кошкам, с которыми у меня была интимная близость. Я бы хотел в вечной жизни быть с животными, особенно с любимыми. У нас было две собаки, сначала Лилин мопс Томка, потом скайтерьер Шулька, к которым я был очень привязан. Я почти никогда не плачу, но плакал, когда скончался Томка, уже глубоким стариком, и когда расставался с Шулькой при моей высылке из советской России. Но, может быть, более всего я был привязан к моему коту Мури, красавцу, очень умному, настоящему шармёру. У меня была страшная тоска, когда он был болен. Любовь к животным характерна для семьи моих родителей и для нынешней нашей семьи.

Я говорил уже, что во мне сочетались мечтательность и реализм. Тут, может быть, и нет противоречия, потому что мечта относится к одному, реализм же к совсем другому. Идеализация действительности, иллюзии, склонность очаровываться, а потом разочаровываться противны моей натуре. То, что называют романтическим отношением к действительности, мне совершенно чуждо. Если меня и можно было бы назвать романтиком, помня об условности этого термина, то совсем в особом смысле. Я мало разочаровывался, потому что мало очаровывался. Я не любил возвышенного вранья, возвышенно-нереального восприятия действительности. Верно было бы сказать, что у меня есть напряженная устремленность к трансцендентному, к переходу за грани этого мира. Обратной стороной этой направленности моего существа является сознание неподлинности, неокончательности, падшести этого эмпирического мира. И это во мне глубже всех теорий, всех филосовских направлений. Я не делаю себе никаких иллюзий о действительности, но считаю действительность в значительной степени иллюзорной. Мне этот мир не только чужд, но и представляется не настоящим, в нем объективируется моя слабость и ложное направление моего сознания. С этим вопросом связан изначальный во мне элемент. Мне не импонирует массивность истории, массивность материального мира. «Священное» в истории, иерархические чины в обществе меня лишь отталкивают.

Но вот что еще важнее. Я никогда не мог примириться ни с чем преходящим, временным, тленным, существующим лишь на короткий миг. Я никогда не мог ловить счастливых мгновений жизни и не мог их испытать. Я не мог примириться с тем, что это мгновение быстро сменяется другим мгновением. С необычайной остротой и силой я пережил страшную болезнь времени. Расставание мне было мучительно, как умирание, расставание не только с людьми, но и с вещами и местами. Я, очевидно, принадлежу к религиозному типу, который определяется жаждой вечности. «Я люблю тебя, о, вечность», — говорит Заратустра. И я всю жизнь это говорил себе. Ничего нельзя любить, кроме вечности, и нельзя любить никакой любовью, кроме вечной любви. Если нет вечности, то ничего нет. Мгновение полноценно, лишь если оно приобщено к вечности, если оно есть выход из времени, если оно, по выражению Кирхегардта, атом вечности, а не времени. Моя болезнь заключалась в том, что я упреждал события во времени. Я с необычайной остротой переживал события, которые во времени еще не произошли, особенно события тяжелые. Это, конечно, не евангельская и не мудрая настроенность. Мне хотелось, чтобы времени больше не было, не было будущего, а была лишь вечность. И вместе с тем я человек, устремленный к будущему. Проблему времени я считаю основной проблемой философии, особенно философии экзистенциальной. Странно, что этот мир не казался мне беспредельным, бесконечным, наоборот, он мне казался ограниченным по сравнению с беспредельностью и бесконечностью, раскрывавшейся во мне. Мир, раскрывавшийся во мне, более настоящий мир, чем мир экстериоризированный. Меня часто упрекали в том, что я не люблю достижения, реализации, не люблю успеха и победы, и называли это ложным романтизмом. Это требует объяснения. У меня действительно есть несимпатия к победителям и успевающим. Мне это представляется приспособлением к миру, лежащему во зле. Я действительно не верю, чтобы в этом мировом плане, в мире объективированном и отчужденном возможна была совершенная реализация. Жизнь в этом мире поражена глубоким трагизмом. Это причина моей нелюбви к классицизму, который создает иллюзию совершенства в конечном. Совершенство достижимо лишь в бесконечном. Стремление к бесконечному и вечному не должно быть пресечено иллюзией конечного совершенства. Всякое достижение формы лишь относительно, форма не может претендовать на окончательность.

Всякая реализация здесь есть лишь символ иного, устремленности к вечности и бесконечности. В этом источник духовной революционности моей мысли. Но это революционность трансцендентного, а не имманентного. В противоположность господствующей точке зрения я думаю, что дух революционен, материя же консервативна и реакционна. Но в обыкновенных революциях мир духа ущемлен материей, и она искажает его достижения. Дух хочет вечности. Материя же знает лишь временное. Настоящее достижение есть достижение вечности.

Вспоминая себя мальчиком и юношей, я убеждаюсь, какое огромное значение для меня имели Достоевский и Л. Толстой. Я всегда чувствовал себя очень связанным с героями романов Достоевского и Л. Толстого, с Иваном Карамазовым, Версиловым, Ставрогиным, князем Андреем и дальше с тем типом, который Достоевский назвал «скитальцем земли русской», с Чацким, Евгением Онегиным, Печориным и другими. В этом, быть может, была моя самая глубокая связь с Россией, с русской судьбой. Также чувствовал я себя связанным с реальными людьми русской земли: с Чаадаевым, с некоторыми славянофилами, с Герценом, даже с Бакуниным и русскими нигилистами, с самим Л. Толстым, с Вл. Соловьевым. Как и многие из этих людей, я вышел из дворянской среды и порвал с ней. Разрыв с окружающей средой, выход из мира аристократического в мир революционный — основной факт моей биографии, не только внешней, но и внутренней. Это входит в мою борьбу за право свободной и творческой мысли для себя. Я боролся за это с яростью и разрывал со всем, что мне мешало осуществлять мою задачу. Сознание своего призвания было во мне очень сильным. У меня было достаточно силы воли для осуществления своей задачи, и я мог быть свиреп в борьбе за ее осуществление. Но я не был человеком выдержанного стиля, я сохранил неопределенные противоречия, я не мог задержаться до конца на чем-либо ином. Я больше всего любил философию, но не отдался исключительно философии; я не любил «жизни» и много сил отдал «жизни», больше других философов; я не любил социальной стороны жизни и всегда в нее вмешивался; я имел аскетические вкусы и не шел аскетическим путем; был исключительно жалостлив и мало делал, чтобы ее реализовать. Я всегда чувствовал действие иррациональных сил в своей жизни. Я никогда не действовал по рассуждению, в моих действиях всегда было слишком много импульсивного. Я сознавал в себе большую силу духа, большую независимость и свободу от окружающего мира и в обыденной жизни часто бывал раздавлен беспорядочным напором ощущений и эмоций. Я был бойцом по темпераменту, но свою борьбу не доводил до конца, борьба сменялась жаждой философского созерцания. Я часто думал, что не реализовал всех своих возможностей и не был до конца последователен, потому что во мне было непреодолимое барство, барство метафизическое, как однажды было обо мне сказано. Если бы я был демократического происхождения, вероятно, был бы менее сложен и во мне не было бы некоторых черт, которые я ценю, но я больше сделал бы и дела мои были бы более сосредоточенными и последовательными. Если во мне был эгоизм, то это был скорее эгоизм умственного творчества, чем эгоизм наслаждений жизни, к которым я никогда не стремился. Я никогда не искал счастья. Во имя своего творчества я мог быть жестоким. В умственном творчестве есть этот элемент. Intellectuel, мыслитель, в известном смысле урод. Во мне всегда происходила борьба между охранением своего творчества и жалостью к людям. Нужно отличать «я» с его эгоистичностью от личности. «Я» есть первичная данность, и оно может сделаться ненавистным, как говорил Паскаль. «Личность» же есть качественное достижение. В моем «я» есть многое не от меня. В этом сложность и запутанность моей судьбы.

Глава II

ОДИНОЧЕСТВО. ТОСКА. СВОБОДА. БУНТАРСТВО. ЖАЛОСТЬ. СОМНЕНИЯ И БОРЕНИЯ ДУХА. РАЗМЫШЛЕНИЕ ОБ ЭРОСЕ

ОДИНОЧЕСТВО

Тема одиночества — основная. Обратная сторона ее есть тема общения. Чуждость и общность — вот главное в человеческом существовании, вокруг этого вращается и вся религиозная жизнь человека. Как преодолеть чуждость и далекость? Религия есть не что иное, как достижение близости, родственности. Я никогда не чувствовал себя частью объективного мира и занимающим в нём какое-то место. Я переживал ядро моего «я» вне предстоящего мне объективного мира. Лишь на периферии я соприкасался с этим миром. Неукорененность в мире, который впоследствии в результате философской мысли я назвал объективированным, есть глубочайшая основа моего мироощущения. С детства я жил в мире, непохожем на окружающий, и я лишь притворялся, что участвую в жизни этого окружающего мира. Я защищался от мира, охраняя свою свободу. Я выразитель восстания личности против рода. И потому мне чуждо стремление к величию и славе, к силе и победе. С детства я много читал романов и драм, меньше стихов, и это лишь укрепило мое чувство пребывания в своем особом мире. Герои великих литературных произведений казались мне более реальными, чем окружающие люди. В детстве у меня была кукла, изображавшая офицера. Я наделил эту куклу качествами, которые мне нравились. Это мифотворческий процесс. Я очень рано в детстве читал «Войну и мир», и незаметно кукла, которая называлась Андрей, перешла в князя Андрея Болконского. Получилась созданная мною биография существа, которое представлялось мне очень реальным, во всяком случае более реальным, чем мои товарищи по корпусу. Жизнь в своем особом мире не была исключительно жизнью в воображении и фантазии. Прежде всего, я убежден в том, что воображение есть один из путей прорыва из этого мира в мир иной. Вы вызываете в себе образ иного мира. Но у меня совсем не было ослабленного чувства реальности вообще и реальности этой нелюбимой действительности. Я испытывал не столько нереальность, сколько чуждость объективного мира. Я не жил в состоянии иллюзорности. Если мое мироощущение пожелают назвать романтизмом, то это романтизм не пассивный, а активный, не мягко-мечтательный, а жестко-агрессивный. Я даже слишком трезво-реалистически воспринимал окружающий мир, но он был мне далеким, неслиянным со мной. Впоследствии, сознательно философски я думал, что происходит отчуждение, экстериоризация человеческой природы, и в этом видел источник рабства. Но я как раз всегда сопротивлялся отчуждению и экстериоризации, я хотел оставаться в своем мире, а не выбрасывать его во мне. Я чувствовал себя существом, не произошедшим из «мира сего» и не приспособленным к «миру сему». Я не думал, что я лучше других людей, вкорененных в мир, иногда думал, что я хуже их. Я мучительно чувствовал чуждость всякой среды, всякой группировки, всякого направления, всякой партии. Я никогда не соглашался быть причисленным к какой-либо категории. Я не чувствовал себя входящим в средне-общее состояние человеческой жизни. Это чувство чуждости, иногда причинявшее мне настоящее страдание, вызывало во мне всякое собрание людей, всякое событие жизни. Во мне самом мне многое чуждо. Я, в сущности, отсутствовал даже тогда, когда бывал активен в жизни. Но чуждость никогда не была у меня равнодушной, у меня даже слишком мало равнодушия. Я скорее активный, чем пассивный человек. Но очень мало социализированный человек, по чувству жизни даже человек асоциальный. По характеру я феодал, сидящий в своем замке с поднятым мостом и отстреливающийся. Но вместе с тем я человек социабельный, люблю общество людей и много общался с людьми, много участвовал в социальных действиях. Мое мышление не уединенное, общение, столкновение с людьми возбуждало и обостряло мою мысль. Я всегда был спорщиком. Тут противоречие, которое вызывало ложное мнение людей обо мне. Я постоянно слышал о себе отзывы, которые поражали меня своей неверностью. Внешне я слишком часто бывал не таким, каким был на самом деле. Я носил маску, это была защита своего мира. Не знаю, чувствовал ли кто-нибудь, когда я очень активно участвовал в собрании людей, до какой степени я далек, до какой степени чужд. Моя крайняя скрытность и сдержанность порождали ошибочное мнение обо мне. Я наиболее чувствовал одиночество именно в обществе, в общении с людьми. Одинокие люди обыкновенно бывают исключительно созерцательными и не социальными. Но я соединял одиночество с социальностью (это не следует смешивать с социализированностью природы). Мой случай я считаю самым тяжелым, это есть сугубое одиночество. Вопросы социального порядка вызывали во мне страсти и вызывают сейчас. И вместе с тем всякий социальный порядок мне чужд и далек. В марксистских кружках моей молодости я бывал очень активен, читал доклады, спорил, вел пропаганду. Но я всегда приходил как бы из другого мира и уходил в другой мир. «Я никогда не достигал в реальности того, что было в глубине меня». Мне была чужда мировая среда, и я пытался образовать родственную среду, но мало успевал в этом. Во мне нет ничего от «столпов общества», от солидных людей, от охранителей основ, хотя бы либеральных или социалистических.

Есть два основоположных типа людей — тип, находящийся в гармоническом соотношении с мировой средой и тип, находящийся в дисгармоническом соотношении. Я принадлежу ко второму типу. Я всегда чувствовал мучительную дисгармонию между «я» и «не-я», свою коренную неприспособленность. Вследствие моей скрытности и способности иметь внешний вид, не соответствующий тому, что было внутри меня, обо мне в большинстве случаев слагалось неверное мнение и тогда, когда оно было благоприятным, и тогда, когда оно было неблагоприятным. В моей молодости благорасположенные ко мне люди меня называли «любимец женщин и богов». Это может быть очень лестно, но неверно выражало мой тип. Это было обозначением легкого и счастливого типа, в то время как я был трудный тип и переживал жизнь скорее мучительно. Острое переживание одиночества и тоски не делает человека счастливым. Одиночество связано с неприятием мировой данности. Это неприятие, это противление было, наверное, моим первым метафизическим криком при появлении на свет. Когда пробудилось мое сознание, я сознал глубокое отталкивание от обыденности. Но жизнь мира, жизнь человека в значительной своей части это обыденность, то, что Гейдеггер называет das Man. Меня отталкивал всякий человеческий быт, и я стремился к прорыву за обыденный мир. Сравнительно слабое развитие во мне самолюбия и честолюбия, вероятно, объясняется этим моим сознанием чуждости мира и невозможности занять в нем твердое положение. Во мне всегда было равнодушие ко многому, хотя я не равнодушный человек. Оценки людей могли оцарапать лишь поверхностные слои моего существа, лишь оболочки души, не задевая ядра. Меня любили отдельные люди, иногда даже восторгались мной, но мне всегда казалось, что меня не любило «общественное мнение», не любило светское общество, потом не любили марксисты, не любили широкие круги русской интеллигенции, не любили политические деятели, не любили представители официальной академической философии и науки, не любили литературные круги, не любили церковные круги. Я всегда был неспособен к приспособлению и коллаборации. Я постоянно был в оппозиции и конфликте. Я восставал против дворянского общества, против революционной интеллигенции, против литературного мира, против православной среды, против коммунизма, против эмиграции, против французского общества. Меня всегда больше любили женщины, чем мужчины. Но эта их любовь омрачила мою молодость. Я слишком отстаивал свою судьбу. Я всегда обманывал все ожидания. Также обманывал и ожидания всех идейных направлений, которые рассчитывали, что я буду их человеком. Я всегда был ничьим человеком, был лишь своим собственным человеком, человеком своей идеи, своего призвания, своего искания истины. И это всегда предполагает разрыв с объективным миром. Тут была и дурная сторона. Это означало слабую способность к отдаче себя. Я никогда не чувствовал себя чему-либо и кому-либо в мире вполне принадлежащим. Я во всем участвовал как бы издалека, как посторонний, ни с чем не сливался. Я никогда не чувствовал восторга и экстаза слияния, ни религиозного, ни национального, ни социального, ни эротического, но много раз испытывал экстаз творчества, часто испытывал экстаз разрыва и восстания. Я совсем не поддаюсь коллективной заразе, хотя бы хорошей. Мне совсем неведомо слияние с коллективом. В экстаз меня приводит не бытие, а свобода. Это определяет весь тип моего философского миросозерцания. Но я совсем не солипсист, я направлен на иное и иных и очень чувствую реальность. Я постоянно трансцендирую себя. Меня притягивает всегда и во всем трансцендентное, другое, выходящее за грани и пределы, заключающее в себе тайну. Я совсем не погружен исключительно в себя и не занят анализом самого себя. Но ничто не преодолевает моего одиночества. Это одиночество мне очень мучительно. Иногда мне удавалось его преодолеть в мысли. Иногда же одиночество радовало, как возвращение из чуждого мира в свой родной мир. Этот родной мир был не я сам, но он был во мне. То, о чем я говорю, не легко сделать понятным. Ведь и я сам себе бываю чуждым, постылым, haissable, но во мне самом есть то, что ближе мне, чем я сам. Это самая таинственная сторона жизни. К ней прикасались блаженный Августин, Паскаль.

У меня с детства было сильное чувство призвания. Я никогда не знал рефлексии о том, что мне в жизни избрать и каким путем идти. Еще мальчиком я чувствовал себя призванным к философии. Под философским призванием я понимал совсем не то, что я специализируюсь на какой-то дисциплине знания, напишу диссертацию, стану профессором. У меня вообще никогда не было перспективы какой-либо жизненной карьеры и было отталкивание от всего академического. Я не любил сословия ученых, не переносил школьности, считал предрассудком условную ученость. Я так же плохо представлял себя в роли профессора и академика, как и в роли офицера и чиновника или отца семейства, вообще в какой бы то ни было роли в жизни. Когда я сознал себя призванным философом, то я этим сознал себя человеком, который посвятит себя исканию истины и раскрытию смысла жизни. Философские книги я начал читать до неправдоподобия рано. Я был мальчиком очень раннего развития, хотя и мало способным к регулярному учению. Я вообще всю жизнь был нерегулярным человеком. Я читал Шопенгауэра, Канта и Гегеля, когда мне было четырнадцать лет. Я нашел в библиотеке отца «Критику чистого разума» Канта и «Философию духа» Гегеля (третья часть «Энциклопедии»). Все это способствовало образованию во мне своего субъективного мира, который я противополагал миру объективному. Иногда мне казалось, что я никогда не вступлю в «объективный» мир. Каждый человек имеет свой особый внутренний мир. И для одного человека мир совсем иной, чем для другого, иным представляется. Но я затрудняюсь выразить всю напряженность своего чувства «я» и своего мира в этом «я», не нахожу для этого слов. Мир «не-я» всегда казался мне менее интересным. Я постигал мир «не-я», приобщался к нему, лишь открывая его как внутреннюю составную часть моего мира «я». Я, в сущности, всегда мог понять Канта или Гегеля, лишь раскрыв в самом себе тот же мир мысли, что и у Канта или Гегеля. Я ничего не мог узнать, погружаясь в объект, я узнаю все, лишь погружаясь в субъект. Может быть, именно вследствие этих моих свойств мне всегда казалось, что меня плохо понимают, не понимают главного. Самое главное в себе я никогда не мог выразить. Это отчасти связано с моей скрытностью. Свои мысли я еще мог выражать, во всяком случае пытался выражать. Но чувства свои я никогда не умел выразить. Моя сухость, может быть, была самозащитой, охранением своего мира. Выражать свои чувства мешала также стыдливость, именно стыдливость, а не застенчивость. Мне всегда было трудно интимное общение с другим человеком, труден был разговор вдвоем. Мне гораздо легче было говорить в обществе, среди множества людей. С глазу на глаз наиболее обнаруживалось мое одиночество, моя скрытность вступала в силу. Поэтому я всегда производил впечатление человека антилирического. Но внутренний, невыраженный лиризм у меня был, была даже крайняя чувствительность и жалостливость. От соприкосновения же с людьми я делался сух. А. Жид в своем *Journal* пишет, что он плохо выносил патетическое и проявление патетизма в других людях его охлаждало. Это в высшей степени я могу сказать про себя. Я плохо выношу выраженный патетизм чувств. Иногда мне казалось, что я ни в ком не нуждаюсь. Это, конечно, метафизически и морально неверно. Но психологически я это переживал. В действительности я нуждался в близких и бывал им многим обязан. Для моего отношения к миру «не-я», к социальной среде, к людям, встречающимся в жизни, характерно, что я никогда ничего не добивался в жизни, не искал успеха и процветания в каком бы то ни было отношении. Свое призвание я осуществил вне каких-либо преимуществ, которые может дать мир «не-я». И меня всегда удивляло, что я какие-либо преимущества получал. Я никогда не пошевелил пальцем для достижения чего-либо. В отношении к людям у меня была довольно большая личная терпимость, я не склонен был осуждать людей, но она соединялась с нетерпимостью. Я делался нетерпим, когда затрагивалась тема, с которой в данный момент связана была для меня борьба. Меня всегда беспокоило сознание, что недостаточна интериоризация, недостаточно развитие мира в себе, что необходима и экстериоризация, действие во вне. По терминологии Юнга я должен признать себя не только интервертированным, но и экстравертированным. Но вместе с тем я сознавал трагическую неудачу всякого действия во вне. Меня ничто не удовлетворяет, не удовлетворяет никакая написанная мной книга, никакое сказанное мной во вне слово. У меня была непреодолимая потребность осуществить свое призвание в мире, писать, отпечатлеть свою мысль в мире. Если бы я постоянно не реализовывал себя в писании, то, вероятно, у меня произошел бы разрыв кровеносных сосудов. Никакой рефлексии относительно творческого акта я никогда не испытывал. В творческом акте я никогда не думал о себе, не интересовался тем, как меня воспримут. Об этом речь еще впереди. Неверно поняли бы мою тему одиночества, если бы сделали заключение, что у меня не было близких людей, что я никого не любил и никому не обязан вечной благодарностью. Моя жизнь не протекла в одиночестве и многими достижениями моей жизни я обязан не себе. Но этим не решалась для меня метафизическая тема одиночества. Внутренний трагизм моей жизни я никогда не мог и не хотел выразить. Поэтому я никогда не мог испытать счастья и искал выхода в эсхатологическом ожидании.

ТОСКА

Другая основная тема есть тема тоски. Всю жизнь меня сопровождала тоска. Это, впрочем, зависело от периодов жизни, иногда она достигала большей остроты и напряженности, иногда ослаблялась. Нужно делать различие между тоской и страхом и скукой. Тоска направлена к высшему миру и сопровождается чувством ничтожества, пустоты, тленности этого мира. Тоска обращена к трансцендентному, вместе с тем она означает неслиянность с трансцендентным, бездну между мной и трансцендентным. Тоска по трансцендентному, по иному, чем этот мир, по переходящему за границы этого мира. Но она говорит об одиночестве перед лицом трансцендентного. Это есть до последней остроты доведенный конфликт между моей жизнью в этом мире и трансцендентным. Тоска может пробуждать богосознание, но она есть также переживание богооставленности. Она между трансцендентным и бездной небытия. Страх и скука направлены не на высший, а на низший мир. Страх говорит об опасности, грозящей мне от низшего мира. Скука говорит о пустоте и пошлости этого низшего мира. Нет ничего безнадежнее и страшнее этой пустоты скуки. В тоске есть надежда, в скуке — безнадежность. Скука преодолевается лишь творчеством. Страх, всегда связанный с эмпирической опасностью, нужно отличать от ужаса, который связан не с эмпирической опасностью, а с трансцендентным, с тоской бытия и небытия. Кирхегардт отличает Angst от Furcht. Для него Angst есть первичный религиозный феномен.

Тоска и ужас имеют родство. Но ужас гораздо острее, в ужасе есть что-то поражающее человека. Тоска мягче и тягучее. Очень сильное переживание ужаса может даже излечить от тоски. Когда же ужас переходит в тоску, то острая болезнь переходит в хроническую. Характерно для меня, что я мог переживать и тоску и ужас, но не мог выносить печали и всегда стремился как можно скорее от нее избавиться. Характерно, что я не мог выносить трогательного, я слишком сильно его переживал. Печаль душевна и связана с прошлым. Тургенев — художник печали по преимуществу. Достоевский — художник ужаса. Ужас связан с вечностью. Печаль лирична. Ужас драматичен. Это странно, но мне казалось, что я вынесу тоску, очень мне свойственную, вынесу и ужас, но от печали, если поддамся ей, я совершенно растаю и исчезну. Печаль очень связана для меня с чувством жалости, которой я всегда боялся вследствие власти, которую она может приобрести над моей душой. Поэтому я всегда делал заграждения против жалости и печали, как и против трогательного. Против тоски я не мог ничего поделать, но она не истребляла меня. С точки зрения старой и довольно неверной классификации темпераментов у меня сочетались два типа, которые обычно считают противоположными. Я сангвиник и меланхолик. Может быть более бросались во мне в глаза черты сангвинического темперамента — мне легко бросалась кровь в голову, у меня была необыкновенно быстрая реакция на все, я был подвержен припадкам вспыльчивости. Но меланхолические черты темперамента были глубже. Я тосковал и был пессимистически настроен и тогда, когда внешне казался веселым, улыбался, проявлял большую живость. В моей натуре есть пессимистический элемент. Характерно, что во время моего духовного пробуждения в меня запала не Библия, а философия Шопенгауера. Это имело длительные последствия. Мне трудно было принять благостность творения. Обратной стороной этого был культ человеческого творчества. Поразительно, что у меня бывала наиболее острая тоска в так называемые «счастливые» минуты жизни, если вообще можно говорить о счастливых минутах. Я всегда боялся счастливых, радостных минут. Я всегда в эти минуты с особенной остротой вспоминал о мучительности жизни. Я почти всегда испытывал тоску в великие праздники, вероятно потому, что ждал чудесного изменения обыденности, а его не было. Трудно было то, что я никогда не умел, как многие, идеализировать и поэтизировать такие состояния, как тоска, отчаяние, противоречия, сомнение, страдание. Я часто считал эти состояния уродливыми.

Есть тоска юности. В юности тоска у меня была сильнее, чем в зрелом возрасте. Это тоска от нереализованности преизбыточных жизненных сил и неуверенности, что удастся вполне реализовать эти силы. В юности есть надежды на то, что жизнь будет интересной, замечательной, богатой необыкновенными встречами и событиями. И есть всегда несоответствие между этой надеждой и настоящим, полным разочарований, страданий и печалей, настоящим, в котором жизнь ущерблена. Ошибочно думать, что тоска порождена недостатком сил, тоска порождена и избытком сил. В жизненной напряженности есть и момент тоски. Я думаю, что юность более тоскует, чем обычно думают. Но у разных людей это бывает разно. Мне были особенно свойственны периоды тоски. И я как раз испытывал тоску в моменты жизни, которые считаются радостными. Есть мучительный контраст между радостностью данного мгновения и мучительностью, трагизмом жизни в целом. Тоска, в сущности, всегда есть тоска по вечности, невозможность примириться с временем. В обращенности к будущему есть не только надежда, но и тоска. Будущее всегда в конце концов приносит смерть, и это не может не вызывать тоски. Будущее враждебно вечности, как и прошлое. Но ничто не интересно, кроме вечности. Я часто испытывал жгучую тоску в чудный лунный вечер в прекрасном саду, в солнечный день в поле, полном колосьев, во встрече с прекрасным образом женщины, в зарождении любви. Эта счастливая обстановка вызывала чувство контраста с тьмой, уродством, тлением, которыми полна жизнь. У меня всегда была настоящая болезнь времени. Я всегда предвидел в воображении конец и не хотел приспособляться к процессу, который ведет к концу, отсюда мое нетерпение. Есть особая тоска, связанная с переживанием любви. Меня всегда удивляли люди, которые видели в этом напряженном подъеме жизни лишь радость и счастье. Эросу глубоко присущ элемент тоски. И эта тоска связана с отношением времени и вечности. Время есть тоска, неутоленность, смертоносность. Есть тоска пола. Пол не есть только потребность, требующая удовлетворения. Пол есть тоска, потому что на нем лежит печать падшести человека. Утоление тоски пола в условиях этого мира невозможно. Пол порождает иллюзии, которые превращают человека в средство нечеловеческого процесса. Дионисизм, который означает преизбыток жизни, порождает трагедию.

Но стихия пола связана с дионисической стихией. Дионис и Гадес — один и тот же бог. Пол есть ущербность, расколотость человека. Но через жизнь пола никогда по-настоящему не достигается целостность человека. Пол требует выхода человека из самого себя, выхода к другому. Но человек вновь возвращается к себе и тоскует. Человеку присуща тоска по цельности. Но жизнь пола настолько искажена, что она увеличивает расколотость человека. Пол по своей природе не целомудрен, то есть не целостен. К целостности ведет лишь подлинная любовь. Но это одна из самых трагических проблем и об этом еще впереди.

Мне свойственно переживание тоски и в совсем другие мгновения, чем чудный лунный вечер. Я всегда почти испытываю тоску в сумерки летом на улице большого города, особенно в Париже и в Петербурге. Я вообще плохо выносил сумерки. Сумерки — переходное состояние между светом и тьмой, когда источник дневного света уже померк, но не наступило еще того иного света, который есть в ночи, или искусственного человеческого света, охраняющего человека от стихии тьмы, или света звездного. Именно сумерки обостряют тоску по вечности, по вечному свету. И в сумерках большого города наиболее обнаруживается зло человеческой жизни. Тоска ночи уже иная, чем тоска сумерек, она глубже и трансцендентнее. Я переживал очень острую тоску ночи, переживал ужас этой тоски. Это у меня со временем ослабело. В прошлом я не мог даже спать иначе, чем при искусственном освещении. Но я это преодолел. У меня бывали тяжелые сны, кошмары. Сны вообще для меня мучительны, хотя у меня иногда бывали и замечательные сны. Во время ночи я часто чувствовал присутствие кого-то постороннего. Это странное чувство у меня бывало и днем. Мы гуляем в деревне, в лесу или поле, нас четверо. Но я чувствую, что есть пятый и не знаю, кто пятый, не могу досчитаться. Все это связано с тоской. Современная психопатология объясняет эти явления подсознательным. Но это мало объясняет и ничего не разрешает. Я твердо убежден, что в человеческой жизни есть трансцендентное, есть притяжение трансцендентного и действие трансцендентного. Я чувствовал погруженность в бессознательное лоно, в нижнюю бездну, но еще более чувствовал притяжение верхней бездны трансцендентного.

Тоска очень связана с отталкиванием от того, что люди называют «жизнью», не отдавая себе отчета в значении этого слова. В «жизни», в самой силе «жизни» есть безумная тоска. «Сера всякая теория и вечно зелено древо жизни». Мне иногда парадоксально хотелось сказать обратное. «Серо древо жизни и вечно зелена теория». Необходимо это объяснить, чтобы не вызвать негодования. Это говорю я, человек совершенно чуждый всякой схоластике, школьности, всякой высушенной теории, уж скорее Фауст, чем Вагнер. То, что называют «жизнью», часто есть лишь обыденность, состоящая из забот. Теория же есть творческое познание, возвышающееся над обыденностью. Теория по-гречески значит созерцание. Философия (вечно зеленая «теория») освобождена от тоски и скуки «жизни». Я стал философом, пленился «теорией», чтобы отрешиться от невыразимой тоски обыденной «жизни». Философская мысль всегда особождала меня от гнетущей тоски «жизни», от ее уродства. Я противополагал «бытию» «творчество». «Творчество» не есть «жизнь», творчество есть прорыв и взлет, оно возвышается над «жизнью» и устремлено за границу, за пределы, к трансцендентному. Тоска исходит от «жизни», от сумерек и мглы «жизни» и устремлена к трансцендентному. Творчество и есть движение к трансцендентному. Творчество вызывает образ иного, чем эта «жизнь». Слово «жизнь» я употребляю в кавычках. В мире творчества все интереснее, значительнее, оригинальнее, глубже, чем в действительной жизни, чем в истории или в мысли рефлексий и отражений. Во мне раскрывался мир более прекрасный, чем этот «объективный» мир, в котором преобладает уродство. Но это предполагает творческий подъем.

Свойственно ли мне переживание скуки, которая есть притяжение нижней бездны пустоты? Я почти никогда не скучал, мне всегда не хватало времени для дела моей жизни, для исполнения моего призвания. У меня не было пустого времени. Но многое, слишком многое мне было скучно. Я испытывал скуку от мирочувствия и миросозерцания большей части людей, от политики, от идеологии и практики национальной и государственной. Обыденность, повторяемость, подражание, однообразие, скованность, конечность жизни вызывают чувство скуки, притяжение к пустоте. Когда же наступает момент пассивности в отношении притяжения пустоты этого низшего мира, когда по слабости мир кажется пустым, плоским, лишенным измерения глубины, то скука делается диавольским состоянием, предвосхищением адского небытия. Страдание является спасительным в отношении к этому состоянию, в нем есть глубина. Предел инфернальной скуки, когда человек говорит себе, что ничего нет. Возникновение тоски есть уже спасение. Есть люди, которые чувствуют себя весело в пустыне. Это и есть пошлость. Многие любят говорить, что они влюблены в жизнь. Я никогда не мог этого сказать, я говорил себе, что влюблен в творчество, в творческий экстаз. Конечность жизни вызывает тоскливое чувство. Интересен лишь человек, в котором есть прорыв в бесконечность. Я всегда бежал от конечности жизни. Такое отношение к жизни приводило к тому, что я не обладал искусством жить, не умел использовать жизни. Для «искусства жить» нужно сосредоточиться на конечном, погрузиться в него, нужно любить жить во времени. «Несчастье человека, — говорит Карлейль в *Sartor resartus*[1], — происходит от его величия; от того, что в нем есть Бесконечное, от того, что ему не удается окончательно похоронить себя в конечном». Этот «объективный» мир, эта «объективная» жизнь и есть погребение в конечном. Самое совершенное в конечном есть погребение. Поэтому «жизнь» есть как бы умирание бесконечного в конечном, вечного во временном. Во мне есть сильный метафизически-анархический элемент. Это есть бунт против власти конечного. Иначе это можно было бы назвать элементом апофатическим. И в обыденной, и в исторической жизни слишком многое казалось мне или незначительным, или возмущающим. Мне противны были все сакрализации конечного. Тоска может стать религиозной. Религиозная тоска по бессмертию и вечности, по бесконечной жизни, не похожей на эту конечную жизнь. Искусство было для меня всегда погружением в иной мир, чем этот обыденный мир, чем моя собственная постылая жизнь. Именно приобщение к непохожему на эту жизнь есть магия искусства. Постоянная тоска ослабляла мою активность в жизни. Я от слишком многого уходил, в то время как многое нужно было преображать. Я редко, слишком редко чувствовал себя счастливым. Мне иногда казалось, что жизнь была бы хороша и радостна, если бы исчезла причина того, что меня мучит сейчас. Но когда эта причина исчезала, сейчас же являлась новая. Я ни от чего не чувствовал полного удовлетворения, в глубине считая его греховным.

СВОБОДА

Меня называют философом свободы. Какой-то черносотенный иерарх сказал про меня, что я «пленник свободы». И я действительно превыше всего возлюбил свободу. Я изошел от свободы, она моя родительница. Свобода для меня первичнее бытия. Своеобразие моего философского типа прежде всего в том, что я положил в основание философии не бытие, а свободу. В такой радикальной форме этого, кажется, не делал ни один философ. В свободе скрыта тайна мира. Бог захотел свободы, и отсюда произошла трагедия мира. Свобода в начале и свобода в конце. В сущности, я всю жизнь пишу философию свободы, стараясь ее усовершенствовать и дополнить. У меня есть основное убеждение, что Бог присутствует лишь в свободе и действует лишь через свободу. Лишь свобода должна быть сакрализирована, все же ложные сакрализации, наполняющие историю, должны быть десакрализированы. Я сознаю себя прежде всего эмансипатором, и я сочувствую всякой эмансипации. Я и христианство понял и принял как эмансипацию. Я изначально любил свободу и мечтал о чуде свободы еще во втором классе кадетского корпуса. Я никогда не мог вынести никакой зависимости. И у меня была всегда очень большая внутренняя независимость. И всякий раз, когда я чувствовал хоть малейшие признаки зависимости от кого-либо и чего-либо, это вызывало во мне бурный протест и вражду. Я никогда не соглашался отказаться от свободы и даже урезать ее, ничего не соглашался купить ценой отказа от свободы. Я от многого мог отказаться в жизни, но не во имя долга или религиозных запретов, а исключительно во имя свободы и, может быть, еще во имя жалости. Я никогда не хотел связать себя и это, вероятно, ослабило мою активность, ограничивало возможности реализации. Но я всегда знал, что свобода порождает страдание, отказ же от свободы уменьшает страдание. Свобода не легка, как думают ее враги, клевещущие на нее, свобода трудна, она есть тяжелое бремя. И люди легко отказываются от свободы, чтобы облегчить себя. Эта тема особенно близка Достоевскому. Меня называли в молодости «вольный сын эфира». Это верно лишь в том, что я не сын земли, не рожден от массовой стихии, я произошел от свободы. Но если под шутливым выражением «вольный сын эфира» понимать легкость, отсутствие боли, то это неверно обо мне. Свобода с трудом доставалась и причиняла боль. «Меня свобода привела к распутью в час утра», — говорит один поэт. Все, что я утверждал, я утверждал после свободы и из свободы. Опыт свободы есть первичный опыт. Не свобода есть создание необходимости (Гегель), а необходимость есть создание свободы, известного направления свободы. Я не согласен принять никакой истины иначе, как от свободы и через свободу. Слово свобода я употребляю здесь не в школьном смысле «свобода воли», а в более глубоком, метафизическом смысле. Истина может принести мне освобождение, но эту истину я мог принять лишь через свободу. Поэтому есть две свободы. Об этом я много писал. Изначальность, непроизводность моей свободы выражалась в том, что я мог принять «не-я», лишь сделав это «не-я» содержанием своего «я», введя его в свою свободу. Борьба за свободу, которую я вел всю жизнь, была самым положительным и ценным в моей жизни, но в ней была и отрицательная сторона — разрыв, отчужденность, неслиянность, даже вражда. Свобода могла сталкиваться с любовью. В противоположность распространенному мнению я всегда думал, что свобода аристократична, а не демократична. Огромная масса людей совсем не любит свободы и не ищет ее. Революции масс не любят свободы. Многое я приобрел в своем духовном пути, в опыте своей жизни, но свобода для меня изначальна, она не приобретена, она есть a priori моей жизни. Идея свободы для меня первичнее идеи совершенства, потому что нельзя принять принудительного, насильственного совершенства.

Все в человеческой жизни должно пройти через свободу, через испытание свободы, через отвержение соблазнов свободы. В этом, может быть, смысл грехопадения. Вспоминая всю свою жизнь, начиная с первых ее шагов, я вижу, что никогда не знал никакого авторитета и никогда никакого авторитета не признавал. Я просто никогда не имел опыта переживания авторитета. Я не знал авторитета в семье, не знал авторитета в учебном заведении, не знал авторитета в моих занятиях философией и в особенности не знал авторитета в религиозной жизни. С детства я решил, что никогда не буду служить, так как никогда не соглашусь подчиниться никакому начальству. У меня даже никогда не было мысли сделаться профессором, потому что это все же предполагает существование начальства и авторитетов. Свою мысль я всегда воспринимал как впервые рожденную в свободе. И старую свою мысль я воспринимал как впервые рожденную, не как образовавшуюся во мне традицию мысли. Это, конечно, совсем не значит, что я не хотел учиться у других, у всех великих учителей мысли, и что не подвергался никаким влияниям, никому ни в чем не был обязан. Я постоянно питался мировой мыслью, получал умственные толчки, многим был обязан мыслителям и писателям, которых всю жизнь чтил, обязан людям, которым был близок. Но все проходило через мою свободу, входило в глубину моего «я» и из него принималось. Никакого умственного влияния я не мог воспринять иначе, чем получив санкцию от моей свободы. Поэтому я самый нетрадиционный человек на свете. Мне даже не нужно было разрывать с какими-либо авторитетами, я их не имел. Но были философы и писатели, которые особенно питали мою любовь к свободе духа, подтверждали ее и помогали ее развитию во мне. В этом отношении огромное значение для меня имела «Легенда о Великом Инквизиторе» и вообще Достоевский. Из философов же наибольшее значение имел Кант. Философия Канта есть философия свободы, хотя, может быть, недостаточно последовательно, не до конца развитая. Еще Ибсен имел для меня большое значение, хотя и позже. В Ибсене видел я необыкновенную волю к свободе. Все столкновения с людьми и направлениями происходили у меня из-за свободы. Борьбу за свободу я понимал прежде всего не как борьбу общественную, а как борьбу личности против власти общества.

Уже после окончания моей книги я прочел книгу Roger Secrétain «Péguy, soldat de la vérité». Это интересная книга о Пеги. Поразило меня одно место о Пеги, которое могло бы быть сказано вполне обо мне. Привожу дословно.

«Nous sommes de ces singuliers libéraux ou libertaires qui n'admettent aucune autorité». Cette phrase de *Pour moi* ressortit à la psychologie, non à la doctrine. Quand Péguy dit cela en 1900, il ne le dit pas comme militant sociologue, il le dit comme homme Péguy, pour toute sa vie. L'anarchisme est sa tendresse secrète. Il n'est certes pas nihiliste ni destructeur. Il déteste la pente des facilités. Il est du côté positif, ascentionnel de l'anarchie. Mais sa passion majeure, sa force d'adhésion le collent au principe de liberté. L'insubordination de ce disciple paradoxal est de n'accepter de contrainte qu'intérieure et librement choisie. On a parlé d'un parti Péguy: c'est un parti où il eût été seul. Je ne lui vois même pas de disciple dont il ne se fût bientôt séparé ou qu'il n'eût lui-même encouragé à rompre... Ce révolté, cet interdit, cet hérétique par instinct et orgueil est ainsi fait qu'il recherche l'autorité sans pouvoir endurer de tutelle. En tant que citoyen, il ne peut supporter l'Etat bourgeois (ni même l'Etat tout court). En tant que militant révolutionnaire, il ne peut supporter la férule de socialisme doctrinal et politicien. Et tant que penseur, il ne peut se soumettre à la métaphysique des sociologues du parti intellectuel... C'est son refus de toute tyrannie terrestre qui l'entraîne vers Dieu. A condition toutefois que ce Dieu soit lui aussi un libéral, un libertaire, presqu'un anarchiste: «Un salut qui ne serait pas libre, qui ne viendrait pas d'un homme libre ne nous dirait plus rien», dit le Dieu de Péguy dans les *Saints Innocents*[2]. Я не вижу вообще в себе большого сходства с Пеги. Но это место мне так близко, словно обо мне написано.

Для меня характерно, что у меня не было того, что называют «обращением», и для меня невозможна потеря веры. У меня может быть восстание против низких и ложных идей о Боге во имя идеи более свободной и высокой. Я объясню это, когда буду говорить о Боге.

Я вел борьбу за свободу в детстве и юности и делал это иногда с гневом и яростью. Я говорил уже, что семья наша была очень мало авторитарна, и мне всегда удавалось отстоять мою независимость. С социальной средой, из которой я вышел, я порвал еще на грани отрочества и юности. Этот разрыв принял у меня такие формы, что я одно время предпочитал поддерживать отношения с евреями, по крайней мере, была гарантия, что они не дворяне и не родственники. Все, что не связано с происхождением по духу, вызывало во мне отталкивание. Все родовое противоположно свободе. Мое отталкивание от родовой жизни, от всего, связанного с рождающей стихией, вероятно, объясняется моей безумной любовью к свободе и к началу личности. Это метафизически наиболее мое. Род всегда представлялся мне врагом и поработителем личности. Род есть порядок необходимости, а не свободы. Поэтому борьба за свободу есть борьба против власти родового над человеком. Для моей философской мысли было еще очень существенно противоположение рождения и творчества. Свобода, личность, творчество лежат в основании моего мироощущения и миросозерцания. Но обостренная борьба за свободу у меня началась позже. Порвав с традиционным аристократическим миром и вступив в мир революционный, я начал борьбу за свободу в самом революционном мире, в революционной интеллигенции, в марксизме. Я очень рано понял, что революционная интеллигенция не любит по-настоящему свободы, что пафос ее в ином. Еще будучи марксистом, я увидел в марксизме элементы, которые должны привести к деспотизму и отрицанию свободы. Я на жизненном опыте пережил столкновение личности и социальной группы, личности и общества, личности и общественного мнения. И всегда стоял на стороне личности. Годы моей жизни были посвящены борьбе с интеллигентской общественностью, и я на это потерял даже слишком много сил. Это мешало мне целиком отдаваться философскому творчеству. Проблема отношений свободы и социализма очень остро мной переживалась, и в молодости у меня были минуты, когда я испытывал смертельную тоску перед лицом этой проблемы. Я считал лицемерными и лживыми аргументы либерализма и индивидуализма против социализма, считал фальшивой их защиту свободы. Но для меня было ясно, что социализм может принять разные обороты, может привести к освобождению, но может привести и к истреблению свободы, к тирании, к системе Великого Инквизитора. Предчувствия возможности большевизма у меня очень рано были, еще когда я вращался в маркистской среде. Тогда я уже боролся с тоталитаризмом во имя свободы мысли и творчества. Но борьбу за свободу мне приходилось вести во всякой идейной среде, во всяком направлении, с которым приходилось соприкасаться. Всякая идейная социальная группировка, всякий подбор по «вере» посягает на свободу, на независимость личности, на творчество. Когда мой духовный путь привел меня в близкое соприкосновение с миром православным, то я ощутил ту же тоску, которую ощущал в мире аристократическом и в мире революционном, увидел то же посягательство на свободу, ту же вражду к независимости личности и к творчеству. Но тут та же тема ставилась на большей глубине. В мире религиозном затрагивается самая глубина человеческой души. Мне пришлось еще вести ту же борьбу за свободу и за достоинство личности в коммунистической революции, и это привело к моей высылке · из России. Наконец, в атмосфере эмигрантской стала остро та же проблема свободы. Я увидел, что эмиграция в преобладающей массе так же ненавидит и отрицает свободу, как и русский коммунизм. Но коммунизм имеет больше права на это. После мировой войны народилось поколение, которое возненавидело свободу и возлюбило авторитет и насилие. Я ничего нового в этом не видел. Я был так же одинок в своей аристократической любви к свободе и в своей оценке личного начала, как всю жизнь. Я не видел этой любви к свободе ни у господствующих слоев старого режима, ни в старой революционной интеллигенции, ни в историческом православии, ни у коммунистов и менее всего в новом поколении фашистов. Всякая группировавшаяся масса враждебна свободе. Скажу более радикально: всякое до сих пор бывшее организованное и организующееся общество враждебно свободе и склонно отрицать человеческую личность. И это порождено ложной структурой сознания, ложным направлением сознания, ложной иерархией ценностей. В послевоенном, теперь нужно сказать довоенном, поколении нет ни одной оригинальной мысли, оно живет искажениями и отбросами мысли XIX века. Личность, сознавшая свою ценность и свою первородную свободу, остается одинокой перед обществом, перед массовыми процессами истории. Демократический век — век мещанства, и он неблагоприятен появлению сильных личностей.

Я много думал всю мою жизнь о проблеме свободы и дважды написал философию свободы, стараясь усовершенствовать свою мысль. И должен сказать, что проблема эта очень сложна. Под свободой разное понимают, и отсюда много недоразумений. Нельзя мыслить свободу статически, нужно мыслить динамически. Существует диалектика свободы, судьба свободы в мире. Свобода может переходить в свою противоположность. В школьной философии проблема свободы обычно отождествлялась с «свободой воли». Свобода мыслилась как свобода выбора, как возможность повернуть направо или налево. Выбор между добром и злом предполагает, что человек поставлен перед нормой, различающей добро и зло. Свободой воли особенно дорожили с точки зрения уголовно-процессуального понимания человеческой жизни. Свобода воли необходима для ответственности и наказания. Для меня свобода всегда означала что-то совсем другое. Свобода есть моя независимость и определяемость моей личности изнутри, и свобода есть моя творческая сила, не выбор между поставленным передо мной добром и злом, а мое созидание добра и зла. Самое состояние выбора может давать человеку чувство угнетенности, нерешительности, даже несвободы. Освобождение наступает, когда выбор сделан и когда я иду творческим путем. С свободой связана тема о человеке и творчестве. Я верил всю жизнь, что божественная жизнь, жизнь в Боге есть свобода, вольность, свободный полет, без-властие, ан-архия. Предельная тема тут не морально-психологическая, а метафизическая тема о Боге и свободе, о свободе и зле, о свободе и творческой новизне. Свобода несет с собой новизну. Противники свободы любят противопоставлять свободе истину, которую навязывают и заставляют признать. Но истины как навязанного мне предмета, как реальности, падающей на меня сверху, не существует. Истина есть также путь и жизнь. Истина есть духовное завоевание. Истина познается в свободе и через свободу. Навязанная мне истина, во имя которой требуют от меня отречения от свободы, совсем не есть истина, а есть чертов соблазн. Познание истины меня освободит. Но тут одна свобода в конце, другая свобода в начале. Я свободно познаю ту истину, которая меня освобождает. Никакой авторитет в мире не может мне навязать эту истину. Меня нельзя насильственно освобождать. Никакой навязанной мне ортодоксии, претендующей на истину помимо моего свободного искания и исследования, я никогда не признавал и не признаю. Я объявлял восстание против всякой ортодоксии, все равно марксистской или православной, когда она имела дерзость ограничивать или истреблять мою свободу. Так всегда было, так всегда будет. Я даже склонен думать, что этого рода ортодоксия никакого отношения к истине не имеет и истину ненавидит. Самые большие фальсификации истины совершались ортодоксиями. Ортодоксия имеет социологическую природу и означает авторитет организованного коллектива над свободной личностью, над свободным духом человека. Я верю в существование великой истины о свободе. В раскрывшуюся мне истину входит свобода. Свобода моей совести есть абсолютный догмат, я тут не допускаю споров, никаких соглашений, тут возможна только отчаянная борьба и стрельба. Вся ценность мысли Хомякова была в том, что он мыслил соборность, которая была его творческим открытием, в неотрывной связи со свободой. Но он не додумал этого до конца. Ни на одно мгновение соборность не может превратиться во внешний авторитет. Свободе принадлежит абсолютный примат. В случае конфликта, о котором Хомяков мало думал, решает свободная совесть. Я не могу признать истиной то, что мне навязывают как истину, если я сам не узреваю этой истины. Я не могу признать ложью то, в чем я узреваю истину, потому только, что от меня требуют признать это ложью. Да и по-настоящему никто никогда на это не соглашался. Московские процессы старых коммунистов представляют собой явление безобразное и чудовищное, но очень поучительное. Если признать соборность и церковное сознание внешним для меня авторитетом и экстериоризировать мою совесть в соборный церковный коллектив, то оправдываются церковные процессы, совершенно формально подобные коммунистическим процессам. Но в действительности соборность есть мое качествование, расширение моего опыта до сверхличного, всеобщего опыта. Свобода не есть индивидуализм. Это предрассудок. Свобода совести вне темы об индивидуализме.

Свобода не есть самозамыкание и изоляция, свобода есть размыкание и творчество, путь к раскрытию во мне универсума. Но размышляя о своей борьбе за свободу, я должен признать, что эта борьба часто увеличивала мое одиночество и мой конфликт с окружающим миром. Пафос свободы создал во мне и внутренний конфликт, прежде всего конфликт свободы и жалости, который я считаю основным.

БУНТАРСТВО

Всю мою жизнь я был бунтарем. Был им и тогда, когда делал максимальные усилия смиряться. Я был бунтарем не по направлению мысли того или иного периода моей жизни, а по натуре. Я в высшей степени склонен к восстанию. Несправедливость, насилие над достоинством и свободой человека вызывает во мне гневный протест. В ранней юности мне подарили книгу с надписью «дорогому протесташе». В разные периоды моей жизни я критиковал разного рода идеи и мысли. Но сейчас я остро сознаю, что, в сущности, сочувствую всем великим бунтам истории — бунту Лютера, бунту разума просвещения против авторитета, бунту «природы» у Руссо, бунту французской революции, бунту идеализма против власти объекта, бунту Маркса против капитализма, бунту Белинского против мирового духа и мировой гармонии, анархическому бунту Бакунина, бунту Л. Толстого против истории и цивилизации, бунту Ницше против разума и морали, бунту Ибсена против общества, и самое христианство я понимаю как бунт против мира и его закона. Я знаю, что нельзя жить бунтом. Бунт не может быть целостным, он частичен. Бунтовал ли я против Бога? Да и не есть ли бунт против Бога недоразумение в терминах? Бунтовать можно лишь во имя Верховной Ценности, Верховного Смысла, то есть во имя Бога. И воинствующие атеисты в конце концов, не сознавая этого, бунтуют во имя Бога. Я много бунтовал против человеческих мыслей о Боге, против человеческих верований в ложных богов, но не против Бога. Соединимо ли христианство с бунтарством? Рабье учение о смирении исключает возможность бунта и восстания, оно требует послушания и покорности даже злу. Но оно-то и вызывало во мне бунт и восстание. Быть христианином не значит быть послушным рабом. Я был бунтарем. Но бунтарство мое никогда не было одобрением террора. Я бунтовал против мира и его рабьего закона, но террор есть возвращение к закону мира, есть послушность этому закону. Всякое убийство есть послушность рабьему закону мира. Мой бунт есть бунт духа и бунт личности, а не плоти и не коллектива. Дух есть свобода и свобода есть дух. Тема о бунтарстве есть продолжение темы о свободе. В бунтарстве есть страсть к свободе. За бунтарством всегда скрыта страсть. И я периодически чувствовал в себе эту страсть, которая захлестывала меня бурной волной. Бунту не может принадлежать последнего слова, но на путях человека ввысь бунт может играть огромную роль. Как печально, что христианское благочестие так часто пластически выражалось в согбенности, в жестах униженности и подавленности! Самым большим соблазном является не предмет веры, а субъект веры, формы выразительности его веры на земле. Часто этого нельзя вынести. Невозможность для человека высокого сознания признать и узнать Бога, может быть, есть лишь невозможность принять человека, верующего в Бога, его искажающие идеи о Боге, отражающие его собственное рабство, его жесты благочестия. Поэтому очищающее значение имеет апофатический момент в богопознании. Все люди должны были бы быть бунтарями, то есть перестать терпеть рабство. Я не склонен к сомнению, но иногда приходила в голову такая кошмарная мысль: а что если права рабья ортодоксия, тогда я погиб. Но я быстро отбрасывал эту мысль.

Мне не раз приходится говорить в этой книге, что во мне есть как бы два человека, два лица, два элемента, которые могут производить впечатление полярно противоположных. Но сводятся эти противоречивые элементы к одному источнику. Я не только человек тоскующий, одинокий, чуждый миру, исполненный жалости к страдающей твари, душевно надломленный. Я также человек бунтующий, гневно протестующий, воинственный в борьбе идей, вызывающий, способный к дерзновению. Но и моя тоска одиночества и моя бунтующая воинственность одинаково коренятся в этой чуждости мира. Чуждый мир вызывает во мне двойную реакцию; не только уходящую внутрь, но и поступающую во вне. Поэтому в моей жизни не было цельности. После воинственного наступления у меня являлась потребность ухода во внутренний мир. Бунт был лишь моментом моей внутренней жизни, лишь духовной борьбой во мне. Мое творческое дерзновение, самое важное в моей жизни, выражалось прежде всего в состояниях субъекта, в продуктах же объективного мира оно никогда не достигало достаточного совершенства. Мой бунт был прежде всего разрывом с объективным миром, и в нем был момент эсхатологический. У меня всю жизнь было отвращение к церемониям, к торжественным собраниям, юбилеям, свадьбам, к условным риторическим речам, к мундирам, к орденам. В этом отвращении было для меня что-то более глубокое, связанное с моим бунтом против объективации человеческого существования. Мне всегда хотелось, чтобы оголенная правда была наконец обнаружена. С этим связан для меня пафос правдивости.

ЖАЛОСТЬ

Свобода может быть безжалостна. Великий Инквизитор у Достоевского упрекает Христа в том, что, возложив на людей бремя свободы, Он не жалеет их. Свобода порождает страдание и трагизм жизни. Настоящая трагедия есть трагедия свободы, а не рока. Я очень пережил в своей жизни конфликт свободы и жалости. Мне очень свойственна жалость, сострадательность. Я с трудом выношу страдание людей и животных и совсем не выношу жестокости. Мне очень жаль всю тварь, которая стонет и плачет и ждет избавления. Проблема Ивана Карамазова о слезинке ребенка мне бесконечно близка. Более всего меня всегда мучила проблема оправдания Бога перед непомерными страданиями мира. Мне чужд лик Божества всемогущего, властного и карающего и близок лик Божества страдающего, любящего и распятого. Я могу принять Бога только через Сына. Нельзя принять Бога, если Бог сам не принимает на себя страданий мира и людей, если Он не есть Бог жертвенный. Я интеллектуально возражаю против Маркиона, но морально, эмоционально он мне близок. Я не выносил холодной жестокости государства. Я никогда не мог переносить жестоких наказаний. Отрицание смертной казни всем моим существом было так велико, что я склонен был делить людей на смертную казнь защищающих и смертную казнь отвергающих. К защитникам смертной казни я начинал относиться враждебно и чувствовал их своими врагами. Думаю, что это русская у меня черта. Более того, я вообще плохо выносил осуждение людей, особенно окончательное осуждение. Из Евангелия более всего запали в мою душу слова «не судите, да не судимы будете» и «кто из вас безгрешен, тот пусть первый бросит в нее камень». И меня ранило окончание притч, в котором посылают в геену огненную. Отвратительнее всего мне была месть и наиболее отвратительна организованная месть государства. Это отталкивание от суда и осуждения, может быть, главная органически христианская во мне черта. Мне иногда приходило в голову, что если я попаду в «рай», то исключительно за то, что не, склонен к осуждению, все остальное во мне казалось не заслуживающим «рая». Это связано с темой сострадания. Я, в сущности, более чувствовал человеческое несчастье, чем человеческий грех. Мне противна религия, понимающая человеческую жизнь как судебный процесс. Легче всего было на меня, человека упрямого, подействовать, вызвав во мне чувство жалости. Этим иногда злоупотребляли. Я боролся со своей жалостливостью. Были годы, когда я вел идейную борьбу с жалостливостью. Одно время я даже остро пережил идеи Ницше. Я боялся раствориться в жалости, погибнуть от нее. Но моя слабость и мое несчастье было в том, что моя жалость была более пассивной, чем активной. Поэтому я исключительно страдал от жалости, пассивно страдал. Я был активен в свободе, но не активен в жалости. В моей жизни не было лучеиспускания, радиоактивности. Я мало делал для реализации в жизни моей жалости, мало помогал страдающим людям, мало облегчал их страдания. Моя жалость оставалась как бы закупоренной во мне самом. Деятельная жалость переживалась бы иначе и, вероятно, менее мучительно. Врач, делающий операцию больному, менее страдает, чем тот, кто лишь исходит от жалости к больному, ни в чем ему не помогая. В характере моей пассивной, мало деятельной жалости было для меня что-то противное, иногда меня возмущавшее. Я должен был производить впечатление более равнодушного, чем жалостливого. Я не столько реализовал свою жалость, сколько боролся против нее, создавал искусственные заграждения. У меня было мало деятельной любви. Я не чувствовал в себе активной доброты. Но пассивная доброта у меня была. И тут у меня соединялась большая чувствительность с сухостью. Во мне все-таки всегда мысль преобладала над чувством, воображение над сердцем. Но самая моя мысль была эмоциональна и страстна. Жалостливость и заботливость соединялись у меня с эгоистическим самосохранением. Я часто прятался от жалости, избегал того, что могло вызвать острое сострадание. Я презирал в себе это свойство. Это было неисполнением евангельских заветов. Моя жалость оказывалась не добродетелью, а слабостью. Но я очень любил и ценил в жизни людей активную излучающую доброту. С жалостью для меня была связана забота. Я заботливый человек. Я постоянно беспокоился о близких людях, не мог примириться с мыслью о их смерти. Я преувеличивал грозящие им опасности. Я очень заботился о своих родителях, о своих племянниках. Иногда заботливость принимала у меня несносный характер. Люди, меня знающие, с трудом верили, до чего я заботлив. Я бывал часто раздавлен заботой. Мне казалось, что от моей заботы зависит, погибнет ли человек или нет.

Острую жалость вызывает умирание и охлаждение человеческих надежд и человеческих чувств. Острую жалость вызывает всякое расставание. Острую жалость вызывают многие воспоминания о прошлом, о безвозвратном и сознание своей неправоты, причинение страданий другим людям, особенно близким. Жгучую, пронизывающую жалость испытывал я часто, когда смотрел в глаза животных: есть выражение глаз страдающих животных, которое нельзя вынести. Вся скорбь мира входит в вас. Я часто, очень часто чувствовал людей как угрожаемых смертью, как умирающих и представлял себе молодых и радостных как больных, постаревших, потерявших надежды. Мне кажется, что наибольшую жалость вызывает неисполненность надежд, с которыми человек и животное входят в мир. Я не считаю себя человеком сентиментальным. Во мне есть сухость, противоположная сентиментальности. И я слишком интеллектуальный человек. Моя жалость не столько психологическое свойство, сколько свойство метафизическое. Возможно, что тут найдут во мне что-то буддийское. Это есть первичное чувство горестного и страдальческого характера бытия мира. В моей природе есть пессимистический элемент, который, впрочем, не единственный и не целиком мной владеет. С этим связано мое отношение к счастью. Я никогда не верил в возможность счастья в этом мировом эоне. Более того, мне часто думалось, что я не хочу счастья и даже боюсь счастья. Всякое наслаждение сопровождалось у меня чувством вины и чего-то дурного. Я боялся счастливых минут жизни, не мог им отдаться и избегал их. Я всегда колебался между аскетической настроенностью, не только христианской, но и толстовской и революционной, и радостью жизни, любовью, искусством, красотой, торжеством мысли. Я часто отталкивался от мира, хотел перейти в «монастырь», говоря символически. Как философу, понятие счастья представлялось мне пустым и бессодержательным. Счастье не может быть объективировано, к нему неприменимы никакие измерения количества, и оно не может быть сравниваемо. Никто не знает, что делает другого человека счастливым или несчастным. Я очень плохо понимаю настроение А. Жида в его *Nourritures Terrestres*[3] и вижу в этом лишь борьбу пуританина с запретами, наложенными на его жизнь. Я не думаю, что человек рожден для счастья, как птица для полета. Эвдемонистическая мораль ложна. Утверждать нужно не. право на счастье для каждого человека, а достоинство каждого человека, верховную ценность каждого человека, который не должен быть превращен в средство. Прав Кант, а не эвдемонизм, хотя он исказил свою правоту формализмом. Персонализм противоположен эвдемонизму. Д. С. Милль в противоречии со своим утилитаризмом говорил: «Лучше быть недовольным Сократом, чем довольной свиньей». Трудно примириться с тем, что унижается человеческое достоинство, достоинство самого последнего из людей. Главный протест всегда вызывало во мне унижение человеческого достоинства. Страдания людей вызывают сострадание и жалость. Но борьба за достоинство человека, за состояние «недовольного Сократа» сопровождается болью и мукой. Это есть моральная антиномия, непреодолимая в нашем мировом эоне: нужно сострадать человеческим страданиям, жалеть все живущее и нужно принимать страдание, которое вызывается борьбой за достоинство, за качества, за свободу человека. Это конфликт, который я переживал всю жизнь, конфликт между жалостью и свободой, между состраданием и принятием страдания, которое вызывается утверждением высших ценностей, между нисхождением и восхождением. Во мне всегда была жалость, которую можно назвать жалостью социальной, и с этим связаны мои социалистические симпатии. Я всегда инстинктивно не любил великих мира сего, властвующих и господствующих, занявших первые места, знатных и богатых, привилегированных. Я даже всегда избегал этих людей. Когда эти люди бывали симпатичны, моя симпатия к ним бывала отравлена. При этом мне абсолютно чуждо всякое ressentiment[4]. Это я могу наверное сказать. Я ведь сам принадлежал к привилегированным, вышел из господствующего слоя. Я всегда предпочитал угнетенных, преследуемых, бедных, но никогда не мог с ними слиться. Всегда оставалась привилегированность моей собственной жизни. Впрочем, эта привилегированность не заключалась в богатстве и власти, я не имел ни богатства, ни власти. Но внешняя жизнь моя все-таки оставалась барской, и меня всегда так воспринимали, преувеличивая мои материальные средства. Эта барская жизнь была все-таки умеренной и скромной.

Что меня всегда поражало, так эта моя бо́льшая способность, чем у других интеллигентов, к общению с простым народом. В мой марксистский период, в Киеве, некоторые рабочие, враждебные интеллигенции, относились ко мне хорошо и меня выделяли. В ссылке в Вологде я был единственный из ссыльных, который имел общение с сосланными туда хитровцами, которых все боялись. Это уже были подонки общества. Один из них был даже моим другом. Но важнее всего мое общение с богоискателями из народа. Об этом расскажу потом. Сливаться же с «народом», что пытались делать многие интеллигенты, я никогда не мог. Да и я никогда не считал себя народником, для этого я слишком прошел марксистскую школу. Должен решительно сказать, что соблазн силы и славы мира не мой соблазн. Я совсем не честолюбивый человек.

Конфликт жалости и свободы. Это есть конфликт нисхождения и восхождения. Жалость может привести к отказу от свободы. Свобода может привести к безжалостности. Два движения есть в человеческом пути, движение по линии восходящей и движение по линии нисходящей. Человек подымается на высоту, восходит к Богу. На этом пути он приобретает духовную силу, он творит ценность. Но он вспоминает об оставшихся внизу, о духовно слабых, о лишенных возможности пользоваться высшими ценностями. И начинается путь нисхождения, чтобы помочь братьям своим, поделиться в ними духовными богатствами и ценностями, помочь их восхождению. Человек не может, не должен в своем восхождении улететь из мира, снять с себя ответственность за других. Каждый отвечает за всех. Возможно лишь общее спасение для вечной жизни. Свобода не должна стать снятием ответственности за ближних. Жалость, сострадание напоминает об этом свободе. В другом месте я буду еще говорить о конфликте жалости и творчества. В себе самом я чувствовал конфликт элементов, родственных Л. Толстому, с элементами, родственными Ницше. Были годы, когда сильнее было «ницшевское», но «толстовское», в конце концов, оказалось сильнее. Я никогда не соглашался из жалости отказаться от свободы. В моей борьбе за свободу было что-то яростное. Но я не выносил и жестокой свободы, превратившейся в волю к могуществу. Я, в сущности, всегда думал, что христианство было искажено в угоду человеческим инстинктам, чтобы оправдать свое уклонение от исполнения заветов Христа, свое непринятие христианской революции, христианского переворота ценностей! Христианство не только не было реализовано в жизни, что всегда можно объяснить греховностью человеческой природы, но оно было искажено в самом учении, вплоть до самой догматики. «Первые» умудрились оправдать свое положение на основании христианского учения. Бессовестность христиан беспримерна в истории. Христианство всегда воспринималось мной прежде всего как милосердие, сострадание, прощение, человечность. Но из христианства умудрились сделать самые бесчеловечные выводы, поощряющие садистские инстинкты людей. Возвращаюсь к теме о восхождении и нисхождении. Один путь восхождения приводит к тому, что человек делается «первым». Тут мы прикасаемся к непостижимому парадоксу христианства. «Первые», то есть достигшие духовной высоты (я не говорю об элементарном случае «первых» в знатности, богатстве и власти), делаются «последними». Это серьезное предостережение для «восходящих». Чтобы не быть «последним», нужно нисходить, нужна деятельная любовь к ближнему, к «последним» по своему положению. Поэтому христианство основано на сочетании восходящего и нисходящего движения, на свободе и жалости, любви к ценности и качеству и любви к ближнему, любви к божественной высоте и любви к страждущим внизу.

Люди до того изощрились в защите своих выгод и пожеланий, что они дошли даже до христианской трансформации и сублимации первичных инстинктов мести. Это всегда вызывало во мне страстное противление. Я нисколько не сомневаюсь, что в жестоком учении о вечных адских муках трансформированы садические инстинкты. Многие «ортодоксальные» христиане дорожат идеей вечных адских мук, она им нравится. И они уверены, что адские муки грозят не им, а их ближним, которых они терроризуют. Идея вечных адских мук имела огромное социологическое значение. При помощи этой идеи управляли человеческими массами, смиряли варварские и греховные инстинкты. Но воспользовались этой идеей в то время, когда христианская Европа в нее верила, очень плохо, использовали в угоду инстинктов и интересов «первых», господствующих. Мне часто приходило в голову, что если бы люди церкви, когда христианское человечество верило в ужас адских мук, грозили отлучением, лишением причастия, гибелью и вечными муками тем, которые одержимы волей к могуществу и господству, к богатству и эксплуатации ближних, то история сложилась бы совершенно иначе. Вместо этого грозили адскими муками главным образом за ереси, за уклонения от доктрины, за непослушание церковной иерархии и за второстепенные грехи, признанные смертными, иногда за мелочи, лишенные значения. Это имело роковые последствия в истории христианского мира. Но самая идея вечных адских мук, безобразия и садичная, но представляющая сложную философскую проблему, в сущности, лишает ценности духовную и моральную жизнь человека. Она превращает жизнь в судебный процесс, грозящий пожизненной каторгой. Эта идея обнаруживает самое мрачное подсознательное в человеке. Ад существует как человеческий опыт, как человеческий путь. Но безобразна всякая онтология ада. В моем отношении к христианству я делил людей на сторонников и противников ада. Этим определялась моя оценка христиан. Я убежден, что сторонниками ада являются люди, которые его хотят, для других, конечно. Христиане часто бывали утонченными садистами. Но сейчас их запугивания мало действуют, сильнее действуют запугивания земным адом. В основании моего отвращения к учению о вечных адских муках лежит, вероятно, мое первичное чувство жалости и сострадания, невозможности радости и блаженства, когда существует непомерное страдание и мука. Спасение возможно лишь вместе со всеми другими людьми. Вот когда особенно уместно вспомнить о соборности. И никогда я не мог допустить, что у Бога меньше сострадания и жалости, чем у меня, существа несовершенного и грешного. В сущности, я всегда восставал против всякого суда над людьми, я не любил никакого суда, никакой декламации о справедливом возмездии и сочувствовал больше судимым, а не судящим. Это связано с тем, что я человек беззаконный и что моя жизнь была беззаконной жизнью. Я таков по инстинкту, а не вследствие каких-либо достижений. Я не выношу жестокости, но в борьбе за свободу я мог доходить до жестокости, рвал с друзьями. Я мог желать ада сторонникам и уготовителям ада. Есть еще худшее. Меня более всего мучит, что у меня бывало жестокое забвение, выпадение людей из памяти. Когда память возвращалась, наступало угрызение. Соборность мне более всего близка в чувстве общей вины, ответственности всех за всех.

СОМНЕНИЯ И БОРЕНИЯ ДУХА

По натуре своей, по духовной структуре своей я совсем не скептик. Мое мышление протекает не в форме сомнения. Мне свойственны не сомнения, а духовные борения, противоречия. Я не сомневаюсь, я бунтую. Но и бунтуя, я всегда утверждаю. Мое познание осуществляется не в форме внутреннего диалога, в котором преодолеваются сомнение и возражение, предоставленные самому себе. Возражения против моей мысли и моего познания я всегда проецировал во вне, в образе врага моих идей и верований, с которым я вел борьбу. Мое мышление было утвердительным, оно было таким и тогда, когда оно бывало критическим. Но неверно было бы думать, что я мыслю догматически. Я верил в Истину, которую искал, верил в Бога, Которого искал. Но я был ищущим, был в движении, достижения моих исканий определялись творческими подъемами. Я причисляю себя к иному типу, чем тип скептика и тип догматика. Скептик, в сущности, не ищет по-настоящему, он не находится в движении. Абсолютный скепсис, который невозможен, был бы мертвой точкой бездвижности. В действительности скептик изменяет своему скепсису на каждом шагу и потому только живет, выражает себя в слове, движется. Пределы скептика и догматика сходятся в бездвижности, в замирании творческой жизни. Ошибочно думать, что сомнение носит интеллектуальный характер. Человек обманывает себя, думая, что его сомнение и возражение против веры интеллектуально-познавательны. В действительности сомнение имеет эмоциональный и волевой характер. Скепсис застывший и длящийся, который не есть только момент духовного пути и диалектического процесса мысли, означает метафизическую бесхарактерность, неспособность к волевому избранию. Когда отрицают существование Бога на том основании, что мировая и человеческая жизнь полна зла и страдания (проблема теодицеи), то в этом нет никакого интеллектуально-познавательного аргумента против существования Бога, а есть лишь выражение страстного эмоционального состояния, заслуживающего, впрочем, большого сочувствия. Но возможны и дурные страстно эмоциональные возражения против существования Бога — слишком большая плененность этим миром. Бога отрицают или потому, что мир так плох, или потому, что мир так хорош. Но и в том и в другом случае сомнение в существовании Бога имеет прежде всего эмоциональную природу. Уверенность также имеет прежде всего эмоциональную природу. Интеллектуальный аппарат обыкновенно бывает лишь служебным орудием. Не существует чисто интеллектуальной интуиции. Интуиция всегда интеллектуально-эмоциональная. И самую эмоциональность я бы назвал трансцендентальной. Существуют трансцендентальные эмоции, эмоциональное a priori познания, и прежде всего религиозного познания.

Вся моя жизнь прошла в борениях духа. Но я редко выражал непосредственно борения духа в своих писаниях. Обыкновенно борения духа я проецировал во вне и выражал их в форме борьбы с враждебными течениями. По своей манере писать и выражать себя я никогда не мог быть сомневающимся. Я всегда писал и говорил уверенно, всегда совершал волевой акт избрания. Но были ли у меня сомнения? Думаю, что у меня никогда не было остановившегося, застывшего сомнения. Я знал и понимал все возражения против моих мыслей и верований, проникал в них, но я всегда делал творческое усилие внутреннего преодоления и выражал лишь результаты этого усилия. Религиозные сомнения у меня были и есть, и временами очень сильные. Но сомнения эти обычно принимали форму страстной моральной эмоции. Я не столько сомневался, сколько негодовал. И если бы я отверг Бога, то, вероятно, отверг бы во имя Бога. Но как философ я отрицаю онтологическое доказательство бытия Божьего, главное доказательство. Бог не есть бытие, и к Нему неприменимы категории бытия, всегда принадлежавшие мышлению. Он существует, Сущий, и об этом мыслить можно лишь экзистенциально и символически. Мое отношение к Богу экзистенциально драматическое и в него входят борения. Мучительные религиозные сомнения я переживаю лишь в тот момент, когда допускаю истинность и верность застывшей традиционной догматической веры, вызывающей мой протест и даже негодование. Но стоит мне почувствовать неистинность и неверность такого рода веры, чтобы у меня укрепилась вера и уверенность, всякое сомнение исчезло. Это не походит, конечно, на обычный тип сомнений. Но с этим связаны мучительные минуты моей внутренней жизни. Я никогда не мог примириться с внутренним поражением, мой дух был направлен к внутренней победе. В то же время внешних побед я не искал. Книги мои, вероятно, недостаточно отразили борения моего духа. Вера и убеждение выражают синтез душевной жизни, достигнутый ею целостный образ, образование личности. Сомнение, длящийся скепсис означает распадение этого синтеза, собранности личности. В сновидении ослаблена синтезирующая активность сознания и из недр подсознательного порождаются смутные, не синтезированные в целостной личности образы. Окончательное воцарение аналитического сомнения превращает жизнь в сновидение. Только синтезирующий акт духа не допускает превращение мира в кошмарное сновидение. Но есть сновидения, в которых обнаруживается сверхсознательное и сохраняется целостность личности. Я всегда сопротивлялся распадению образа личности и образа мира. Человек живет и держится верой. Употребляю слово «вера» не в догматическом смысле. Скепсис есть ослабление человека и смерть.

РАЗМЫШЛЕНИЕ ОБ ЭРОСЕ

Я не собираюсь писать об эротической стороне своей жизни. Мне противны всякие признания в этой области. Я вообще не хочу писать о своей интимной жизни, о своих интимных отношениях с людьми, менее всего хочу писать о близких мне людях, которым более всего обязан. Совсем не таков характер этой книги. Я, вероятно, должен быть причислен к типу эротических философов, но страсти этические (страсти, а не нормы) во мне были сильнее страстей эротических. И, может быть, наиболее соблазнен я свободой и красотой отречения. Но я принадлежу к той породе людей и, может быть, к тому поколению русских людей, которое видело в семье и деторождении быт, в любви же видело бытие. Мне хотелось бы здесь сообщить некоторые размышления, основанные на опыте. наблюдении и интуициях. Я много думал об отношениях, которые существуют между разными типами любви и прежде всего между любовью-жалостью и любовью-эросом, между каритативной любовью и любовью-влюбленностью. Пол совсем не есть одна из функций человеческого организма, пол относится к целому. Это признает современная наука. И пол свидетельствует о падшести человека. В поле человек чувствует что-то стыдное и унижающее человеческое достоинство. Человек всегда тут что-то скрывает. Он никогда не скрывает любви-жалости, но склонен скрывать любовь сексуальную. Меня всегда поражало это сокрытие пола в человеке. В самом сексуальном акте есть что-то уродливое. Леонардо да Винчи говорит, что половые органы так уродливы, что род человеческий прекратился бы, если бы люди не впадали в состояние одержимости (не помню точно выражения, но таков смысл). В сексуальной жизни есть что-то унизительное для человека. Только наша эпоха допустила разоблачение жизни пола. И человек оказался разложенным на части. Таков Фрейд и психоанализ, таков современный роман. В этом бесстыдство современной эпохи, но также и большое обогащение знаний о человеке. Мне всегда думалось, что нужно делать различие между эросом и сексом, между любовью-эросом и физиологической жизнью пола. Это сферы переплетающиеся, но они различны. Жизнь пола — безликая, родовая. В ней человек является игралищем родовой стихии. В самом сексуальном акте нет ничего индивидуального, личного, он объединяет человека со всем животным миром. Сексуальное влечение само по себе не утверждает личности, а раздавливает ее. Пол безлик, не видит лица. В жизни пола есть безжалостность в отношении к человеку, есть согласие отказаться от чисто человеческого. Индивидуализация полового влечения есть ограничение власти пола. Любовь — лична, индивидуальна, направлена на единственное, неповторимое, незаменимое лицо. Половое же влечение легко соглашается на замену, и замена действительно возможна. Сильная любовь-влюбленность может даже не увеличить, а ослабить половое влечение. Влюбленный находится в меньшей зависимости от половой потребности, может легче от нее воздерживаться, может даже делаться аскетом. Любовь всегда относится к единичному, а не к общему. Эротическая любовь коренится в поле и без пола ее нет. Но она преодолевает пол, она вносит иное начало и искупает его. Эрос имеет и другое происхождение, происходит из иного мира. Природа любви-эроса очень сложная и противоречивая и создает неисчислимые конфликты в человеческой жизни, порождает человеческие драмы. Я замечал в себе противоречие. Любовь-эрос меня притягивала, но еще более, еще сильнее отталкивала. Когда мне рассказывали о романах знакомых мне людей, я всегда защищал право их на любовь, никогда не осуждал их, но часто испытывал инстинктивное отталкивание и предпочитал ничего не знать об этом. Я всегда защищал свободу любви и защищал страстно, с негодованием против тех, которые отрицали эту свободу. Я ненавидел морализм и законничество в этой области, не выносил проповеди добродетелей. Но иногда мне казалось, что я любил не столько любовь, сколько свободу. Настоящая любовь — редкий цветок. Меня пленяла жертва любовью во имя свободы, как пленяла и свобода самой любви. Любовь, которой пожертвовали и которую подавили во имя свободы или жалости, идет в глубину и приобретает особый смысл. Мне противны были люди, находящиеся в безраздельной власти любви. И многие проявления любви вызывали возмущение. Но в дионисической стихии любви есть правда возвышения над властью закона. Я остро чувствую конфликт любви-эроса с любовью-жалостью, так же как конфликт любви со свободой. Нельзя отказаться от любви, от права и свободы любви во имя долга, закона, во имя мнения общества и его норм, но можно отказаться во имя жалости и свободы. Любовь так искажена, профанирована и опошлена в падшей человеческой жизни, что стало почти невозможным произносить слова любви, нужно найти новые слова. Настоящая любовь возникает, когда встреча не случайна и есть встреча суженого и суженой. Но в неисчислимом количестве случаев встреча бывает случайной, и человек мог бы встретить при других обстоятельствах более подходящего человека. Поэтому такое огромное количество нелепых браков.

Меня всегда возмущало, когда общество вмешивалось в эротическую жизнь личности. Социальные ограничения прав любви вызывали во мне бурный протест, и в разговорах на эту тему мне случалось приходить в бешенство. Любовь есть интимно-личная сфера жизни, в которую общество не смеет вмешиваться. Я вообще не люблю «общества». Я человек, восставший против общества. Когда речь идет о любви между двумя, то всякий третий лишний, писал я в книге «О назначении человека». Когда мне рассказывали о любви, носящей нелегальный характер, то я всегда говорил, что это никого не касается, ни меня, ни того, кто рассказывает, особенно его не касается. Любовь всегда нелегальна. Легальная любовь есть любовь умершая. Легальность существует лишь для обыденности, любовь же выходит из обыденности. Когда любовь погружается в обыденность, то она охлаждается и постепенно угасает. Эрос есть сфера беззаконная. Мир не должен был бы знать, что два существа любят друг друга. В институте брака есть бесстыдство обнаружения для общества того, что должно было бы быть скрыто, охранено от посторонних взоров. У меня всегда было странное впечатление неловкости, когда я смотрел на мужа и жену, как будто бы я подсмотрел что-то, что мне не следует видеть и о чем не следует знать. Социализация пола и любви есть один из самых отталкивающих процессов человеческой истории, он калечит человеческую жизнь и причиняет неисчислимые страдания. Семья есть необходимый социальный институт и подчинена тем же законам, что и государство, хозяйство и прочее. Семья, очень связанная с хозяйственным строем, имеет мало отношения к любви, вернее, имеет отношение лишь к каритативной любви, и лишь косвенное отношение к полу. Элементы рабства всегда были сильны в семье, и они не исчезли и до настоящего времени. Семья есть иерархическое учреждение, основанное на господстве и подчинении. В ней социализация любви означает ее подавление. Брак, на котором основана семья, есть очень сомнительное таинство. Христианство не знает своего таинства брака, оно лишь подтверждает брак в язычестве и юдаизме. В этом натуральном таинстве происходит социализация того, что по природе своей неуловимо для общества, неуловимо и для церкви как внешнего религиозного общества. Но подлинным таинством должно было бы быть признано таинство подлинной любви. Это таинство не поддается никакому социальному выражению, никакой рационализации. В этом трагизм любви в жизни человеческих обществ. Общество извергает любовь. Любящий в высшем смысле этого слова — враг общества. Мировая литература защищала права и достоинство любви, и именно любви не социализированной. Первыми были провансальские трубадуры. В этом огромная заслуга литературы и заслуга религиозная. Говорю о серьезной литературе и исключаю литературу, помешанную на сексе. Легальное богословие, легальная мораль, легальное общественное мнение всегда в этом вопросе относились враждебно к литературе и с трудом ее терпели. Кстати сказать, несмотря на мою большую любовь к Л. Толстому, я всегда относился отрицательно и враждебно к идее, положенной в основу «Анны Карениной». Я всегда считал преступным не любовь Анны и Вронского, а брачные отношения Анны и Каренина. Мне казалось поверхностной и внешней постановка вопроса о разводе. Настоящий вопрос не в праве на развод, который, конечно, должен быть признан, а в обязанности развода при прекращении любви. Продолжение брака, когда любви нет, безнравственно, только любовь все оправдывает, любовь-эрос и любовь-жалость. Вопрос о детях совсем другой вопрос и очень, конечно, важный. Но когда родители не любят друг друга, то это плохо отзывается на детях. Я знаю, что моя точка зрения будет признана асоциальной и опасной. Но я рад этому. Если социализация хозяйства желательна и справедлива, то социализация самого человека, которая происходила во всю историю, есть источник рабства и духовно реакционна. Главное же, я не принимаю категории опасности. Опасность совсем не плохая вещь, человек должен проходить через опасности.

«Что делать?» Чернышевского — художественно бездарное произведение, и в основании у него лежит очень жалкая и беспомощная философия. Но социально и этически я совершенно согласен с Чернышевским и очень почитаю его. Чернышевский свято прав и человечен в своей проповеди свободы человеческих чувств и в своей борьбе против власти ревности в человеческих отношениях. При этом в книге его, столь оклеветанной правыми кругами, есть сильный аскетический элемент и большая чистота. Интересно, что сам Чернышевский, один из лучших русских людей, относился с трогательной, необычайной любовью к своей жене. Его письма с каторги к жене представляют собой документ любви, редко встречающийся в человеческой жизни. У него была свободная любовь и свободная верность жене. У этого нигилиста и утилитариста был настоящий культ вечной женственности, обращенный на конкретную женщину, эрос не отвлеченный, а конкретный. И Чернышевский осмелился восстать против ревности, столь связанной с любовью эротической. Я всегда считал ревность самым отвратительным чувством, рабьим и порабощающим. Ревность не соединима со свободой человека. В ревности есть инстинкт собственности и господства, но в состоянии унижения. Нужно признавать права любви и отрицать права ревности, перестав ее идеализировать. Это сделал Чернышевский в прямолинейной и упрощенной форме, не обнаружив никакой утонченной психологии. Ревность есть тирания человека над человеком. Особенно отвратительна женская ревность, превращая женщину в фурию. В женской любви есть возможность ее превращения в стихию демоническую. Существуют демонические женщины. Они иногда писали мне письма, у них была склонность к астральным романам. Это очень тяжелое явление. Есть несоизмеримость между женской и мужской любовью, несоизмеримость требований и ожиданий. Мужская любовь частична, она не захватывает всего существа. Женская любовь более целостна. Женщина легко делается одержимой. В этом смертельная опасность женской любви. В женской любви есть магия, но она деспотична. И всегда есть несоответствие с идеальным женским образом. Образ женской красоты часто бывает обманным. Женщины лживее мужчин, ложь есть самозащита, выработанная историческим бесправием женщины со времен победы патриархата над матриархатом.

Но женская любовь может подниматься до необычайной высоты. Таков образ Сольвейг у Ибсена, Вероники у Жуандо. Это любовь, спасающая через верность навеки. Мне всегда казалось, что самое тяжелое и мучительное не неразделенная любовь, как обыкновенно думают, а любовь, которую нельзя разделить. А в большинстве случаев любовь нельзя разделить. Тут примешивается чувство вины. У меня было больше дружеских и близких отношений с женщинами, чем с мужчинами. Мне иногда казалось, может быть иллюзорно, что женщины меня лучше понимают, чем мужчины. У женщин есть необыкновенная способность порождать иллюзии, быть не такими, каковы они на самом деле. Я мог чувствовать женское очарование. Но у меня не было того, что называют культом вечной женственности и о чем любили говорить в начале XX века, ссылаясь на культ Прекрасной Дамы, на Данте, на Гете. Иногда я даже думал, что не люблю женской стихии, хотя и не равнодушен к ней. Я еще понимал и ценил провансальских трубадуров, которые впервые в истории культуры внесли идеальную любовь-влюбленность. Но мне чуждо было внесение женственного и эротического начала в религиозную жизнь, в отношение к Богу. Мне ближе была идея андрогина Я. Бёма, как преодолевающая пол. Одно время у меня была сильная реакция против культа женственного начала. Тип эротики Вл. Соловьева меня отталкивал. Я очень ценил и ценю статью Вл. Соловьева «Смысл любви», это, может быть, лучшее из всего написанного о любви. Но я вижу большое противоречие между замечательными мыслями этой статьи и его учением о Софии. Верно, что женственная стихия есть стихия космическая, основа творения, лишь через женственность человек приобщается к жизни космоса. Человек в полноте своей есть космос и личность.

Пол принадлежит жизни рода. Любовь же принадлежит жизни личности. Отталкивание от родовой жизни принадлежит к самым первоначальным и неистребимым свойствам моего существа. Отталкивание во мне всегда вызывали беременные женщины. Это меня огорчает и кажется дурным. У меня было странное чувство страха и еще более странное чувство вины. Не могу сказать, чтобы я не любил детей, я скорее любил. Я очень заботился о своих племянниках. Но деторождение мне всегда представлялось враждебным личности, распадением личности. Подобно Кирхегардту я чувствовал грех и зло рождения. Перспективы родового бессмертия и личного бессмертия противоположны. Тут я не только согласен с Вл. Соловьевым, но думал так всегда, до чтения Вл. Соловьева и еще более так чувствовал. Родовая жизнь может вызывать чувство жалости, но не может вызывать любви-эроса. Идеальная влюбленность не соединима с жизнью рода, она есть победа личности над безликой родовой стихией, и в этом смысле над полом. Эрос побеждает пол. В сильной эмоции любви есть глубина бесконечности. Но пол может не интегрироваться в целостную преображенную жизнь, может остаться изолированной сферой падшести. В этой изолированности его от целостной личности и заключается ужас пола. Поэтому он так легко может делаться началом распада. Нельзя допустить автономию пола. Было уже сказано, что любовь есть выход из обыденности, для многих людей, может быть, единственный. Но таково начало любви. В своем развитии она легко подпадает под власть обыденного. В любви есть бесконечность, но есть и конечность, ограничивающая эту бесконечность. Любовь есть прорыв в объективированном природном и социальном порядке. В ней есть проникновение в красоту лица другого, видение лица в Боге, победа над уродством, торжествующим в падшем мире. Но любовь не обладает способностью к развитию в этом мире. И если любовь-эрос не соединяется с любовью-жалостью, то результаты ее бывают истребительные и мучительные. В эросе самом по себе есть жестокость, он должен смиряться жалостью, caritas. Эрос может соединяться с агапэ. Безжалостная любовь отвратительна. Отношение между любовью эротической и любовью каритативной, между любовью восходящей, притяжением красоты и высоты, и любовью нисходящей, притяжением страдания и горя в этом низинном мире, есть огромная и трудная тема. Эрос платонический сам по себе безличен, он направлен на красоту, на божественную высоту, а не на конкретное существо. Но в христианском мире эрос трансформируется, в него проникает начало личности. Половой пантеизм, который так блестяще защищал Розанов, не есть эрос, это возврат к языческому полу. Полюс, обратный мыслям Вл. Соловьева и моим мыслям. У Вл. Соловьева, в противоположность его персоналистическому учению о любви, был силен эрос платонический, который направлен на вечную женственность Божью, а не на конкретную женщину. Эрос порождает прельщающие иллюзии, и их не так легко отличить от реальности. Человеку свойственна мечта о любви. Это прекрасно описано Шатобрианом.

Но в эросе есть реальное ядро, заслуживающее вечности. Очень мучительно забвение. В забвении есть измена, предание вечности потоку времени. Иногда сон напоминает о забытом, и тогда печаль охватывает душу. Жизнь эротическая, за вычетом отдельных мгновений, самая печальная сторона человеческой жизни. Если забвение бывает изменой ценному, то воспоминание часто бывает восстановлением и того, что противоположно ценности. Я никогда не любил воспоминаний в этой сфере жизни, никогда не говорил об этом. Любви присущ глубокий внутренний трагизм, и не случайно любовь связана со смертью. Существует трагический конфликт любви и творчества. Эта тема гениально выражена Ибсеном. Мне всегда казалось странным, когда люди говорят о радостях любви. Более естественно было бы, при более глубоком взгляде на жизнь, говорить о трагизме любви и печали любви. Когда я видел счастливую любящую пару, я испытывал смертельную печаль. Любовь, в сущности, не знает исполнившихся надежд. Бывает иногда сравнительно счастливая семейная жизнь, но это счастливая обыденность. Если я и был романтиком, то романтиком, лишенным иллюзий, надежды и способности к идеализации действительности, романтиком, слишком реалистически воспринимавшим действительность. В социальной стороне любви я себя чувствовал революционером и требовал революции в этой области. Я обличал низость организующейся и деспотической обыденности. У меня была страсть к свободе, к свободе и в любви, хотя я отлично знал, что любовь может быть рабством. Больше всего трогала меня любовь каритативная, любовь-жалость и отталкивала любовь эгоцентрическая и вампирическая. Но бывает, хотя и не часто, необыкновенная любовь, связанная с духовным смыслом жизни.

Глава III

ПЕРВОЕ ОБРАЩЕНИЕ.
ИСКАНИЕ СМЫСЛА ЖИЗНИ

Есть ритмичность и периодичность в жизни каждого человека. В своей жизни я ее особенно замечал. Смена разных периодов связана с тем, что человек не вмещает полноты и не может постоянно находиться в состоянии подъема. У меня бывали периоды больших подъемов, когда я бывал близок к переживанию экстаза, и были периоды более охлажденные, когда я опускался ниже, были времена ослабления творческого горения. Но обозревая свой духовный путь, я должен сказать, что у меня не было того, что называют в точном смысле обращением (conversion) [1]. Я не знаю такой даты в своей жизни. У меня не было кризиса обращения, может быть потому, что моя духовная жизнь вообще слагается из кризисов. Conversion гораздо большую роль играет у католиков и протестантов, чем у нас. Западные христиане очень раздувают conversion. У нас, русских, это менее выражено, более остается в глубине. О своей религиозной жизни я буду говорить в другой части книги. Сейчас, для объяснения одного из самых важных событий моей внутренней жизни, мне нужно сказать следующее. Я не помню в своем детстве традиционных православных верований. Я не отпадал от традиционной веры и не возвращался к ней. У меня нет религиозных воспоминаний, остающихся на всю жизнь, и это имеет огромное значение для моего религиозного типа. В моем детстве отсутствовала православная религиозная среда, которая бы меня питала. Я вижу два первых двигателя в своей внутренней жизни: искание смысла и искание вечности. Искание смысла было первичнее искания Бога, искание вечности первичнее искания спасения. Однажды на пороге отрочества и юности я был потрясен мыслью: *пусть я не знаю смысла жизни, но искание смысла уже дает смысл жизни, и я посвящу свою жизнь этому исканию смысла.* Это был настоящий внутренний переворот, изменивший всю мою жизнь. Я пережил его с энтузиазмом. Я описал этот переворот, но рукопись была взята при первом моем аресте и пропала. Мне хотелось бы сейчас прочесть то, что я тогда написал, приобщиться к огромному подъему, пережитому мной. Это и было мое настоящее обращение, самое сильное в моей жизни, обращение к исканию Истины, которое тем самым было верой в существование Истины. Искание истины и смысла я противоположил обыденности, бессмысленной действительности. Но мой переворот не был обращением в какую-либо конфессию, в православие или даже просто в христианство. Это был поворот к духу и обращение к духовности. Я навеки сохранил убеждение, что нет религии выше истины, формула, которой злоупотребляли теософы. Это навсегда положило печать на мою духовную и умственную жизнь. У меня образовался, как основа моего существа, коренной для меня спиритуализм. Слово это я употребляю не в школьном и не в доктринальном смысле, а в смысле экзистенциальном. Я в глубине души, в более глубоком слое, чем умственные теории, поверил в первичную реальность духа и лишь во вторичную, отраженную, символически-знаковую реальность внешнего, так называемого «объективного» мира, природного и исторического. Это мироощущение оставалось у меня и в марксистский период. Я думаю, что люди изначального «спиритуализма», никогда не прошедшие через материализм, представляют тип не благоприятный для восприятия в чистом виде какой-либо религиозной ортодоксии. Материалисты, пережившие обращение, легче и охотнее усваивают себе религиозную ортодоксию. Я это всегда замечал. «Спиритуалист» изначально принимает дух как свободу, «материалист» же, изначально затрудненный в признании реальности духа, принимает его как авторитет. «Спиритуалист» не знает резкого конфессионального обращения, «материалист» же знает его. Это связано еще с тем, что религиозная ортодоксия заключает в себе сильный элемент религиозного материализма, который и есть наиболее авторитарный элемент религиозной жизни. Поэтому я думаю, в противоположность господствующему мнению, что дух есть революционное начало, материя же есть начало реакционное. Меня всегда мучили не столько богословские, догматические, церковные вопросы или школьно-философские вопросы, сколько вопросы о смысле жизни, о свободе, о назначении человека, о вечности, о страдании, о зле. Этим мне близки были герои Достоевского и Л. Толстого, через которых я воспринял христианство.

В результате пережитого мною внутреннего переворота я почувствовал большую душевную крепость. Вся моя жизнь изменилась. Я пережил большой духовный подъем. Я почувствовал большую духовную устойчивость, незыблемую духовную основу жизни не потому, что я нашел определенную истину и смысл, определенную веру, а потому, что я решил посвятить свою жизнь исканию истины и смысла, служению правде. Это объясняется тем, что такого рода искание истины есть в известном смысле и нахождение истины, такого рода обращение к смыслу жизни есть проникновение смыслом. Это понимал Паскаль. Я поверил, что жизнь имеет высший смысл, но в этой вере не было ничего догматического. Я поверил в силу духа, и это осталось навсегда. Меняться могла лишь символика этой силы духа. Переворот или обращение сопровождались у меня нравственным улучшением, очищением, даже некоторой аскезой. Я сознал независимость духа от оболочек души. Мне стал близок идеал человека, который терпит преследования и гонения за свою идею и свою веру. Я и сейчас хотел бы вновь жить, чтобы вновь и вновь искать истины и смысла. Есть вечная новизна и молодость истины. Я упоминал уже, что у меня есть странное свойство. Я совсем не переживаю развитие по прямой восходящей линии. Истина предстоит мне вечно новой, впервые рожденной и открытой. Даже старая знакомая книга при перечитывании представлялась мне новой и по-новому воспринималась мной. Только первичный творческий подъем вызывал во мне энтузиазм. То, что называется «развитием», представлялось мне охлаждением, оно стояло уже под знаком необходимости, а не свободы. Мое мышление интуитивное и афористическое. В нем нет дискурсивного развития мысли. Я ничего не могу толком развить и доказать. И мне кажется это ненужным. Я очень ценю и люблю Канта, считаю его величайшим из философов. Но обрастание мысли Канта школьно-схоластической корой с усложненными доказательствами представлялось мне всегда лишним и вредным, затемняющим его гениальную мысль. Смешно думать, что Спиноза добыл свое познание геометрическим методом. В своих истоках философское познание Спинозы так же интуитивно, как и философское познание всякого подлинного философа. Дискурсивное развитие мысли существует не для самого познающего, оно существует для других. Таким способом надеются приобщить других к своему познанию, убедить их. Но и других убеждает совсем не это. Дискурсивное развитие мысли имеет социологическую природу, это есть организация познания в социальной обыденности. Мне всегда казалось, что приобщить к своей мысли, убедить других я могу лишь остротой и ясностью формулировок своей интуиции. При этом нужно сказать, что моя мысль совсем не отрывочна, не фрагментарна, не направлена на частности и детали. Наоборот, она очень централизована, целостна, направлена на целостное постижение смысла, в ней все со всем связано. Афоризм есть микрокосм, он отражает макрокосм, в нем всё. Меня никогда не интересовали темы и проблемы, меня интересовала одна тема и одна проблема. Большим недостатком моим как писателя было то, что, будучи писателем афористическим по своему складу, я не выдерживал последовательно этого стиля и смешивал со стилем не афористическим. Нужно сказать, что меня мало интересовал продукт моего творчества, его совершенство. Меня интересовало выразить себя и крикнуть миру то, что мне открывает внутренний голос, как истину. Между мгновением моей юности, когда во мне произошел переворот, и нынешним мгновением моей жизни я не вижу планомерного развития мысли с определенными этапами, с обогащениями вследствие развития. Я скорее вижу ряд озарений, ряд кризисов, определяемых интуициями, ряд пережитых по-новому, в новом свете старых интуиций. Я, в сущности, не отрицаю открывшегося мне в прошлом, не отрекаюсь от него, а — или на время отодвигаю из поля моего сознания, или вижу в новом для меня свете. Поэтому ценное, заключающееся в прошлом, я могу пережить сейчас как вечное настоящее.

После произошедшего во мне переворота я начал с большим подъемом, почти восторгом, читать философские книги. Я и раньше много читал, но с меньшей философской сосредоточенностью. Я всю жизнь много читал. Но мысль моя имела не книжные источники, она питалась интуициями жизни. При активном чтении книг мысль моя обострялась и во мне рождались мысли, иногда совсем непохожие на прочитанные, часто в отрицательной реакции на прочитанное. Только собственный внутренний опыт давал мне возможность понять читаемую книгу. В этом случае то, что в книге написано, есть лишь знаки моего духовного пути. Я думаю, что вообще иначе ничего нельзя понять в книгах. Извне, из «не-я», которому ничего бы не соответствовало бы в «я», ничего толком понять и узнать нельзя. Понимание и познание возможно лишь потому, что человек есть микрокосм, что в нем раскрывается универсум и что судьба моего «я» есть вместе с тем и судьба универсума. Размышляя над самим собой и пытаясь осмыслить свой тип, я прихожу к тому заключению, что я в гораздо большей степени homo mysticus, чем homo religiosus[2]. С этим связан и характер первого обращения моей жизни. Мне свойственно первичное мистическое мирочувствие и по сравнению с ним момент в собственном смысле организованно-религиозный уже вторичный. Экхардт, Я. Беме, Ангелус Силезиус мне ближе, чем учителя церкви. Я верю в существование универсальной мистики и универсальной духовности. Мистические книги в собственном смысле я начал читать позже и находил в них много родственного себе. Но мистика гностического и профетического типа мне всегда была ближе, чем мистика, получившая официальную санкцию церквей и признанная ортодоксальной, которая, в сущности, более аскетика, чем мистика. Я позже буду говорить о философах, имевших особенное значение в моем умственном пути. Сейчас отмечу с благодарностью некоторых авторов и некоторые книги. Таковы прежде всего Л. Толстой и Достоевский, их читал я очень рано, еще до переворота. С «Войной и миром» связано для меня чувство родины, может быть, единственное чувство родины. Из философов я рано читал и глубоко воспринял Шопенгауера. В нем я нашел что-то соответствующее пессимистическому элементу моей природы. Шопенгауер подтверждал мое глубокое убеждение, что мир явлений, окружающий меня эмпирический мир не есть мир подлинный и окончательный. Впоследствии я отошел от Шопенгауера, но что-то шопенгауеровское во мне осталось. Шопенгауеровский волюнтаризм мне всегда остался близок. В это же время я читал классическую книгу Ольденбурга о буддизме, и она произвела на меня сильное впечатление. Читал также Макса Мюллера, князя С. Трубецкого о метафизике в Древней Греции. Вспоминаю еще потрясение, которое я испытал при чтении книги Карлейля «Герои и героическое в истории». У меня всегда было поклонение великим людям, хотя я выбирал их не среди завоевателей и государственных деятелей. Я почитал гениев и тогда, когда идейно стал враждебен им. Таков пример Маркса. Я покупал и читал с увлечением выходившую в то время серию Павленкова «Жизнь замечательных людей», очень неровную и разнокачественную. Великое утешение мне доставляло проникновение в жизнь замечательных, необыкновенных людей, переживание трагизма их судьбы. Я себе говорил, что того, кто сознал свое предназначение, «вопрос куда идти не устрашит, не остановит». В это время я много страдал. Я и сейчас с энтузиазмом читаю жизнь замечательных людей. Печальность их судьбы меня трогает и увеличивает веру в возможность человеческого величия. Но я никогда не любил так называемых великих исторических деятелей, деятелей государственной власти, завоевателей. Я никогда не видел в них подлинного величия и отрицал возможность гениальности, связанной с такой низменной сферой, как государство. Только социальные реформаторы могли меня пленить. Я никогда не верил, что власти присущ божественный элемент. Всю жизнь во мне оставался элемент, который называли сектантски-дуалистическим, элемент метафизического анархизма. Что я больше всего любил в мировой литературе? Я любил пророков и книгу Иова, особенно любил греческую трагедию, Сервантеса, Шекспира, Гете, Байрона, Гофмана, Диккенса, Бальзака, В. Гюго за его человечность, более всего любил Ибсена, поэзию Бодлера. Любил также читать исторические романы Вальтера Скотта и А. Дюма. Из русской литературы, кроме Достоевского и Л. Толстого, более всего мне был близок Лермонтов. Пушкина любил мало и оценил его гораздо позже. Очень любил Тютчева. Я никогда не мог выносить риторики, не мог получить вкуса к Цицерону. Я воспитался на русской литературе. Последствием пережитого переворота было страстное желание не только познать истину и смысл, но и изменить мир согласно истине и смыслу. Рано почувствовав призвание философа, я никогда не имел желания идти академическим путем, стать почтенным профессором, писать философские диссертации и исследования, далекие от жизненной борьбы. Я прежде всего пошел путем философии, но путь этот привел меня к революции. Более всего меня интересует объяснить связь моего типа философского миросозерцания с типом моей душевной и духовной структуры. Именно в силу этой неразрывной связи философия моя всегда была экзистенциальной. Я начал формироваться во вторую половину 80 годов, когда в России происходила подземная духовная работа.

Глава IV

МИР ФИЛОСОФСКОГО ПОЗНАНИЯ. ФИЛОСОФСКИЕ ИСТОКИ

С известного года моей жизни я окончательно вошел в мир познания, мир философский, и я живу в этом мире и доныне. Это очень богатый мир, мир, непохожий на обыденность, и в нем преодолеваются границы времени и пространства. Я очень рано сознал свое призвание, еще мальчиком, и никогда в нем не сомневался. То было прежде всего призвание философа, но особого рода философа, философа-моралиста, философа, занятого постижением смысла жизни и постоянно вмешивающегося в жизненную борьбу для изменения жизни согласно с этим смыслом. По своему философскому типу я прежде всего моралист, историк и теософ. Большая часть моих книг относится к философии истории и этики, к метафизике свободы. По типу своему я ближе всего к Фр. Баадеру, по типу, а не по взглядам. С призванием философа было у меня связано чувство судьбы. Я говорил уже, что читал «Критику чистого разума» Канта и «Философию духа» Гегеля, когда мне было четырнадцать лет. Я нашел эти книги в библиотеке отца. У отца была хорошая библиотека, но преобладали книги исторические, которые он особенно любил. С чтением Гегеля связано смешное воспоминание. Я ухаживал за одной моей кузиной. У нее была маленькая книжка в синем бархатном переплете, куда ей записывали стихи. Я записал ей цитаты из «Философии духа» Гегеля. Это значит, что мальчиком я был настоящий монстр. Я уже в это время переживал большой умственный подъем. Ничего общего ни с какими товарищами моего возраста я не имел. Я также очень рано читал философские произведения Вольтера. У моего отца было полное собрание сочинений Вольтера в роскошных переплетах. Вольтер не имел для меня никакого философского значения, но он поддерживал мое свободомыслие. Как это ни странно сказать, но у меня навсегда осталось что-то от Вольтера. Наибольшие же симпатии я имел к Шопенгауеру. У меня была большая способность быстро ориентироваться в умственных течениях и понимать их смысл и соотношение. Моя философия всегда имела этический характер. Пафос долженствования у меня всегда преобладал над пафосом бытия. Мое мышление всегда носило страстный характер и проникнуто было волевым устремлением. Острота ума всегда представлялась мне связанной со знанием противоположностей, а значит, и видением зла. Поэтому даже гениальные монистические системы заключают в себе что-то наивное. Гегеля спасает диалектика, борьба противоречий. Решающее значение в познании имеет эмоциональное приятие или отвержение, с трудом выразимое. Самый крайний интеллектуализм и рационализм может быть страстной эмоцией. Интуиция всегда не только интеллектуальна, но и эмоциональна. Мир не есть мысль, как думают философы, посвятившие свою жизнь мысли. Мир есть страсть и страстная эмоция. В мире есть диалектика страсти. Охлаждение страсти создает обыденность.

Я прочел много книг по логике. Но должен сознаться, что логика не имела для меня никогда никакого значения и ничему меня не учила. Мои пути познания всегда были иные. Мою мысль трудно по-модному объяснить сведением счетов с самим собой, борьбой со своим бессознательным, она скорее была борьбой с врагом. Но мою любовь к метафизике, характерную для всего моего существования, можно объяснить моим коренным и изначальным отталкиванием от обыденности, от принуждающей меня эмпирической действительности. Моя философская мысль была борьбой за освобождение, и я всегда верил в освобождающий характер философского познания. В этом я не сходился с моим другом Л. Шестовым. Философия была для меня также борьбой с конечностью во имя бесконечности. Я всегда чувствовал себя скорее разбойником, чем пастухом (терминология Ницше). Я много раз пытался понять и осмыслить процесс своего мышления и познания, хотя я не принадлежу к людям рефлексии над собой. Я всегда сознавал слабые стороны своего мышления. У меня малая способность к анализу и к дискурсивному развитию своей мысли. Мысль моя протекала не как отвлечение от конкретного и не подчинялась законам дискурсии. Я стремился не к достижению всеобщего по своему значению, а к погружению в конкретное, к узрению в нем смысла и универсальности. Это значит, что мысль моя интуитивна и синтетична. Я в частном и конкретном узревал универсальное. Я это делал и в обыденной жизни. Для меня, в сущности, не существует раздельных вопросов в философском познании. Есть лишь один вопрос и одна сфера познания. Во всем детальном, частном, отдельном я вижу целое, весь смысл мироздания. За разговором или спором по какому-нибудь вопросу я склонен видеть решение судеб вселенной и моей собственной судьбы. Многих поражало, что я придаю такое значение иногда второстепенному и частному разговору. Но это объясняется тем, что я во всем вижу целостный смысл или его поругание. Иногда огромное значение для моего процесса познания имел незначительный, казалось бы, разговор, фильм, в котором ничего философского не было, или чтение романа. Целостный план одной моей книги пришел мне в голову, когда я сидел в кинематографе. Извне я получал лишь пробуждавшие меня толчки, но все раскрывалось изнутри бесконечности во мне. Это родственно учению о припоминании Платона и учению Лейбница о монаде как микрокосме. Помимо всякой философской теории, всякой гносеологии, я всегда сознавал, что познаю не одним интеллектом, не разумом, подчиненным собственному закону, а совокупностью духовных сил, также своей волей к торжеству смысла, своей напряженной эмоциональностью. Бесстрастие в познании, рекомендованное Спинозой, мне всегда казалось искусственной выдумкой, и оно не применимо к самому Спинозе. Философия есть любовь к мудрости, любовь же есть эмоциональное и страстное состояние. Источник философского познания — целостная жизнь духа, духовный опыт. Все остальное лишь второстепенное подспорье. Страдание, радость, трагический конфликт — источник познания. Снимает ли познание тайну, уничтожает ли ее? Я не думаю. Тайна всегда остается, она лишь углубляется от познания. Познание уничтожает лжетайны, вызванные незнанием. Но есть тайна, перед которой мы останавливаемся именно от глубины познания. Познание тайны есть углубление подлинной тайны. Бог есть Тайна, и познание Бога есть приобщение к Тайне, которая от этого становится еще более таинственной (апофатическая теология). Рациональное богопознание есть ложное богопознание, потому что оно снимает Тайну, отрицает Тайну Бога. Но познание есть не только радость и освобождение. Познание приносит и горькие плоды, познание бывает разоблачением и падением иллюзий. Многое казалось мне более интересным и привлекательным до моего знания. Слишком большое знание жизни и людей печально. Многое хотелось бы не видеть так ясно и так близко. Но это есть крушение ложных иллюзий, которыми полна наша жизнь. Это может расчистить нам путь к подлинной Тайне. Сознание таинственности жизни лишь усиливается, и только лжепознание парализует это сознание. Конечно, в своих философских книгах я прибегаю и к дискурсивной мысли, но это имеет для меня лишь второстепенное и подсобное значение. К анализу я не прибегал почти никогда, я пользовался лишь методом характеристики. Я всегда хотел уловить характер, индивидуальность предмета мысли и самой мысли. Я очень мало объективировал свою мысль (употребляю выражение, которым начал пользоваться позже): она оставалась в субъективном мире. Но сознание значения положительной, «объективной» науки у меня очень возросло, особенно значения истории и в частности религиозной истории. Беспристрастная, неподкупная наука имеет очищающее значение для религиозного сознания.

Я прошел длинный философский путь. В нем были разные периоды. Внешне могло быть впечатление, что мои философские взгляды меняются. Но первые двигатели у меня оставались те же. И многое, что было в начале моего философского пути, я вновь осознал теперь, после обогащения опыта мысли всей моей жизни. Меня всегда интересовало не исследование мира, каков он есть, меня интересовала судьба мира и моя судьба, интересовал конец вещей. Моя философия не научная, а профетическая и эсхатологическая по своей направленности. Я очень многое приобрел и узнал за всю мою жизнь, я всю жизнь учился, но самое первоначальное остается то же. Это и есть тайна личности, неизменность в изменении. Я считаю большим приобретением уже то, что лет 30 тому назад я думал, что знаю гораздо больше, чем это думаю о нынешнем состоянии моих знаний, хотя за 30 лет мои знания очень возросли. Я начинаю знать, что ничего не знаю. Когда я студентом вступил в общение со студенческими революционными кружками, то я имел огромные преимущества перед товарищами по своим философским познаниям и общему образованию. Это преимущество сознавали товарищи, и это одна из причин того, что я получил интеллектуально руководящую роль. Для моего философского и духовного пути очень характерно, что я никогда не был материалистом, я не пережил периода, пережитого большей частью русской интеллигенции. Я имел иные истоки, и это чувствовалось в спорах со студентами. Я никогда не был и позитивистом. Я Канта и Шопенгауера знал раньше, чем писателей материалистического направления, чем Энгельса или даже чем Спенсера. Я был в известный период моей жизни а-теистом, если под атеизмом понимать антитеизм, отрицание традиционных религиозных понятий о Боге. Но я не был атеистом, если под атеизмом понимать отрицание высшего духовного начала, независимых от материального мира духовных ценностей. Я не был и пантеистом. Скорее всего, мое умственное настроение того времени можно определить как этический нормативный идеализм, близкий к Фихте. Можно было бы сказать, что я верил в становящегося Бога. Эта философия, конечно, связана с германским идеализмом. Я прошел через идеализм, но не остановился на нем и скоро начал его преодолевать. Я верил в существование истины и смысла, независимых от мировой и социальной среды. И марксизм не мог пошатнуть этой моей веры. Я всегда боролся за свободу и независимость философской мысли в марксистской среде, как и в православной среде. Меня никогда не покидало чувство, что я и весь мир окружены тайной, что отрезок воспринимаемого мной эмпирического мира не есть все и не есть окончательное. Хотя я очень многим обязан немецкой идеалистической философии, но я никогда не был ей школьно привержен и никогда в таком смысле не принадлежал ни к какой школе. Я совсем не школьный, не академический философ, и это всегда вызывало критическое ко мне отношение профессиональных философов. Сам я всегда не любил, а часто и презирал профессорскую философию. И такое отношение к профессорской философии имело несколько источников. Я, может быть, был под впечатлением отношения к профессорской философии, с одной стороны, Шопенгауера, с другой — Л. Толстого. Но основную роль тут играл мой крайне «индивидуалистический» характер, мое несогласие чему-либо и кому-либо подчиниться, может быть, и мое барство. В юности мое отталкивание, а иногда и прямо вражда к академизму и к профессорскому духу связаны еще с тем, что я был революционером и даже университет представлялся мне выражением буржуазного духа. Позже это усилилось еще оттого, что я сознал себя мистиком. Профессорскую философию я не считал настоящей, первородной философией. В марксистский период я относился отрицательно даже к так называемому приватдоцентскому марксизму. Потом мне приходилось довольно близко соприкасаться с академическими, профессорскими кругами, но я никогда не чувствовал себя хорошо в этой среде, никогда не чувствовал ее своей и всегда скучал в ней. Для меня сейчас ясно, что я всегда принадлежал к тому типу философии, который сейчас называют «экзистенциальной». (Экзистенциальными философами я считаю не Гейдеггера и Ясперса, а блаженного Августина и Паскаля, Кирхегардта и Нишше.) Мне близок тип именно экзистенциальной философии, но не философии жизни и не философии прагматической. Философия связана была для меня с моей судьбой, с моим целостным существованием, в ней присутствовал познающий как существующий. Я всегда хотел, чтобы философия была не *о чем-то*, а *чем-то*, обнаружением первореальности самого субъекта.

Хотя я никогда не был человеком школы, но в философии я все-таки более всего прошел школу Канта, более самого Канта, чем неокантианцев. Я никогда не был кантианцем в строгом смысле, как не был толстовцем, марксистом или ницшеанцем. Но что-то от Канта осталось у меня на всю жизнь, и теперь я это чувствую более, чем когда-либо. Я был первоначально потрясен различением мира явлений и мира вещей в себе, порядка природы и порядка свободы, так же как признанием каждого человека целью в себе и недопустимостью превращения его в средство. У меня были разные периоды в отношении к Канту. Одно время я боролся с хлынувшим в русскую интеллектуальную жизнь неокантианским течением. Наибольшее отталкивание во мне вызвало когенианство, которым у нас увлекалась философская молодежь. В то время, время довольно интенсивной интеллектуальной жизни в московских философских кружках, я пытался найти традицию русской философии. Но я оставался в стороне от преобладающих течений. Неокантианство исказило Канта, закрыв главное в нем. Кант, вопреки распространенному убеждению, был метафизиком, хотя сам он не развил своей метафизики. Метафизическое же развитие германского идеализма после Канта у Фихте, Шеллинга, Гегеля при всем обнаружившемся тут гении шло в ложном направлении, в направлении монизма, устранении вещи в себе, окончательной замене трансцендентности Божества становящимся в мировом процессе Божеством, эволюцией, утере свободы в необходимости торжествующего мирового Логоса. Многое в Канте мне было изначально чуждо. Я совершенно отрицательно всегда относился к этическому формализму Канта, к категорическому императиву, к закрытию вещей в себе и невозможности, по Канту, духовного опыта, к религии в пределах разума, к крайнему преувеличению значения математического естествознания, соответствующего лишь одной эпохе в истории науки. Формалистический морализм с категорическим императивом меня особенно отталкивал. В ранней юности я написал этюд под названием «Мораль долга и мораль сердечного влечения». Свою русскость я вижу в том, что проблема моральной философии для меня всегда стояла в центре. В моем юношеском опыте, исчезнувшем после обыска, я резко восставал против морали долга и защищал мораль сердечного влечения, то есть в этом был антикантианцем. Тогда уже у меня были мотивы, которые в зрелой форме развиты в моей книге «О назначении человека. Опыт парадоксальной этики», книги очень для меня важной. Всю мою жизнь я утверждаю мораль неповторимо-индивидуального и враждую с моралью общего, общеобязательного. Это есть неприятие никакой групповой морали, противление установленным этой моралью обязательным связям. Это приводило меня к отрицанию обетов, как противных свободе человека, обетов брачных, обетов монашеских, присяг и прочих. В этом я был революционером в морали. Всю мою жизнь я относился не только с враждой, но и с своеобразным моральным негодованием к легализму. Выпадение из-под власти формального закона я рассматривал как нравственный долг. Даже когда я утверждал что-то родственное Кирхегардту и Л. Шестову, я утверждал это в совершенно другой тональности, в другой волевой направленности. Я никогда не скажу, что человек, выпавший из общеобязательного нравственного закона, есть несчастный отверженный. Я скорее скажу, что хранитель общеобязательного нравственного закона есть совершенно безнравственный человек, кандидат в ад, а отверженный общеобязательным нравственным законом есть человек нравственный, исполнивший свой священный долг беззакония. Таков мой нравственный темперамент, агрессивный и обвиняющий, а не защищающий и не склонный чувствовать отвержения общеобязательного закона. Отверженность я переживаю как отвержение мной. Я извергаю, а не меня извергают. С известного момента моего пути я с необычайной остротой поставил перед собой и пережил проблему личности и индивидуальности. Это была не только проблема моей философии, но и проблема моей жизни. С ней, как расскажу потом, связан и мой отход от марксизма и многочисленные конфликты моей жизни. Я никогда, ни в своей философии, ни в своей жизни не хотел подчиниться власти общего, общеобязательного, обращающего индивидуально-личное, неповторимое в свое средство и орудие. Я всегда был за исключение, против правила. В этом проблематика Достоевского, Ибсена была моей нравственной проблематикой, как и пережитое Белинским восстание против гегелевского мирового духа, как некоторые мотивы Кирхегардта, которого я, впрочем, очень поздно узнал и не особенно люблю, как и борьба Л. Шестова против необходимых законов логики и этики, хотя и при ином отношении к познанию. Поэтому у меня всегда была вражда к монизму, к рационализму, к подавлению индивидуального общим, к господству универсального духа и разума, к гладкому и благополучному оптимизму. Моя философия всегда была философией конфликта. И я всегда был персоналистом.

§

В теории познания я изошел от Канта. Но довольно скоро пришел к своеобразной теории познания, которую пытался усовершенствовать всю жизнь, хотя неспособен был создать системы. Она направлена против рационализма, который верит в выразимость бытия в понятии, в рациональность бытия. Но бытие рационально лишь потому и потому лишь выразимо в понятии, что оно предварительно рационализировано и что само оно есть понятие. По усовершенствованной мной впоследствии терминологии бытие, с которым имеет дело рациональная гносеология и онтология, есть уже продукт мысли. Сначала я себе это формулировал так, что есть первичное бытие до процесса рационализации и что оно и есть подлинное бытие, которое познаваемо не через понятие. Это приблизительно соответствовало кантовскому различению между вещью в себе и явлением. Но меня поражало, что Кант совсем не объяснил, почему образовался мир явлений, который не есть подлинный, первореальный мир. Странно было также то, что подлинный, нуменальный мир (вещь в себе) непознаваем, мир же вторичный и неподлинный (феномен) познаваем, и относительно него обоснована общеобязательная и твердая наука. В этом отличие Канта от Платона. Но учение Канта о трансцендентной иллюзии (Schein) гениально. С точки зрения современной психологии мою изначальную тему можно было бы формулировать как различение между бессознательным и сознанием, но научная психология и ее представители не способны к философскому обоснованию и развитию учения о бессознательном. Из неокантианских ближе других мне было течение, связанное с Виндельбандом, Риккертом и Ласком. Лишь это течение признавало иррациональное. Один летний семестр, молодым человеком, я даже слушал лекции Виндельбанда в очаровательном Гейдельберге. Но в это время я уже очень отошел от кантианства. Основная тема моя была в том, как дальше развить и вместе с тем преодолеть мысль Канта, пытаясь оправдать возможность познания первореальности до рационализации, до обработки сознанием. Это могло быть также формулировано как различение первичного и вторичного сознания. Вторичное сознание связано с распадом на субъект и объект, оно объективирует познаваемое. Первосознание погружено в субъект как первореальность, или, вернее, в нем дано тождество субъекта и объекта. В последние годы я формулировал эту проблему как отчуждение в процессе объективации единственно подлинного субъективного мира. Объективный мир есть продукт объективации, это мир падший, распавшийся и скованный, в котором субъект не приобщается к познаваемому. Я это выразил недавно в парадоксе: субъективное объективно, объективное же субъективно, ибо субъект есть создание Бога, объект же есть создание субъекта. Субъект есть нумен, объект же есть феномен. Думаю, что особенность моей философии прежде всего в том, что у меня иное понимание реальности, чем у большей части философских учений. Реальность для меня совсем не тождественна бытию и еще менее тождественна объективности. Мир же субъективный и персоналистический есть единственный подлинно реальный.

Я прошел длинный путь философского развития, но остался верен первоначальной интуиции. Вспоминаю, что я был на международном философском конгрессе в Женеве в 1904 году. Я тогда встречался с Г. В. Плехановым, который был плохим философом и материалистом, но интересовался философскими вопросами. Мы ходили с ним по Женевскому бульвару и философствовали. Я пытался убедить его в том, что рационализм и особенно рационализм материалистов наивен, он основан на догматическом предположении о рациональности бытия и уж на особенно непонятном предположении о рациональности бытия материального. Но рациональный мир с его законами, с его детерминизмом и каузальными связями есть мир вторичный, а не первичный, он есть продукт рационализации, он раскрывается вторичному, рационализированному сознанию. Вряд ли Плеханов, по недостатку философской культуры, вполне понял то, что я говорил. Сам я недостаточно развил гносеологическую сторону своей философии. Период религиозных исканий этому мешал. Но цель моя была раскрытие мира свободы, не подчиненного рационализации и не объективированного. Позже, в последние годы, я пришел к тому, что самое бытие не первично и есть уже продукт рационализации, обработка мысли, то есть, в сущности, пришел к отрицанию онтологической философии. Это был разрыв с онтологической традицией Парменида, Платона, Аристотеля, Фомы Аквината, многих течений новой философии вплоть до Вл. Соловьева с его учением о всеединстве. В какой-то точке это было даже ближе к индусской философии. Но такой тип мысли можно вывести из Я. Бёме, из Канта. Экзистенциальная философия должна была бы быть антионтологической, но мы этого не видим у Гейдеггера, который хочет строить онтологию. Впрочем, философия Гейдеггера есть философия Dasein, а не Sein и не Existenz[1]. Основная метафизическая идея, к которой я пришел в результате своего философского пути и духовного опыта, на котором был основан этот путь, это идея примата свободы над бытием. Это означает также примат духа, который есть не бытие, а свобода. Бытие есть как бы застывшая свобода, статизированная свобода. Примат бытия над свободой приводит к детерминизму и к отрицанию свободы. Если существует свобода, то она не может быть детерминирована бытием. Большая часть философских учений о свободе меня не удовлетворяла, особенно традиционное учение о «свободе воли». Были годы, когда для меня приобрел особое значение Я. Бёме, которого я очень полюбил, много читал и о котором потом написал несколько этюдов. Но ошибочно сводят мои мысли о свободе к бёмевскому учению об Ungrund'e[2]. Я истолковываю Ungrund Бёме как первичную, добытийственную свободу. Но у Бёме она в Боге, как Его темное начало, у меня же вне Бога. Это относится лишь к Gott, а не к Gottheit,[3] ибо о невыразимом Gottheit ничего нельзя мыслить.

Я написал «Философию свободы» очень давно, лет 35 тому назад. Книга эта философски меня очень мало удовлетворяет, я вообще не принадлежу к писателям, которые очень довольны своими книгами и охотно их перечитывают. Я, наоборот, не люблю заглядывать в свои старые книги, не люблю цитат из них. Мне дорог пережитый творческий подъем, но не выброшенный во вне продукт этого творческого подъема. Каждую книгу я хотел бы написать наново. Сравнительно недавно, уже в изгнании, я написал вновь философию свободы под заглавием «Философия свободного духа» (по-французски заглавие было лучше: Esprit et liberté[4]). Эта философия свободы была лучше, но сейчас мне кажется, что я мог бы ее написать еще лучше. Проблема свободы, впрочем, присутствует во всех моих книгах.

Вспоминая пройденный философский путь, я ясно вижу в своей жизни ритмичность: периоды творческого подъема, горения и периоды ослабления творческого подъема, охлаждения. Странно, что периоды ослабления творчества и охлаждения у меня чаще бывали в молодости, особенно один такой период был, и их почти не было под старость, когда я написал наиболее значительные свои книги. Впрочем, нужно сказать, что и в периоды сравнительного ослабления творческой мысли она никогда у меня не прекращалась. Я философски мыслил всю жизнь, каждый день, с утра до вечера и даже ночью. Я говорил уже, что философские мысли мне приходили в голову в условиях, которые могут показаться не соответствующими, в кинематографе, при чтении романа, при разговоре с людьми, ничего философского в себе не заключающем, при чтении газеты, при прогулке в лесу. Я мог заниматься философией, думать, писать, читать при всех условиях, когда у меня было 39 температуры, когда бомбы падали около нашего дома (осенью 17 года), когда случались несчастья. Иногда подъем творческой мысли связан у меня был с раздражением и гневом. Моя мысль часто бывала раздраженно-гневной, и потому я легко впадал в крайности. Но проблематика моей философской мысли всегда оставалась той же. В центре моей мысли всегда стояли проблемы свободы, личности, творчества, проблемы зла и теодицеи, то есть, в сущности, одна проблема — проблема человека, его назначения, оправдания его творчества. Основную свою интуицию о человеке, о нужде Бога в творческом акте человека я выразил в самой значительной книге своего прошлого «Смысл творчества. Опыт оправдания человека». Это был Sturm und Drang[5]. Книга создана целостным творческим порывом. О ней я буду говорить в другом месте. Но важно отметить, что в этой книге обнаружена тема моей жизни. Впоследствии я написал книги, которые формально я ставлю выше, в которых мысль была более развита и более последовательна, терминология была более точна, но в книге «Смысл творчества» я поднялся до высшей точки творческого горения. Я не всегда бывал философски сосредоточен, иногда меня отвлекали «злобы дня». Но ошибочно было бы думать, что я отдавал свои силы «политике». Я никогда не был политиком, и моя мысль о злобе дня никогда не делалась политической, она оставалась философской, моральной, заинтересованной духовной стороной вопроса. В последние годы моей жизни моя философская мысль стала более сосредоточенной, и я пришел к окончательной форме своего философского миросозерцания. Для суждения о моем философском миросозерцании наибольшее значение имеют книги: «О назначении человека. Опыт парадоксальной этики», наиболее систематическая из моих книг; «Я и мир объектов. Опыт об одиночестве и общении», «Дух и реальность. Основы богочеловеческой духовности» и самая радикальная, самая духовно революционная из моих книг «О свободе и рабстве человека. Опыт персоналистической философии». В своей окончательной философии я узнаю свое исконное. С точки зрения истории философской мысли я сильнее сознал свою связь с некоторыми мыслями Канта. И в этом я отличаюсь от других течений русской религиозной философии, которая чувствует большую связь с Платоном и Шеллингом. Я все-таки недостаточно раскрыл свою метафизику, которая у меня есть и которая очень определенна. Поэтому я хочу еще написать метафизику, которая, конечно, не будет рациональной системой*. Меня очень плохо понимают. Вероятно, и я сам тут виноват. Моя мысль слишком антиномическая, часто слишком

---

* Сейчас уже издана моя новая книга, которая целостно выражает мою метафизику: «Опыт эсхатологической метафизики. Творчество и объективация» и книга «Экзистенциальная диалектика божественного и человеческого». Примечание 1947 года.

склоняющаяся к крайностям и выражена слишком афористически. Склонность к парадоксальному и противоречивому мышлению вела меня к тому, что иногда враги меня хвалили. Плохо понимают характер моего дуализма, ошибочно приписывая ему онтологический характер, особенно плохо понимают центральное для меня значение учения об *объективации* и эсхатологические мотивы моей философии. Меня всё хотят отнести к категориям, в которые я никак вместиться не могу. Это иногда очень мучительно. Хочется отпечатлеть себя в мире, и это не удается. Я пытаюсь наименее объективировать свой субъективный мир. Но в неверном понимании моей мысли меня объективируют, то есть искажают. Это связано с проблемой экзистенциальной философии. Возможна ли она?

§

Со времени появления книг Гейдеггера и Ясперса, и особенно Сартра во Франции экзистенциальная философия стала модной. Происхождение ее возводят к Кирхегардту, который был оценен послевоенным поколением, пережившим угрожаемость человека, страх, ужас, отчаяние. Я всегда был экзистенциальным философом, и за это на меня нападали. Думаю также, что русская философия в наиболее своеобразных своих течениях всегда склонялась к экзистенциальному типу философствования. Это, конечно, наиболее верно по отношению к Достоевскому как философу, а также к Л. Шестову. Тема экзистенциальной философии совсем не нова. Всегда существовали философы, которые вкладывали в свою философию себя, то есть познающего как существующего. Блаженный Августин, Паскаль, отчасти Мен-де-Биран и Шопенгауэр были экзистенциальными философами. Да и у всех подлинных философов был этот элемент, даже у Спинозы и Гегеля. Но как раз те современные философы, от которых произошла экзистенциальная философия, Гейдеггер и Ясперс, представляются мне наименее экзистенциальными философами, Ясперс более. Получив от Кирхегардта «экзистенциальность», Гейдеггер захотел выразить проблемы экзистенциальных философов в категориях академической рациональной философии. Он налагает рациональные категории на экзистенциальный опыт, к которому они не применимы, и создает невыносимую терминологию. Терминология оказывается оригинальнее мысли. Гейдеггер, конечно, обладает несомненным философским талантом, у него есть большая напряженность и сосредоточенность мысли. Ясперс — человек, потрясенный экзистенциальным опытом Ницше и Кирхегардта. Но, согласно созданному им самим различению между типами философии профетической и научной, он принадлежит к типу философии научной. Он тонкий мыслитель, более всего психолог. Впрочем, он «экзистенциальнее» Гейдеггера и мне ближе. Я называю экзистенциальным философом того, у кого мысль означает тождество личной судьбы и мировой судьбы. Как я говорил уже, это есть прежде всего преодоление объективации. Существование не может быть объектом познания, оно субъект познания или, еще глубже, находится вне распадения на субъект и объект. Меня никогда не интересовал объект, познание объекта, меня интересует судьба субъекта, в котором трепещет вселенная, смысл существования субъекта, который есть микрокосм. На мою философскую мысль никогда не имел никакого специального влияния ни Кирхегардт, которого поздно читал и манера писать которого меня раздражает, ни Гейдеггер и Ясперс. Истоки мои иные. Я никогда не был «чистым» философом, никогда не стремился к отрешенности философии от жизни. Наоборот, я всегда думал, что философское познание есть функция жизни, есть символика духовного опыта и духовного пути. На философии отпечатываются все противоречия жизни, и не нужно их пытаться сглаживать. Философия есть борьба. Невозможно отделить философское познание от совокупности духовного опыта человека, от его религиозной веры, от его мистического созерцания, если оно есть у человека. Философствует и познает конкретный человек, а не гносеологический субъект, не отвлеченный универсальный дух. И Платон, и Декарт, и Спиноза, и Кант, и Гегель были конкретные люди, и они вкладывали в свою философию свое человеческое, экзистенциальное, хотя бы не хотели в этом сознаться. Когда случается так, что философ как человек является верующим христианином, то совершенно невозможно, чтобы он забыл об этом в своей философии. Мистик будет мистиком и в своей философии. Воинствующий атеист будет таким и в своей философии: философия, в сущности, всегда была религиозной или в положительном, или в отрицательном смысле. Философия нового времени, начиная с Декарта, была в известном смысле более христианской, чем средневековая схоластическая философия. В средневековой схоластической философии христианство не проникло еще в мысль и не переродило ее, это была все еще греческая античная, дохристианская философия. Дохристианской была и средневековая общественность. В философии нового времени христианство проникает в мысль, и это выражается в перенесении центральной роли с космоса на человека, в преодолении наивного объективизма и реализма, в признании творческой роли субъекта, в разрыве с догматическим натурализмом. Кант очень христианский философ, более христианский, чем Фома Аквинат. Христианская философия есть философия субъекта, а не объекта, «я», а не мира; философия, выражающаяся в познании искупленности субъекта-человека из-под власти объекта-необходимости.

Я не раз задавал себе вопрос, верно ли было бы меня назвать романтиком в философии. Совершенно ясно, что меня нельзя назвать классиком. У меня есть несимпатия к классицизму. Но что такое романтизм? Нет ничего более неопределенного и даже не поддающегося определению. В неприятной реакции против романтизма, которая сильна была между двумя войнами, романтизмом называли все, что не нравилось и вызывало осуждение. В конце концов под обвинение в романтизме подпадало все, что было значительного, талантливого, оригинального в мировой литературе и мысли новых веков, особенно XIX века, ненавистного для врагов романтизма. Особенно Э. Сейлльер в своих многочисленных трудах о романтизме и империализме изощрился в обвинениях в романтизме всех и вся. Все происходят от Ж. Ж. Руссо и несут на себе проклятие руссоизма. Когда я встречался с этой реакцией против романтизма, явлением глубоко реакционным, то я сознавал себя романтиком и готов был воевать за романтизм, видя в нем выражение человека и человечности. Но вот русский культурный ренессанс начала XX века можно назвать русским романтизмом, и он бесспорно нес на себе романтические черты. В отношении к романтизму этих течений, с которыми я был жизненно связан, я себя часто чувствовал антиромантиком, не классиком, конечно, но реалистом и противником иллюзорности и возвышенного вранья. Самая проблема романтизма и классицизма, играющая такую роль во французском сознании, представляется мне преувеличенной и неверно поставленной. Ни один великий писатель не может быть определен термином «классик» или «романтик» и не вмещается в эти категории. Совершенно невозможно сказать, является ли классиком или романтиком Шекспир и Гете, Л. Толстой и Достоевский. Категории классицизма и романтизма особенно не применимы к русской литературе. Эти термины двусмысленны и многосмысленны. Меня это сейчас интересует в отношении к философии. Я готов себя сознать романтиком вот по каким чертам: примат субъекта над объектом, противление детерминизму конечного и устремление к бесконечному, неверие в достижение совершенства в конечном, интуиция против дискурсии, антиинтеллектуализм и понимание познания как акта целостного духа, экзальтация творчества в человеческой жизни, вражда к нормативизму и законничеству, противоположение личного, индивидуального власти общего. Но обычные определения романтизма во Франции меня не удовлетворяют. Я не произошел от Руссо, не верю в естественную доброту человеческой природы, не считаю природу «божественной» и не обоготворяю силу жизни, мне чужда экзальтация эмоциональной жизни, я не признаю абсолютного примата эстетики и искусства. Обычно романтизм считают восстанием природы вообще, человеческой природы с ее страстями и эмоциями против разума, против нормы и закона, против вечных и общеобязательных начал цивилизации и человеческого общежития. Для меня совсем иначе ставится вопрос. Я никогда не говорил о восстании «природы», восстании инстинктов против норм и законов разума и общества, я говорил о восстании *духа*. Я утверждаю примат духа и над природой, и над обществом и цивилизацией. «Природа», не преображенная природа есть необходимость, она подчинена каузальным связям (определение Канта). Дух же есть свобода. И я всю жизнь проповедовал восстание против власти необходимости природы и общества. Я не очень любил немецкий романтизм, Фр. Шлегеля, Новалиса, даже Шеллинга и Шлейермахера, мне чужда их идеализация «органического», которую я считаю реакционной. Понятие природы совершенно условно, и оно употребляется как символ восстания против давящего рационализма и норм цивилизации, как право раскрытия творческой индивидуальности. Но я решительно предпочитаю употреблять символику духа, а не природы. Должен оговориться, что природу я ставлю выше кошмарных законов цивилизации и общества. Мой романтизм есть романтизм свободы. Я готов соединиться с романтизмом в отрицательной борьбе за освобождение индивидуальности от гнета законности. Но я иначе понимаю положительные цели освобождения.

Романтики не понимают по-настоящему принципа личности и свободы. Нужно стать по ту сторону романтизма и классицизма, натурализма и рационализма. Эта проблема, которая меня всю жизнь мучит. Моя собственная природа, вероятно, должна быть признана скорее романтической, чем классической, если сохранять эту терминологию. Но это требует большей индивидуализации, понятие романтического тут ограничительное. В чем-то самом главном в своем духовном и познавательном пути я отличаюсь от преобладающего типа романтиков. Я все-таки всю жизнь искал истину и смысл; «что» было для меня важнее, чем «как». Но истина и смысл не были для меня законом и нормой разума. Люди романтического типа более всего стремятся пережить состояние экстатического подъема, независимо от того, связано ли это с достижением истины и смысла. Это есть экзальтация эмоциональной жизни. Для меня же был ценен экстатический подъем, направленный на «что», на истину и смысл. Эмоциональная экзальтация сама по себе меня даже отталкивала. Вяч. Иванов, самый большой знаток религии Диониса, определяет дионисизм как экстаз, для которого важно «как» и безразлично «что». Вот это мне всегда было чуждо. Мне чужда пантеистическая тенденция, свойственная столь многим романтикам. Я никогда не хотел раствориться ни в какой первостихии, стихии ли космической или стихии социального коллектива. Слишком сильно у меня было чувство личности и чувство свободы. Отсюда и значение этического момента, всегда связанного с личностью и свободой. Поэтому у меня всегда были разногласия и столкновения с «романтиками» моей эпохи. Об этом еще буду говорить. Отсюда и мое одиночество, которое не трудно преодолеть. Никогда «природа», «жизнь», инстинкт, коллективная стихия не были для меня Богом. Истина была для меня Богом, Истина, возвышающаяся над всем. Но Истина может вочеловечиться.

Глава V

ОБРАЩЕНИЕ К РЕВОЛЮЦИИ И СОЦИАЛИЗМУ. МАРКСИЗМ И ИДЕАЛИЗМ

Я чувствую невозможность выдержать план этой книги и держаться хронологической последовательности. После того как я ушел из мира дворянско-аристократического, я прежде всего пришел к уединению. Мне казалось, что я ни с кем ничего общего не имею. Я не встречал близких мне по духу людей. В самом начале моего духовного пути у меня не было встреч с людьми, которые имели бы на меня влияние. Общался я главным образом с женщинами, которые меня менее отталкивали и давали иллюзию понимания. Женщины были моими главными почитательницами. Я не употребляю слово «последователями», потому что последователей у меня не было. Я говорил уже, что никогда не имел склонности к товариществу и не имел товарищей. Но в моей жизни наступил момент, когда я вышел из уединения и вступил в мир общественный, революционный. Какие основания, заложенные в моей природе, побудили меня вступить на этот путь? Моя революционность, которая в нынешний звериный мировой период еще возросла, представляется мне явлением сложным, и она, вероятно, носит иной характер, чем у большей части русской революционной интеллигенции. Революционность, присущая моей природе, есть прежде всего революционность духовная, есть восстание духа, то есть свободы и смысла, против рабства и бессмыслицы мира. Я, в сущности, в малой степени был политическим революционером, и был мало активен в наших политических революциях. У меня было даже революционное восстание духа против этих революций. Иногда они мне казались духовно реакционными. Я обличал в них нелюбовь к свободе, отрицание ценности личности. Во мне всегда была двойственность, была революционность и были сохранившиеся во мне аристократические инстинкты. Странно то, что эта двойственность никогда не вызывала во мне рефлектирующего раздвоения, которое вообще чуждо моему характеру. Источник своей революционности я всегда видел в изначальной невозможности принять миропорядок, подчиниться чему-либо на свете. Отсюда уже видно, что это революционность скорее индивидуальная, чем социальная, это есть восстание личности, а не народной массы. В моей натуре всегда был бунтарский и протестующий элемент, и он был направлен и против рабства в революции. В разгар коммунистической революции мне однажды сказал бывший социалист-революционер, склонный к оппортунистическому приспособлению к советской власти: «По натуре вы революционер, я же совсем не революционер». Он, очевидно, имел в виду мою неспособность к конформизму и приспособлению. Независимость и неприспособляемость для меня так естественны, что я не видел в этом никакой особенной заслуги. Я даже всегда удивлялся, когда мне говорили, что какая-нибудь моя статья или какое-нибудь мое выступление очень смелы. У меня всю жизнь было абсолютное презрение к так называемому «общественному мнению», каково бы оно ни было, и я никогда с ним не считался. Для меня даже не существовало вопроса об отношении к «общественному мнению». При таком складе характера трудно быть политиком. И политика революционная имеет свое деспотическое «общественное мнение», и от него рабски зависят профессиональные революционеры. В сущности, у меня отвращение к «политике», которая есть самая зловещая форма объективизации человеческого существования, выбрасывание его во вне. Она всегда основана на лжи. Но мое отвращение к политике приводило не к уходу из мира, а к желанию опрокинуть этот мир, изменить его. Политика в значительной степени есть фикция, владеющая людьми, паразитарный нарост, высасывающий кровь из людей. Чисто политические революции отталкивали меня не только практикуемыми средствами борьбы, отрицанием свободы и прочим. Меня отталкивало более всего, что они не являются духовными революциями, что дух ими совсем отрицается или остается старым. Все политическое устройство этого мира рассчитано на среднего, ординарного, массового человека, в котором нет ничего творческого. На этом основаны государство, объективная мораль, революции и контрреволюции. Вместе с тем есть правда, есть божественный луч во всяком освобождении. Революции я считаю неизбежными, они фатальны при отсутствии или слабости творческих духовных сил, способных радикально реформировать и преобразовать общество. Но всякое государство и всякая революция, всякая организация власти подпадает господству князя мира сего.

У меня было раннее сознание того, что мир, общество, цивилизация основаны на неправде и зле. Я много читал книг по истории, но чтение это было для меня мучительно. История представлялась мне наполненной преступлениями и ложью, хотя я и признавал смысл истории и философию истории считал своей специальностью. Мне чуждо было переживание священных исторических традиций. Одно время я делал усилия признать какие-то священные традиции, но мне это никогда не удавалось и вызывало отвращение. Я всегда был и оставался человеком духовно рожденным после веков просвещения, критики и революции. Я преодолел рационализм «просвещения», но это было гегелевское Aufhebung, то есть я не мог быть до «просвещения» или делать вид, что я «до». Некоторые религиозные течения начала XX века делали вид, что они пребывают в наивной, докритической стихии, имитировали народный примитивизм. Мой иррационализм или сверхрационализм прошел через «просвещение», не в смысле французских течений XVIII века, а в смысле Канта, который формулировал вечную правду «просвещения» и с ней связывал свое учение об автономии. Я изначально был «автономен», антиавторитарен, и ни к какой авторитарности меня принудить нельзя было. Большое значение имел для меня Л. Толстой в первоначальном моем восстании против окружающего общества. Я никогда не был толстовцем в собственном смысле слова и даже не очень любил толстовцев, которые были мне чужды. Но толстовская прививка у меня была, и она осталась на всю жизнь. Она сказывалась в моем глубоком презрении ко всем лжесвятыням и лжевеличиям истории, к ее лжевеликим людям, в моем глубоком убеждении, что вся эта цивилизационная и социализированная жизнь с ее законами и условностями не есть подлинная, настоящая жизнь. Но вместе с тем у меня было чувство истории, которого у Л. Толстого не было. Аристотель говорит в своей, во многих отношениях замечательной, «Политике»: «Человек есть естественно животное политическое, предназначенное к жизни в обществе, и тот, кто по своей природе не является частью какого-либо государства, есть существо деградированное или превосходящее человека». Аристотель считает такое существо неспособным ничему подчиняться. Я не считаю себя ни существом, стоящим ниже человека, ни существом, стоящим выше человека, но я очень близок к тому случаю, о котором пишет Аристотель. Тут сказывается, впрочем, огромное различие сознания античного и сознания христианского периода истории. Это также различие русского и западного человека. Русские не принимают миропорядка, как принимают люди западной цивилизации.

Я рано почувствовал разрыв с дворянским обществом, из которого вышел, мне все в нем было не мило и слишком многое возмущало. Когда я поступил в университет, это у меня доходило до того, что я более всего любил общество евреев, так как имел, по крайней мере, гарантию, что они не дворяне и не родственники. Когда ко мне приходил товарищ еврей, то моя мать задавала традиционный вопрос: «Est-ce un monsieur ou ce n'est pas un monsieur?»[2] Я до такой степени терроризовал мою мать тем, чтобы она никогда не употребляла слова жид, что она даже не решалась говорить еврей и говорила «израелит». С нелюбовью к дворянам связана у меня была также нелюбовь к военным. Я решил выйти из кадетского корпуса и держать экзамен на аттестат зрелости для вступления в университет, что было нелегко вследствие моих плохих способностей к пассивному усвоению чего-либо. Моим основным аффектом, который первее и сильнее всех умственных теорий и всех сознательных верований, — было с детства присущее мне отвращение к государству и власти. Иногда мне кажется, что тут сказывается феодальная закваска. Когда я еще мальчиком подходил к какому-нибудь государственному учреждению, хотя бы самому невинному, то я уже находился в состоянии отвращения и негодования и хотел разрушения этого учреждения. У меня не могло быть никакого ressentiment, я принадлежал к привилегированному, господствующему классу, моя семья находилась в дружеских отношениях со всеми генерал-губернаторами и губернаторами. Всякое государственное учреждение представлялось мне инквизиционным, все представители власти — истязателями людей, хотя в семейных отношениях, в гостиных светского общества я встречал этих представителей власти как людей часто добродушных и любезных. Я не любил светского общества по другим причинам, но светское общество, связанное еще с патриархальным бытом, представлялось мне чем-то совсем иным, чем государство. В функциях власти все люди преображались в сторону полузвериную. Жандармский генерал Н. делал визиты моим родителям, был любезен при встрече со мной. Но совершенно другой вид у него был, когда его видели в тюрьме и при допросах. Мне никогда не импонировало никакое положение в обществе, никакой иерархический чин, никакая власть, никакая историческая массивность. В такой крайней форме это свойство, вероятно, редко встречается. Я заметил, что даже революционерам часто импонируют иерархические чины, хотя и при отрицательном знаке. Революционеры же, победившие в революции, сами легко делаются важными иерархическими чинами. Мне никогда не импонировали иерархические чины даже в функциях более высокого порядка; академики, ученые степени, широкая известность писателей и прочее. Вообще мне чуждо иерархическое чувство, всякое различие людей по положению в обществе, вне личных качеств людей. Мне неприятно, даже когда какое-то иерархическое положение видят во мне самом. Я всегда терпеть не мог «символов» в человеческих обществах, условных знаков, титулов, мне они представлялись противными реальностями. Меня возмущало освящение «эмпирической» действительности, действительности государственной, бытовой, внешне церковной, как будто за злой эмпирикой стоит добрая сущность. Обыкновенно думали, что человек может быть дурным, но представляемый им чин хорош. Я же думал и думаю, что к плохому человеческому прибавляется еще плохое чина. Я имею в виду всякий чин, в том числе и чин революционный. Священно не общество, не государство, не нация, а человек. Мне метафизически присуща анархическая, персоналистически-анархическая тенденция, она так же присуща мне сейчас, как была присуща, когда я был мальчиком и юношей. Но то, что можно было бы назвать прекраснодушной, оптимистической анархической утопией, мне чуждо. Если что-нибудь мне свойственно, так это хилиастическая надежда.

Революционный период моей молодости очень способствовал моральному оформлению моей личности. Революционные убеждения и революционная атмосфера породили во мне особенную настроенность, особенное отношение к возможным испытаниям в будущем, вообще особенное отношение к ожиданиям в будущем. В такой форме эта настроенность впоследствии у меня не повторялась. Но создался закал личности. Интересно, что христианский период моей жизни такого рода закала не создавал. То, что я говорю, связано с революционной аскезой русской интеллигенции, которая не есть обыкновенная аскеза, а аскеза выносливости в отношении к преследованиям. Другим, конечно, революционная аскеза свойственна была в гораздо большей степени, чем мне, которому особенных страданий от преследований выносить не пришлось. Я хотел бы, чтобы меня верно поняли. Мою революционную молодость я не считаю вообще аскетической, не считаю аскетической даже в революционном смысле. Но вот что у меня несомненно было и что оставило во мне след на всю жизнь, как оставляет след первая любовь. Когда я представлял себе мое будущее, когда мечтал о будущем, то чаще всего мне представлялось, что придется страдать и нести жертвы во имя убеждений. Я приучал себя к мысли, что меня может ожидать тюрьма, ссылка, внешне тяжелая жизнь. И меня это никогда не пугало. Я никогда не представлял себе карьеры в каком-то внешнем смысле, какого-либо внешнего процветания. Я никогда не подготовлял себя к какому-либо положению в обществе. У меня на всю жизнь осталось отвращение к тому, что называют «занять положение в обществе». Это претило не только моему революционному чувству, но и моему аристократическому чувству. Мое во многих отношениях привилегированное положение я часто переживал, как вину. Но я никогда не собирался быть профессиональным революционером. Для этого я был слишком теоретиком, мыслителем, идеологом. Такова и была моя роль. Но я чувствовал глубокий разрыв не только с дворянским обществом, но и с так называемым либеральным и даже радикальным обществом, которое все-таки было обществом легальным, которое пользовалось благами жизни, не подвергаясь никаким опасностям, несмотря на свою оппозиционность. Помню, что к легальному марксизму я относился с некоторым пренебрежением. Еще будучи студентом, но уже начав свою литературную деятельность, я попал, в одну из своих первых поездок в Петербург, на литературный вечер радикальных и даже марксистских кругов. Повел меня туда М. Туган-Барановский. Это было связано главным образом с кругом журнала «Мир Божий», тогда печатавшим уже марксистские статьи. В «Мире Божьем» я сам начал печататься. Петербургский литературный вечер вызвал во мне чувство чуждости, отталкивания, мне все казалось не настоящим. Впрочем, это чувство было у меня впоследствии относительно всех общественных кругов, с которыми я соприкасался. То, что я называю революционным закалом личности в моей молодости, по своим моральным и психологическим последствиям шире и глубже революционности в собственном смысле слова. Именно эта закваска вызывала во мне всегда отталкивание от либерально-радикального общества литераторов, адвокатов, профессоров, и в заграничный период — от общества парламентских политиков. Эта же закваска определила мое непримиримое отношение к властвующему коммунизму. Впоследствии я думал, что возможен религиозный разрыв с обществом, которое пользуется благами действительности в форме ли охранения или в форме оппозиции. Но я не представлял себе этого как монашеский аскетизм. Мне также совершенно чужд пуританизм. Я сейчас склонен думать, что одни и те же мотивы привели меня к революции и к религии. И в том и другом случае я отталкивался от довольства «миром сим», хотел выйти из этого мира к иному миру. Но в этом отношении у меня были периоды более острые и менее острые. Отвращение к тому, что называется «буржуазностью», не только в социальном, но и в духовном смысле, всегда было моим двигателем. Социализм и коммунизм, христианство и православие также могут быть буржуазными. Я всегда не любил силу в этом мире, не любил торжествующих. И я всегда сознавал мучительное столкновение между силой и ценностью: большую силу ценности низшей, меньшую ценность силы высшей. Было время, когда меня соблазняло вычитанное из «Бесов» — аристократ в революции обаятелен. В этом был своеобразный романтизм.

§

Еще до моего поступления в университет и до встречи с марксистскими кругами у меня определились революционные и социалистические симпатии. Обоснование социализма у меня было этическое, и это этическое начало я перенес и в мой марксизм. Из идеологов народнического социализма прошлого я читал главным образом Н. Михайловского. Я ценил его как социолога, хотя его философские основы мне казались слабыми. Михайловский принадлежал к эпохе 70 годов, когда у нас господствовал позитивизм О. Конта, Д. С. Милля, Герберта Спенсера. Я же исходил от Канта и немецкого идеализма. В «Субъективном методе в социологии» была угадана несомненная истина, но выражена философски беспомощно. Интересна также теория «борьбы за индивидуальность», утверждавшая примат индивида над обществом. Михайловский, подобно Герцену, был защитником индивидуалистического социализма. Для меня это было приемлемее других форм социализма. Проблема конфликта личности и общества мне представлялась основной. С такого рода настроениями произошла у меня встреча с возникшим в России марксизмом. Это был 1894 год. Я почувствовал, что подымается в русской жизни что-то новое и что необходимо определить свое отношение к этому течению. Я сразу же начал много читать и очень быстро ориентироваться в марксистской литературе. На первом курсе университета я сошелся с товарищем по естественному факультету, Давидом Яковлевичем Логвинским. Это был единственный человек, с которым у меня установились дружеские отношения. Он был умственно очень одарен, многими головами выше других студентов. С ним возможно было общение на довольно высоком уровне. Это общение давало мне много в вопросах социологических. Д. Я. Л. был колоссального роста и с очень узкой грудью. Такое сложение располагало к заболеванию туберкулезом. Позже меня он был арестован по делу социал-демократической типографии. После длительного тюремного заключения был сослан в Сибирь, где умер от туберкулеза. Это одна из мучительных русских историй. Я сохраняю память о Логвинском, как об одном из замечательных людей среди молодежи того времени. С ним были связаны мои студенческие годы, марксистский период моей жизни. В нем не было узости, у него были широкие интересы. Я видел его между тюрьмой и ссылкой. Но тогда уже обнаружился у меня решительный поворот к идеализму. Я с огорчением заметил, что ему это показалось чуждо, и что-то надорвалось в наших отношениях. Моему отцу благодаря связям удалось выхлопотать улучшение его положения в Сибири. Но это не помогло. Через Д. Логвинского я вошел в общение с группой студентов, близких к марксизму. К этой группе принадлежал А. Луначарский. Тогда открылась эра бесконечных русских интеллигентских споров. Вспоминаю мое первое впечатление от соприкосновения с русским марксизмом. Я был на докладе в частной квартире одного поляка, который потом был вместе со мной сослан в Вологодскую губернию. Это был первый марксистский доклад, который я слышал. Он вызвал во мне не только отталкивание, но и настоящую тоску. В марксистский период я испытывал не раз ту же тоску. Это было чувство удушья, отсутствия воздуха, свободы дыхания.

Я не раз задавал себе вопрос, что побудило меня стать марксистом, хотя и не ортодоксальным и свободомыслящим? Вопрос сложный. Особенная чувствительность к марксизму у меня осталась и доныне. Я не мог примкнуть к социалистам-народникам или социалистам-революционерам, как они стали именоваться. Мне был чужд психологический тип старых русских революционеров. Я не был народником по своим взглядам. Кроме того, меня отталкивал пункт о терроре, к которому я всегда относился отрицательно. Марксизм обозначал совершенно новую формацию, он был кризисом русской интеллигенции. В конце 90 годов образовалось марксистское течение, которое стояло на гораздо более высоком культурном уровне, чем другие течения революционной интеллигенции. Это был тип мало похожий на тот, из которого впоследствии вышел большевизм. Я стал критическим марксистом и это дало мне возможность остаться идеалистом в философии. Для старых поколений русских революционеров революция была религией. Для меня революция не была религией. Произошла дифференциация разных сфер и освобождение сферы духовной культуры. Марксизм того времени этому способствовал. В марксизме меня более всего пленил историософический размах, широта мировых перспектив. По сравнению с марксизмом старый русский социализм мне представлялся явлением провинциальным. Марксизм конца 90 годов был несомненно процессом европеизации русской интеллигенции, приобщением ее к западным течениям, выходом на больший простор. Я был очень антинационалистически настроен и очень обращен к Западу. Маркса я считал гениальным человеком и считаю и сейчас. Я вполне принимал марксовскую критику капитализма. Марксизм раскрывал возможность победы революции, в то время как старые революционные направления потерпели поражение. У меня была потребность осуществлять в жизни свои идеи, я не хотел оставаться отвлеченным мыслителем. Все это в совокупности толкало меня в сторону марксизма, в который я никогда вместиться не мог. Я начал читать лекции и доклады членам Киевского социал-демократического комитета, и меня считали идейным руководителем. В одну из своих поездок за границу я привез большое количество социал-демократической литературы в фальшивом дне сундука. Вспоминаю странное явление. В рабочей среде в то время обнаружилось течение, враждебное интеллигенции, требовавшее самостоятельной активности рабочих. Ярким представителем этого течения был типографский рабочий Л. Это был очень высокий краснорыжий еврей. Он особенно отрицательно относился к интеллигентам социал-демократам. Но он почему-то особенно любил ходить ко мне и даже надеялся, что я возглавлю это течение. Это странно, потому что по внешнему своему обличью я был дальше других социал-демократов интеллигентов от рабочей среды, я все-таки был барином и человеком интеллектуальным более всех. Л. прощал мне мои философские ереси и даже интересовался ими. Я несколько раз замечал, что мне было легче общение с народным слоем, чем другим интеллигентам. Я не берусь этого вполне объяснить. Но отчасти это, вероятно, связано с тем, что во мне меньше было свойств касты интеллигенции, которые казались чуждыми народной рабочей среде и связаны с желанием быть руководителями. Самое же главное, что мне свойственно абсолютно равное отношение ко всем людям, я ни к кому не относился свысока.

Я никогда не думал, что мне приходилось испытывать особенные преследования и «страдания за идею». Но я все-таки сидел в тюрьме, был в ссылке, имел неприятный судебный процесс, был выслан из моей родины. Это много для философа по призванию. Профессиональные революционеры переживали безмерно больше, им больше приходилось страдать, но философы обыкновенно вели более спокойную жизнь. По личному опыту должен сказать, что тюрьма в старом режиме была более патриархальным и мягким учреждением, чем усовершенствованная тюрьма в советском режиме. Были, конечно, ужасы Петропавловской крепости и Алексеевского равелина. Этого опыта я не имею. Но в среднем соотношение мне представляется таким. В старом режиме стража тюрьмы состояла из довольно добродушных русских солдат, которые видели в заключенных не «врагов народа», а врагов правительства, начальник тюрьмы управлял патриархально, если не был особенным зверем, что, конечно, случалось. В режиме советском, революционном стража тюрьмы видела в заключенных «врагов народа» и революции, и управление тюрьмы было отнюдь не патриархальным, оно отражало диктатуру и террор. Первый раз я был арестован в Киеве всего на несколько дней как участник большой студенческой демонстрации. Арестованы были все и сидели вместе в арестантских ротах. Шли на демонстрацию с таким чувством, что, может быть, будут стрелять и что не все вернутся живыми. Нас окружили казаки и были некоторые столкновения. Но все кончилось пустяками. Я пошел на демонстрацию по чувству долга. Я почти никакого участия не принимал в студенческом движении, которое носило очень организованный характер. Социал-демократы не считали студенческое движение своим и относились к нему немного свысока. Настоящим революционным делом они считали пропаганду и агитацию среди рабочих. В 1898 году я был арестован по первому в России большому социал-демократическому делу и исключен из университета. Арестовано было около 150 человек. Весь социал-демократический комитет был арестован. Арестованные мужчины первые дни сидели вместе, в большом помещении Лукьяновской тюрьмы, на окраине города. Киев был одним из главных центров социал-демократического движения того времени, там была подпольная типография, издавалась революционная литература, были сношения с эмиграцией, с группой Плеханова, Аксельрода и В. Засулич. Когда я ездил за границу, то в Швейцарии встречался с основателями и главарями русской социал-демократии. В это время Ленин был в ссылке в Сибири и не мог играть руководящей роли, которую играл потом. Этим объясняется, что с Лениным у меня не было никакого соприкосновения. Да и я изначально принадлежал к другому течению в марксизме. Вспоминаю об аресте, как о пережитом большом подъеме, почти экстазе. Я никогда не испытывал больше такого чувства связи с communauté[3], я был наименее индивидуалистически настроен. При аресте и допросах, как и во всех катастрофических событиях жизни, я по характеру своему не склонен был испытывать состояние подавленности, наоборот, у меня всегда был подъем и воинственная настроенность. Так было и когда я был арестован в советский период. Но состояние, которое испытал я и многие другие, когда социал-демократы в большом количестве были водворены в тюрьму, заключало в себе что-то совсем особенное, что сейчас должно казаться смешным. У нас совсем не было такого чувства, что мы провалились, наоборот, настроение у нас было победное, нам казалось, что начинается новая эра в освободительном движении, что повсюду, и даже в Западной Европе, будет резонанс на наш арест. Без преувеличения могу сказать, что чувствовал себя в тюрьме очень приятно. Первые дни в огромном общем помещении я прочел ряд докладов. На следующий день после ареста к нам приехал киевский генерал-губернатор генерал-адъютант Драгомиров, с которым у моих родителей были довольно близкие отношения.

Генерал Драгомиров вошел с жандармским генералом и прокурором. Он сказал нам целую речь, из которой мне запомнились слова: «Ваша ошибка в том, что вы не видите, что общественный процесс есть процесс органический, а не логический, и ребенок не может родиться раньше, чем на девятом месяце». Жандармский генерал, который терпеть не мог Драгомирова и делал на него доносы, очень подозрительно на него посмотрел. Потом я был переведен в одиночную камеру, но с открытой дверью в коридор. Тюремный режим был настолько легкий, что мне удавалось проникать в верхний коридор того же корпуса тюрьмы, где сидели дамы, мои хорошие знакомые. Во время прогулки все собирались вместе в тюремном дворе и устраивались настоящие собрания, на которых я обыкновенно бывал председателем. В конце концов я был переведен в настоящее одиночное заключение с запертой дверью. Так прекратилось общение с другими, и я мог читать. Благодаря связи моего отца с генерал-губернатором я был сравнительно скоро освобожден, я сидел всего месяц с чем-то, но освобожден без права выезда из Киева, под надзором полиции до решения моего дела. На допросе жандармский генерал сказал мне, что из моих бумаг следует, что я стремлюсь к низвержению государства, церкви, собственности и семьи. В результате этого дела я был сослан на три года в Вологодскую губернию. Лишь очень немногие были сосланы в Сибирь. Все почти социал-демократы были сосланы в Вологодскую губернию, где мы продолжали общаться. Но дело, которое по обыкновению началось как дело судебное и кончилось в административном порядке, продолжалось около двух лет. За это время я начал писать, написал свою первую статью и первую книгу «Субъективизм и индивидуализм в общественной философии». В мой марксистский период для меня не существовало тяжести материи и трудности ее преодоления. Эту трудность я более почувствовал в период христианский. Да и вообще марксистский материализм в своей молодости был очень идеалистическим.

§

Первая моя статья «Ф. А. Ланге и критическая философия в ее отношении к социализму» была напечатана по-немецки в марксистском журнале «Neue Zeit», редактируемом Каутским. Это было в 1899 году. По поводу этой статьи у меня возникла переписка с Каутским. Он очень приветствовал мою статью и писал мне, что возлагает большие надежды на русских марксистов для дальнейшего теоретического развития марксизма. Немецкие марксисты, по его мнению, слишком заняты практической политикой, чтобы иметь возможность развивать теорию. Вряд ли бы он приветствовал то направление, в котором у меня произошло развитие теории. Русские марксисты изначально почувствовали, что я человек не ортодоксальный, не вполне их человек. Идейный конфликт у меня начался довольно рано. Первая книга «Субъективизм и индивидуализм в общественной философии» с большим предисловием П. Струве, который тоже совершенно повернул к идеализму и спиритуализму, отражала мое миросозерцание того времени, но недостаточно выражала более интимные стороны моего отношения к жизни. Книга представляет опыт синтеза марксизма в критической форме с идеалистической философией Канта и отчасти Фихте. Гегелианцем я совсем не был, как другие марксисты. Наиболее существенным в моей книге было мое крепкое, основоположное убеждение, что истина, добро, красота не зависят от революционной классовой борьбы, определяются не социальной средой, а трансцендентальным сознанием. Я твердо стоял на кантовском a priori, которое имеет не психологический, а логический и этический характер. Но психологическое сознание зависит от социальной среды, от классового положения. Могут быть более или менее благоприятные условия для усвоения истины и справедливости, вкорененных в трансцендентальном сознании. Классовая истина есть нелепое словосочетание. Но может быть классовая ложь, которой и проникнуты буржуазные классы, причастные к греху эксплуатации человека человеком. На этой почве я построил идеалистическую теорию мессианства пролетариата. Пролетариат свободен от греха эксплуатации и в нем даны благоприятные социально-психологические условия для проникновения истиной и справедливостью, определяемых трансцендентальным сознанием. Выходило, что у рабочего класса происходит максимальное сближение и отождествление психологического и трансцендентального сознания. Это было философское обоснование революционного социализма, к которому я стоял ближе других сторонников критического марксизма. Я принимал материалистическое понимание истории, но отказывался придавать ему метафизическое значение и связывать его с материализмом общефилософским. Наряду с мыслями марксистского, социологического характера я защищал независимость истины и независимость философии. Я открывал себе возможность свободного движения мысли в том направлении, по которому я и пошел. Независимость философа я защищал впоследствии и от религиозной ортодоксии. Мой марксизм не был тоталитарным, я не принимал всего. Это очень хорошо почувствовал Плеханов, с которым я в это время встретился в Цюрихе. Он мне сказал, что с такой философией, как моя, нельзя остаться марксистом. В эти годы я постоянно спорил в марксистских кругах с А. В. Луначарским, который тоже был киевлянин. Луначарский не соглашался признать независимость истины от революционной классовой борьбы, а значит, и свободы философа в путях познания. Он видел у меня опасный индивидуализм. Борьба принимала иногда очень острые формы. Я был свирепым спорщиком, и со мной спорить было нелегко. У меня осталось впечатление, что Луначарский чувствовал себя обиженным этими спорами. Нужно, впрочем, сказать, что сам Луначарский не был вполне тоталитарным марксистом. Он соединял Маркса с Авенариусом и Ницше, увлекался новыми течениями в искусстве. Он был человек широко начитанный и одаренный, но на нем лежала печать легкомыслия. Тогда никто еще не предвидел, что Луначарскому предстоит быть народным комиссаром просвещения в правительстве жестокой диктатуры. Сам он менее всего был жестоким, и его, наверное, шокировала деятельность Чека. Он хотел быть покровителем наук и искусств и этим развращал писателей и артистов.

В моей юношеской и столь несовершенной книге «Субъективизм и индивидуализм в общественной философии» мне все-таки удалось поставить проблему, которая меня беспокоила всю жизнь и которую я потом выразил в более совершенной форме. Проблема следующая. Познание зависит от ступеней социальной общности людей. Общеобязательность познания имеет не только логический, но и социологический характер. Это определяется тем, что познает не трансцендентальный субъект, не универсальный разум, как учил германский идеализм, а конкретный человек с известной душевной структурой, с зависимостью от социальных отношений людей. Никакое a priori само по себе ничего не гарантирует, потому что находится во внечеловеческой, трансцендентальной сфере. Необходимо определить отношение конкретного человека к этому a priori. В конце концов это привело меня к экзистенциальной философии, и я выразил это потом в книге «Я и мир объектов». Нужна социология познания, и я это рано сознал. Еще в марксистский период у меня явилась тоска и дурное предчувствие, связанное с революционным марксистским миром. Все это вело меня к внутреннему перевороту.

Перед ссылкой в Вологду я пережил период подъема и цветения, один из лучших в моей жизни. И он был омрачен, как и вся моя молодость, запутанной драматической ситуацией, но я иногда вспоминаю об этом периоде с радостным чувством, хотя в воспоминаниях для меня вообще есть что-то мучительное. Именно в это время у меня начался внутренний переворот, который я определил бы как раскрытие для меня новых миров, как усложнение душевной жизни и обогащение новой эмоциональностью. Но свою эмоциональность я никогда не умел выразить, всегда давил ее в себе. Как и всегда у меня, это не был только умственный процесс, но связан был со всеми событиями моей жизни. Мне раскрылся новый мир красоты. Вместе с тем во мне все более и более возрастало чувство потустороннего, трансцендентного. Меня все более и более отталкивало миросозерцание, довольствующееся посюсторонним, замкнутым кругом земного мира. Большое значение в то время имело для меня чтение Ибсена. Ибсен глубоко вошел в меня и остался для меня любимым писателем, как Достоевский и Л. Толстой. То, что называли моим индивидуализмом, мое обостренное переживание личной судьбы, было более всего связано с Достоевским и Ибсеном. В это же время я читал Ницше, которого очень пережил и которым переболел. Читал также символистов. Все это меня отдаляло от революционной марксистской среды, с которой я, впрочем, никогда не сливался. Ошибочно было бы думать, что я когда-либо вращался исключительно в этой среде «товарищей». Я всегда общался и с другими кругами. Из представителей академической профессорской философии я еще на первом курсе университета имел близкое общение с Г. И. Челпановым, популярным профессором философии, который с большим успехом читал курс по критике материализма. У него собирались по субботам, я часто у него бывал и мы вели длинные специально философские разговоры. Эти разговоры были мне полезны, я выходил из замкнутости своей мысли. Политически мы расходились, но это было не важно.

Челпанов был в философии прежде всего педагогом. Но он был очень живой человек, всем интересовавшийся, он был для того времени новым типом профессора. В это время, перед ссылкой, я познакомился с человеком, который остался моим другом на всю жизнь, быть может, единственным другом, и которого я считаю одним из самых замечательных и лучших людей, каких мне приходилось встречать в жизни. Я говорю о Льве Шестове, который также был киевлянин. В то время появились его первые книги и меня особенно заинтересовала его книга о Ницше и Достоевском. Мы всегда спорили, у нас были разные миросозерцания, но в шестовской проблематике было что-то близкое мне. Это было не только интересное умственное общение, но и общение экзистенциальное, искание смысла жизни. Общение было интенсивно и в Париже до самой его смерти. С Л. Шестовым были связаны и другие люди, которые имели для меня не философское значение. Перед отъездом в ссылку одна прекрасная женщина сказала мне на прощанье: «Dans la vie rien n'est beau que d'aimer, rien n'est vrai que de souffrir»[4] (из Alfred'а de Musset).

Несмотря на начавшийся во мне духовный кризис, несмотря на усиление во мне интересов, не связанных с марксизмом, этот период перед ссылкой был также периодом наибольшей моей популярности. Когда я читал свой первый публичный доклад, который был главой моей книги «Субъективизм и индивидуализм в общественной философии», то мне сделали настоящую овацию. Это отчасти было связано с тем, что было известно о моей предстоящей ссылке на север. Потом я знал долгий период непопулярности, когда на меня исключительно нападали и писали обо мне ругательные статьи. Я даже полюбил горький вкус непопулярности. Во времени перед ссылкой было для меня что-то весеннее и многое было обвеяно для меня поэзией. Это распространилось и на первое время вологодской ссылки. Мои мысли и настроения отразились в статье «Борьба за идеализм», напечатанной в «Мире Божьем». Статья эта вызвала негодование в левых кругах интеллигенции, которая в преобладающей своей части была еще староверческой. Эпиграф статьи взят был из моей любимой драмы Ибсена «Строитель Сольнес». Я никогда не был материалистом, не был и позитивистом. Но тут произошел более радикальный разрыв с традиционным миросозерцанием левой интеллигенции, с ее «посюсторонностью». Был провозглашен примат духовных ценностей и ценности красоты, которая всегда была в загоне. Я почувствовал в себе веяние духа, которое в начале XX века создало русский культурный ренессанс. Это было также острое переживание конфликта между личностью и обществом, которое мне было, может быть, более свойственно, чем другим представителям идеалистического движения. Темы о личности и свободе остались моими темами на всю жизнь. Всю мою жизнь я чувствовал, что свойственные мне дары ослабляются при всех общественных комбинациях с людьми, при всяком вмешательстве в политику. И дары эти усиливаются в конфликте и в одиночестве.

В те годы в меня проникло не только веяние Духа, но и веяние Диониса. Эти два веяния во мне соединились и часто противоборствовали. Объяснить это нужно не чтением Ницше, а присущим моей природе дионисическим элементом, хотя и не главенствующим. Мне свойственно переживание мгновений экстаза, это всегда во мне было, несмотря на то, что во мне есть и рассудительность, очевидно, объяснимая моей французской кровью. Характерно, что меня никогда не опьяняло вино. Я мог выпить очень много и никогда не пьянел, оставался трезвым среди пьяных. В этом отношении во мне есть что-то сократовское. Я также никогда не поддавался никакой заразе, особенно коллективной. Меня нельзя загипнотизировать. Я слишком «индивидуалист». Но мне свойственно настоящее опьянение мыслью, опьянение творческим подъемом, опьянение мечтой, опьянение ароматным воздухом. С Ницше у меня всегда было расхождение в том главном, что Ницше в основной своей направленности «посюсторонен», он хочет быть «верен земле», и притяжение высоты оставалось для него в замкнутом круге этого мира. Я же в основной своей направленности «потусторонен», притяжение высоты для меня было притяжением трансцендентным. Интеллектуально, в сознании, Ницше во второй период позитивист, хотя и рафинированный и углубленный, я же метафизик. Может быть, поэтому во мне сильнее дуалистический момент. Я пережил в известный момент состояние, которое называют радостью жизни, подъемом жизненных сил. Но во мне все же не было изначальной любви к «жизни». К жизненному экстазу всегда примешивалось пессимистическое чувство. Радостный подъем жизни в углублении и развитии ведет не к реализации полноты, не к победе, а к гибели. И именно дионисическое веяние привело меня к самому

116

плохому, упадочному периоду моей жизни, который совпадает с последним периодом ссылки и периодом сейчас после ссылки.

Интересно, что период подъема жизненных сил не был для меня периодом подъема творческой мысли. Я сравнительно мало сделал за это время. Много сил я потратил на конфликт с окружающей социальной средой. В центре для меня стояла проблема освобождения индивидуальности, примата личности над обществом. Один мой товарищ по ссылке, типичный представитель революционной интеллигенции, сказал мне: «Неизвестно, что у вас будет на вершине вашей башни, которую вы хотите строить над человеческими жилищами, может быть, это красота». Ему казалось, что он делает страшное предположение. Меня считали безнадежным «индивидуалистом» несмотря на то, что политически я оставался социал-демократом и даже довольно левого оттенка. У меня была сильная реакция против революционного аскетизма русской интеллигенции, который подавлял личность, отрицал ее право на творческую полноту. За много лет до образования у нас большевизма я столкнулся с явлением, которое можно было назвать тоталитаризмом русской революционной интеллигенции, с подчинением личной совести совести групповой, коллективной. Тенденция к подавлению личности всегда была. Когда большая группа ссыльных приехала в Вологду, то возник, между прочим, глупый вопрос о том, нужно ли подавать руку полицмейстеру, и его хотели решить коллективно. Я поставил дело так, что этот вопрос будет для меня решен мной самим, как, впрочем, и все другие вопросы морального характера. Дисциплина революционной интеллигенции была военная, и только этим путем она могла себя сохранить. Я же хотел бороться в одиночку и никаких военных предписаний никогда не соглашался принять. Я не согласовался и не сливался ни с какими социальными группами и не подчинялся никакой групповой морали. Политически я оставался революционером. Но морально я был воинствующим «индивидуалистом». Этот мой «индивидуализм» тоже был революционным, но в особом смысле. Многое я делал нарочно, «для вызова» против среды ссыльных. Вологда была в это время центром ссылки, и на моих глазах через Вологду прошло огромное количество ссыльных, главным образом социал-демократов, изредка социалистов-революционеров. Ссыльные большей частью направлялись в уездные города Вологодской губернии, иногда в Архангельск, некоторые возвращались из ссылки через Вологду. Я мог делать много наблюдений. Все почти заходили ко мне, в гостиницу «Золотой якорь», где я жил. Были среди ссыльных хорошие, симпатичные люди, все были людьми, верующими в свою идею. Но дышать было трудно в их обществе. Было страшное сужение сознания. Были люди довольно читавшие, но у среднего ссыльного уровень культуры был довольно низкий. То, что интересовало меня, не интересовало большую часть ссыльных. Меня считали индивидуалистом, аристократом и романтиком. Но в Вологде в эти годы были в ссылке люди, ставшие потом известными: А. М. Ремизов, П. Е. Щеголев, Б. В. Савинков, Б. А. Кистяковский, приехавший за ссыльной женой, датчанин Маделунг, впоследствии ставший известным датским писателем, в то время представитель масляной фирмы, А. Богданов, марксистский философ, и А. В. Луначарский, приехавший немного позже меня. Я принадлежал к «аристократии» вместе с Ремизовым, Щеголевым, Савинковым, Маделунгом. А. Богданов и А. Луначарский возглавляли «демократию». «Аристократия» была более независима в своих суждениях от коллектива, более индивидуалистична и свободна в своей жизни, имела связи с местным обществом, главным образом земским, отчасти с театром. Курьезны были мои отношения с А. Богдановым (Малиновским), который впоследствии создал целую философскую систему, синтезировавшую марксизм с эмпириокритицизмом и эмпириомонизмом. А. Богданов был очень хороший человек, очень искренний и беззаветно преданный идее, но по типу своему совершенно мне чуждый. В то время меня уже считали «идеалистом», проникнутым метафизическими исканиями. Для А. Богданова это было совершенно ненормальным явлением. По первоначальной своей специальности он был психиатр. Он вначале часто ходил ко мне. Я заметил, что он мне систематически задает непонятные вопросы, как я себя чувствую по утрам, каков сон, какова моя реакция на то или иное и тому подобное. Выяснилось, что склонность к идеализму и метафизике он считает признаком начинающегося психического расстройства, и он хотел определить, как далеко это у меня зашло. Но вот что интересно. У самого Богданова впоследствии было психическое расстройство, и он даже некоторое время сидел в психиатрической лечебнице. Со мной же этого не произошло. Я не был психиатром, но сразу заметил, что у Богданова была какая-то маниакальность. Он был тихий и незлобивый помешанный, помешанный на идее. Богданов очень благородно держал себя во время большевистской революции. Он был старым большевиком, участвовал в ряде сборников и журналов вместе с Лениным. Но в эпоху торжества большевизма он оттолкнулся от его уродливых сторон, признал не настоящим и занимал очень скромное положение. Среди вологодских ссыльных моего времени были и другие явления. Один из моих товарищей по ссылке, как я слышал, стал в разгар революции комиссаром Севера, известным своей жестокостью и кровожадностью. Я с ним почти не имел общения, но он производил впечатление добродетельного фанатика. Революционная добродетель иногда приводила его к страшным последствиям. Во время моей ссылки Ленин еще не произвел подбора того объединенного твердокаменной идеологией и железной дисциплиной меньшинства, которое должно было подготовить диктатуру. Человеческий материал этого подбора уже намечался. Но из моих товарищей по ссылке ставший впоследствии большевиком А., недавно еще бывший советским консулом в Париже, производил впечатление очень добродушное. В А. не было ничего свирепого, он любил пиво и вечеринки, интеллектуальными вопросами совсем не интересовался. В Вологде я близко общался лишь с небольшой группой ссыльных, которая составляла «аристократию», в нее входили и некоторые люди, с которыми я был связан еще по Киеву, особенно с В. Г. Т. Кроме того, я бывал в доме председателя губернской Земской управы, где иногда встречал и чиновников, скорее либерального направления. Встречал актрис местного театра. Был особенно дружен с ссыльной В. Д., очень умной и образованной женщиной, настоящим философом. Когда я подъезжал к Вологде, уже после Ярославля, мной овладело очень меланхолическое настроение, навеянное унылой природой, плохой погодой, несмотря на начало весны, неизвестностью, как сложится жизнь в ссылке. Это меланхолическое настроение в Вологде скоро прошло. Меня оставили в самой Вологде вместе с небольшой частью ссыльных, большая же часть ссыльных была распределена по уездным городам огромной Вологодской губернии. Вологодским губернатором в это время был мой дальний родственник и друг моего дяди, граф М. -П. Это тоже ставило меня в несколько привилегированное положение. Через месяца полтора я получил бумагу, что могу для поселения выбрать какой-нибудь не университетский город на юге России. Я был очень удивлен и, решив от этого отказаться, остался в Вологде. Оказалось, что мой крестный отец и муж моей тети, генерал свиты Его Величества светлейший князь Н. П. Лопухин-Демидов сказал великому князю Владимиру Александровичу, с которым был близок, что племянника его жены и его крестного сына сослали в Вологодскую губернию, возмущался этим и просил, чтобы меня перевели на юг. Великий князь Владимир Александрович немедленно сообщил об этом товарищу министра внутренних дел и начальнику жандармов. В результате мне предложили переехать на юг. Я считал это для себя морально не приемлемым. Да я и не испытывал особенных страданий от жизни в Вологде, мне даже нравился этот старинный северный городок, очень своеобразный и для меня новый, так как я не знал великорусского севера. Летом я с удовольствием ездил на велосипеде по окрестностям Вологды, главным образом в направлении остатков старинного монастыря. В Вологде я себя чувствовал очень свободно, в некоторых отношениях свободнее, чем в Киеве. Полиция нисколько не беспокоила меня. Я сумел завоевать себе независимость и от диктатуры ссыльных.

§

Моя первая книга «Субъективизм и индивидуализм в общественной философии» вышла, когда я был в ссылке. Она вызвала много споров, в том числе и споров в круге вологодских ссыльных. Об этой книге много писали. Она сразу же создала мне широкую известность, хотя большая часть критических статей была нападением на меня. Вспоминаю, что одна критическая статья в газете основана была на опечатке в моей книге. Книгу обсуждали в марксистских кружках. Я стал одним из главных выразителей течения, которое С. Булгаков потом назвал «от марксизма к идеализму». Когда я получил экземпляр моей книги, то меня она уже не удовлетворяла. Я пошел дальше в повороте к идеализму, к метафизике, к проблемам духа. Еще до ссылки я ездил на короткое время в Петербург по специальному разрешению, так как я был под следствием. В моей жизни всегда был контраст, связанный с пересечением разных кругов. Я обедал у своего двоюродного брата князя С. В. К. вместе с Треповым, директором одного из департаментов Министерства внутренних дел. Вечером встречался с П. Струве и М. Туган-Барановским. П. Струве отнесся ко мне с большим сочувствием, он писал одному знакомому, что возлагает на меня большие надежды. Он решил написать предисловие к моей первой книге. В критическом марксизме я представлял более левое течение, чем П. Струве. Когда я пришел первый раз к Струве, то у него сидел И. Скворцов-Степанов, впоследствии известный большевик, редактор «Известий», автор многочисленных брошюр по безбожной пропаганде. Когда мы встречались, Скворцов-Степанов вместе с Струве представлял скорее правое течение, я же скорее левое течение. Я его, конечно, никогда не встречал, когда он стал редактором «Известий». После этой поездки в Петербург у меня завязалась литературная связь с течением критического марксизма, все более склонявшегося к идеализму. С С. Булгаковым, с которым возникла более тесная связь, я познакомился позже в Киеве, где он был профессором политической экономии в Политехническом институте, в один из своих приездов из ссылки. Струве всегда был гораздо более политиком, чем я, и он поворачивал от социализма к либерализму и национализму. Я даже думаю, что у него по-настоящему никогда не было пафоса социализма, хотя он и был автором программы образовавшейся социал-демократической партии. Он был близок к взглядам Бернштейна, который очень нашумел в то время своей книгой, обозначившей кризис немецкого марксизма. Я во многом принимал критику Бернштейна, но мой пафос был иной. Я хотел нового мира, но обосновывал его не на необходимом социальном процессе, диалектически проходящем через момент революции, а на свободе и творческом акте человека. Моя революционность была скорее этической, чем социальной. Взгляды мои находились в процессе эволюции. Наряду с моей книгой, две статьи способствовали моей дурной репутации в кругах марксистских и вообще в кругах традиционной левой интеллигенции. Это уже упомянутая статья «Борьба за идеализм» и статья «Этическая проблема в свете философского идеализма», написанная в Вологде и напечатанная в сборнике «Проблемы идеализма», очень нашумевшем. В этом сборнике наряду с бывшими марксистами, новыми «идеалистами», участвовали и некоторые либеральные представители академической философии, П. Новгородцев, братья Трубецкие. В моей статье намечался мой «персонализм». В ней можно было обнаружить не только мою близость к Канту, но и проникновение темами Ницше. Эпиграфом к статье я взял стих Пушкина: «Ты царь! живи один, дорогою свободной иди, куда тебя влечет твой гордый ум»[5]. По поводу моей статьи князь С. Трубецкой сказал, что не согласился бы участвовать в сборнике, если бы знал, что там будет такая ницшеанская статья. Все это не способствовало моей популярности в кругу моих марксистских товарищей. Меня начали считать изменником марксизму несмотря на то, что политически я мало изменился. Мне пришлось потратить слишком много сил на борьбу с этой средой, на критику традиционного миросозерцания и традиционного душевного уклада русской интеллигенции. Я считал это борьбой за эмансипацию духа, долгое время подавленного. Но это мешало моему положительному творчеству, а иногда искажало мою мысль и делало меня несправедливым.

В конце ссылки и сейчас после ссылки у меня наступил сравнительно плохой период, период понижения, а не повышения. Я очень мало написал за это время, несмотря на то, что я вообще пишу легко и принадлежу к продуктивным писателям. Критика во мне в этот период преобладала над положительным творчеством. Я был устремлен к поэзии жизни и красоте, но в жизни преобладала проза и уродство. Какой-то демон растаптывал во мне красоту, которую я так любил. Я чувствовал все возрастающий разрыв с тем кругом, с которым был связан, и никакого нового я еще не приобрел. У меня был пустой период, в котором не было интересного для внутренней жизни общения с людьми, не было и больших приобретений в области мысли. Я никогда не был по-настоящему политиком, но не был и равнодушен к политике. Во мне всегда было противоречие. Социал-демократы в то время относились ко мне враждебно, хотя я и сохранил некоторые личные отношения и связи. Так называемая либеральная общественность была мне всегда чужда, и у меня была несимпатия к типу русского либерала-общественника. В этой среде я не мог играть никакой роли, да и не стремился к этому. Интересно отметить различие. Социал-демократы относились ко мне враждебно из-за моего «идеализма» и духовных исканий и нередко поносили меня в печати. Либералы же по той же причине относились насмешливо-иронически. Враждебное и нетерпимое отношение социал-демократов связано было с тем, то они верующие догматики и в таком качестве готовы были сжигать «еретиков». Насмешливо-терпимое отношение либералов связано было с тем, что они скептики и считают духовные искания чепухой, хотя и безвредной. Желая принять какое-либо участие в освободительном движении, я примкнул к Союзу освобождения. С инициаторами Союза освобождения у меня были идейные и личные связи. Я принял участие в двух съездах за границей в 1903 и 1904 годах, на которых был конструирован Союз освобождения. Съезды происходили в Шварцвальде и в Шафгаузене, около Рейнского водопада. Красивая природа меня более привлекала, чем содержание съездов. Там я впервые встретился с либеральными земскими кругами. Многие из этих людей впоследствии играли роль в качестве оппозиции в Государственной думе и вошли в состав Временного правительства 1917 года. Среди них были очень достойные люди, но среда эта была мне чужда. В мою задачу совсем не входит писать воспоминания о Союзе освобождения, который играл активную роль перед первой русской революцией. Из деятелей Союза освобождения вышли элементы, составившие потом главную основу кадетской партии. В кадетскую партию я не вошел, считая ее партией «буржуазной». Я продолжал считать себя социалистом. Я принимал участие в комитете Союза освобождения сначала в Киеве, потом в Петербурге, но особенно активной роли по своему настроению не играл и чувствовал страшную отчужденность от либерально-радикальной среды, бо́льшую отчужденность, чем от среды революционно-социалистической. Иногда я вел переговоры от Союза освобождения с социал-демократами, например, с Х., тогда меньшевиком, а впоследствии советским сановником, народным комиссаром и послом, с Мартовым, а также с представителями еврейского Бунда. На «освобожденческих» банкетах, которыми в то время полна была Россия, я себя чувствовал плохо, не на своем месте и, несмотря на свой активный темперамент, был сравнительно пассивен. Я себя чувствовал относительно лучше среди социал-демократов, но они не могли мне простить моей «реакционной», по их мнению, устремленности к духу и к трансцендентному. Меня не удовлетворял уже критический идеализм. С П. Струве у меня был момент близости, когда у него обнаружился поворот к духу. Но очень скоро меня начало отчуждать от него решительное преобладание политики над проблемами духовными и уклон вправо в самой политике. Бо́льшую близость я чувствовал с С. Булгаковым, с которым переплетались наши пути во внешних проявлениях. У С. Булгакова тогда уже был решительный поворот к христианству и православию. Я же стоял еще на почве свободной духовности. Разговоры с С. Булгаковым в Киеве на религиозные темы имели для меня значение.

§

Первое время моего пребывания в Петербурге я принимал участие в общественных собраниях и общественных протестах. Всегда чувствовал себя плохо, и голос мой не звучал в соответствии с характером общественного движения. Как я говорил уже, широкие круги левой интеллигенции относились отрицательно и враждебно к «идеалистическому» движению, выдвигавшему на первый план проблемы духовной культуры, и по своему миросозерцанию держались за старый позитивизм. Поворот к новому сознанию в избранной части интеллигенции рассматривался как политически реакционный. Но двусмысленность и неосновательность такого рода оценок обнаружилась тем фактом, что «идеалистическая», порвавшая с интеллигентским позитивизмом, группа, основавшая журнал «Вопросы жизни», активно участвовала в Союзе освобождения и в петербургском комитете Союза встречалась с теми самыми представителями интеллигенции, которые обвиняли «идеалистов» в реакционности. Таким образом, новое идейное движение завоевало себе право гражданства в левом «общественном мнении». Неловко было громить в литературе в качестве «реакционеров» тех, с которыми вместе в освобожденческих группах обсуждались освободительные планы. Поколение после революции 1905 года уже не знало такого рода конфликтов, многое уже было завоевано для духовной культуры. Интеллигентское староверчество с его ортодоксией материализма и позитивизма пошатнулось и казалось отсталым. Более широкие круги интеллигенции приобщились к кризису сознания. Это особенно сказалось на обострении эстетического сознания и на принятии новых форм искусства. Малую революцию 1905 года я пережил мучительно. Я считал революцию неизбежной и приветствовал ее. Но характер, который она приняла, и ее моральные последствия меня оттолкнули и вызвали во мне духовную реакцию. После этой не вполне удавшейся революции, в сущности, кончился героический период в истории русской интеллигенции. Традиционное миросозерцание революционной интеллигенции с аскетическим сужением сознания, с моральным ригоризмом, с религиозным отношением к социализму расшаталось, и в некоторых кругах интеллигенции и полуинтеллигенции в результате разочарования революцией началось настоящее моральное разложение. Мне трудно вполне принять какую-либо политическую революцию потому, что я глубоко убежден в подлинной революционности личности, а не массы, и не могу согласиться на ту отмену свобод во имя свободы, которая совершается во всех революциях. Я определял свою позицию выражением, которое Брандес употребил относительно Ницше: аристократический радикализм. Но это значит, что мое подлинное дело есть революция духа, а не политики. В статье, написанной в 1907 году и вошедшей в мою книгу «Духовный кризис интеллигенции», я довольно точно предсказал, что когда в России настанет час настоящей революции, то победят большевики. Я не представлял себе, как слишком многие другие, что большая революция в России будет торжеством свободы и гуманности. Я задолго до революции 1917 года писал, что эта революция будет враждебна свободе и гуманности. Таков трагизм русской исторической судьбы. Я совершенно отошел от политики и посвятил себя борьбе за дух и за изменение сознания интеллигенции. Но социальная проблема меня всегда мучила, и я все-таки периодически вмешивался в социальную борьбу, оставаясь ей чуждым. Уже за рубежом, в эмиграции, я вернулся на новых духовных основаниях к некоторым социальным идеям моей молодости, но об этом речь впереди. Я понял, что революционером я всегда был и остаюсь им по тем же причинам, по которым восставал против революции и революционеров. Эта Революционность связана с моим персонализмом и моим пафосом свободы. Я окончательно пришел к осознанию той истины, что дух есть свобода и революция, материя же есть необходимость и реакция, и она сообщает реакционный характер самим революциям. Основной темой тут является тема «Великого Инквизитора». За хлеб соглашаются отказаться от свободы духа. Я увидел, что в самом революционном социализме можно обнаружить дух Великого Инквизитора. Это и есть интегральный коммунизм и национал-социализм. Тема эта сейчас острее, чем когда-либо, но я о ней много писал уже почти 40 лет тому назад.

Я себя спрашивал много раз, есть ли в моем характере нетерпимость. Я иногда бывал терпим, иногда же очень нетерпим. Вопрос психологически сложный. Я совсем не принадлежу к типу догматиков и ортодоксов (все равно какой ортодоксии), который всегда нетерпим и фанатичен. Я не фанатик, у меня нет сужения сознания. Во мне даже есть большая веротерпимость, религиозная терпимость, связанная с признанием святыней свободы совести. Но когда я веду борьбу против насилия над свободой духа, когда борюсь за попираемую ценность, то я бываю страшно нетерпим на этой почве и порываю с людьми, с которыми у меня были дружеские связи. Я со многими порвал в жизни. Я бывал страшно резок в спорах и иногда доходил до состояния бешенства. Поэтому обо мне слагались противоположные мнения. Моя мысль бывала раздраженной и гневливой, у меня бывали бурные реакции против разных течений. Когда речь заходила о некоторых идеях, я бывал очень тяжел и со мной невозможно было разговаривать. И несмотря на это я все-таки веротерпимый человек. Человек есть противоречивое существо. Я бывал жертвой своего бурного темперамента, но и другие бывали его жертвой. Нетерпимость моя морального, а не догматического характера. При этом эта моральная нетерпимость может быть направлена против моралистов-законников, которых я никогда не выносил. Я никогда не был склонен к личному осуждению людей, я был очень снисходителен. Но это лишь до того времени, пока я не встречался с насильниками и не задевалась моя тема о свободе, о личном достоинстве, о правах творчества. Как сложились мои отношения к русскому культурному ренессансу начала XX века? Эти отношения были сложны. У меня вытеснялась, но никогда не исчезала вполне толстовская и марксистская закваска. На всю жизнь у меня осталась особенная чувствительность к марксизму. Это осталось и доныне. Я марксизм хорошо знаю, потому что знаю его не только внешне, но и внутренне.

Глава VI

РУССКИЙ КУЛЬТУРНЫЙ РЕНЕССАНС НАЧАЛА XX ВЕКА. ВСТРЕЧИ С ЛЮДЬМИ

Осенью 1904 года я переехал в Петербург для редактирования нового журнала. Перед моим отъездом в Петербург произошли значительные события в моей жизни, которые ее изменили. Лето 1904 года имело большое значение в моей жизни. В это время я встретил друга моей жизни Лидию[1]. Она по натуре была душа религиозная, но прошедшая через революционность, что особенно ценно. У нее образовалась глубина и твердая религиозная вера, которая не раз поддерживала меня в жизни. Она была человек необыкновенной духовности. Перед смертью она приблизилась к святости. В разгар коммунистической революции она перешла в католичество и сначала пережила период католичества фанатически нетерпимого. Потом ее религиозная направленность стала мне более близкой. Она признавала себя членом церкви Святого Духа. Она обладала несомненным поэтическим даром, периодически у нее являлось поэтическое вдохновение, и она писала интересные стихи. Кое-что было напечатано, но охоты печатать у нее не было. М. Гершензон и В. Иванов ценили стихи Лидии. Как много событий было пережито вместе! Больше сказать обо всем этом не входит в задачу книги. Женя[2], сестра Лидии, поселилась с нами с 1914 года, и после этого мы и доныне живем вместе. Она была моим большим другом, всегда очень обо мне заботилась. И она была одним из немногих людей, хорошо меня понимавших. У нее редкий ум, необыкновенная доброта, настоящий дар ясновидения и всегдашняя поглощенность вопросами духовного порядка. Постоянные болезни не мешали духовной напряженности. Это человек необыкновенный и наши отношения необыкновенные. Ее значение огромно в моей жизни. Наша общая жизнь прошла в духовном общении, и я многим духовно обязан этому общению. Но все это выходит за пределы моей книги, прежде всего философской.

Произошла встреча «идеалистов», пришедших из марксизма, с представителями «нового религиозного сознания», издававшими «Новый путь», то есть прежде всего с Мережковскими. План нового журнала был выработан С. Н. Булгаковым и мной. Решено было воспользоваться существующим уже журналом «Новый путь», введя в него новые элементы и преобразовав его. И в группе «Нового пути», и в группе «идеалистов» (наименование неточное) были религиозные искания, но в «Новом пути» ориентация была главным образом литературная, у у нас же главным образом философская и общественная. Сильной стороной старого «Нового пути» было печатание протоколов Религиозно-философских собраний. Литературная часть обновленного журнала была дана группой старого «Нового пути», философская и политическая часть нами. Произошло соглашение людей разного прошлого и разного типа, которое оказалось непрочным. Через несколько номеров журнала оказалось, что в таком эклектическом виде «Новый путь» дальше существовать не может, и был создан новый журнал «Вопросы жизни», просуществовавший всего один год в трудных условиях начинающейся революции. Издателем журнала был Д. Е. Жуковский. Редактором литературного отдела был Г. И. Чулков. Журнал «Вопросы жизни» имел большое симптоматическое значение, он отражал течения того времени, он был новым явлением в истории русских журналов. Но в журнале не было органической цельности. Он должен был прежде всего выразить кризис миросозерцания интеллигенции, духовные искания того времени, идеализм, движение к христианству, новое религиозное сознание и соединить это с новыми течениями в литературе, которые не находили себе места в старых журналах, и с политикой левого крыла Союза освобождения, с участием более свободных социалистов. По приезде в Петербург у меня произошла встреча с литературным миром, который я раньше знал лишь издалека. Я всегда ждал как бы чуда от встречи с людьми, и это, может быть, была моя слабость. Я погрузился в очень напряженную и сгущенную атмосферу русского культурного ренессанса начала XX века. То, что происходило во мне в предшествующие годы, соединение веяния Духа с веянием Диониса, соответствовало многому из того, что я нашел в новой для меня петербургской атмосфере, но были и различия, которые потом усилились. Сейчас с трудом представляют себе атмосферу того времени. Многое из творческого подъема того времени вошло в дальнейшее развитие русской культуры и сейчас есть достояние всех русских культурных людей. Но тогда было опьянение творческим подъемом, новизна, напряженность, борьба, вызов. В эти годы России было послано много даров. Это была эпоха пробуждения в России самостоятельной философской мысли, расцвета поэзии и обострения эстетической чувствительности, религиозного беспокойства и искания, интереса к мистике и оккультизму. Появились новые души, были открыты новые источники творческой жизни, видели новые зори, соединяли чувства заката и гибели с чувством восхода и с надеждой на преображение жизни. Но все происходило в довольно замкнутом круге, оторванном от широкого социального движения. Изначально в этот русский ренессанс вошли элементы упадочности. Иногда казалось, что дышат воздухом теплицы, не было притока свежего воздуха. Культурный ренессанс явился у нас в предреволюционную эпоху и сопровождался острым чувством приближающейся гибели старой России. Было возбуждение и напряженность, но не было настоящей радости. Как это часто бывает, элемент творческий и серьезный соединялся с элементом подражания и моды. Слишком многие вдруг стали эстетами, мистиками, оккультистами, презирали этику, пренебрежительно относились к науке. Какой-нибудь запоздалый рационалист и позитивист не мог рассчитывать в то время на успех в любви. Так, в 40 годы на успех в любви мог рассчитывать лишь идеалист и романтик, в 60 годы лишь материалист и мыслящий реалист, в 70 годы народник, жертвующий собой для блага и освобождения народа, в 90 годы марксист. Культурно-духовное движение того времени было своеобразным русским романтизмом, оно менее всего было классическим по своему духу. Романтический дух, между прочим, сказывался в преобладании эротики и эстетики над этикой. Литература начала XX века порвала с этической традицией литературы XIX века. Но наследие Достоевского и Л. Толстого, которых не способны были оценить старые русские критики, проблематика этих русских гениев очень чувствовалась. К Достоевскому и Л. Толстому возвращались. Это видно по лучшему произведению Д. Мережковского «Л. Толстой и Достоевский», которое я читал с интересом еще до приезда в Петербург.

Уже в конце XIX века у нас были течения, обнаружившие разрыв с традиционным материализмом и позитивизмом интеллигенции, с утилитаризмом в искусстве. В «Северном вестнике» и в «Вопросах философии и психологии» печатались такого рода статьи. Я читал эти журналы еще до своего марксистского периода. А. Волынский был одним из первых в защите в литературной критике философского идеализма, он хотел, чтобы критика была на высоте великой русской литературы, и прежде всего на высоте Достоевского и Л. Толстого, и резко нападал на традиционную русскую критику, Добролюбова, Чернышевского, Писарева, которые все еще пользовались большим авторитетом в широких кругах интеллигенции. Это был разрыв с традицией «просвещения». Но неприятная манера писать Волынского, недостаточная определенность его философской позиции и отсутствие исторической перспективы мешали его влиянию. Большее влияние имел Д. Мережковский. Его книга о Л. Толстом и Достоевском имела большое значение. Он пытался раскрыть религиозный смысл творчества великих русских гениев, хотя его критика была слишком схематической. Он пробуждал религиозное беспокойство и искание в литературе. В. Розанов начал давно писать, но значение он приобрел лишь позже, после Религиозно-философских собраний, где его проблематика господствовала, и после появления «Нового пути». Основным в новом течении было влияние Достоевского и Л. Толстого, отчасти Вл. Соловьева и из западных — Ницше и символистов. Это было время нового эстетического сознания и новых течений в литературе и искусстве. Но был ослаблен социально-этический элемент, столь сильный в XIX веке. Наряду с течениями в литературе возникли течения в философии. Но главные книги философского творчества еще не появились. Начали искать традиций для русской философской мысли и находили их у славянофилов, у Вл. Соловьева, но более всего у Достоевского. Мои философские истоки изначально были связаны с характером происходившего переворота и предшествовали ему. Я и к марксизму пришел с иными философско-культурными основами, чем большая часть левой интеллигенции. Я пришел через Канта и Шопенгауэра, через Достоевского и Л. Толстого, через Ницше и Ибсена. Я имел жизненные встречи с оккультными течениями. Значение имело общение с Л. Шестовым и С. Булгаковым. И все-таки я много нового для себя воспринял в петербургской атмосфере, мне открылись новые стороны жизни. Очень усложнилась для меня постановка проблем, очень обогатился я в отношении к литературе и искусству. Много интересных людей я узнал. Но вместе с тем я очень скоро почувствовал, что в петербургском воздухе того времени были ядовитые испарения. Было что-то двоящееся, были люди с двоящимися мыслями. Не было волевого выбора. Повсюду разлита была нездоровая мистическая чувственность, которой раньше в России не было.

Журнал «Вопросы жизни» был местом встречи всех новых течений. Сотрудниками были люди, пришедшие из разных миров и потом разошедшиеся по разным мирам. Кроме редакторов, С. Булгакова и меня в журнале участвовали: Д. Мережковский, В. Розанов, А. Карташев, Вяч. Иванов, Ф. Сологуб, А. Блок, А. Белый, В.Брюсов, А. Ремизов, Г. Чулков, Л. Шестов, М. Гершензон, С. Франк, П. Струве, князь Е. Трубецкой, П. Новгородцев, Ф. Зелинский, Б. Кистяковский, Волжский, В. Эрн; из политиков — радикалы-освобожденцы и некоторые более свободомыслящие социал-демократы. Вспоминая лиц, сотрудничавших в «Вопросах жизни», я с огорчением думаю, что сейчас я мало с кем вместе, со многими в идейной вражде. Я почти никого из них не встречаю в Париже. Некоторые очень враждебны мне, как Д. Мережковский и П. Струве, которые считают меня чуть ли не большевиком. «Вопросы жизни» не были органическим органом. Была группа сотрудников, писавшая по политическим и экономическим вопросам, но она была изолирована, имела мало общего с ядром журнала и его главными целями. Наибольшее значение для меня в Петербурге имела встреча с Мережковскими. После сравнительно короткого периода очень интенсивного общения, а с З. Н. Гиппиус и настоящей дружбы, мы большую часть жизни враждовали и в конце концов потеряли возможность встречаться и разговаривать. Это печально. Я не всегда понимаю, почему все так сложилось. Мы, конечно, принадлежим к разным душевным типам, но многое объясняется тут и агрессивным характером той или другой стороны. Мережковские всегда имели тенденцию к образованию своей маленькой церкви и с трудом могли примириться с тем, что тот, на кого они возлагали надежды в этом смысле, отошел от них и критиковал их идеи в литературе. У них было сектантское властолюбие. Вокруг как бы была атмосфера мистической кружковщины. Долгие вечера, до трех часов ночи, я проводил в зиму 1905 года в разговорах с З. Н. Гиппиус. Потом у нас была очень интенсивная переписка. К З. Н. Гиппиус у меня сохранилось особенное отношение и теперь, когда мы уже никогда не встречаемся, живя в одном городе, и принадлежим к разным мирам. Я вижу ее иногда во сне, и в этом есть что-то тяжелое. Думаю, что З. Н. относилась ко мне хорошо. Я считаю З. Н. очень замечательным человеком, но и очень мучительным. Меня всегда поражала ее змеиная холодность. В ней отсутствовала человеческая теплота. Явно была перемешанность женской природы с мужской, и трудно было определить, что сильнее. Было подлинное страдание. З. Н. по природе несчастный человек. Я очень ценил ее поэзию. Но она не была поэтическим существом, была даже существом антипоэтическим, как и многие поэты той эпохи. На меня всегда мучительно действовало отсутствие поэтичности в атмосфере русского ренессанса, хотя это была эпоха расцвета поэзии. Я не очень любил поэтов, мне неприятна была их крайняя эгоцентричность. С самим Мережковским у меня не было личного общения, да и вряд ли оно возможно. Он никого не слушал и не замечал людей. В атмосфере салона Мережковских было что-то сверхличное, разлитое в воздухе, какая-то нездоровая магия, которая, вероятно, бывает в сектантской кружковщине, в сектах не рационалистического и не евангельского типа. Эту же магию я потом чувствовал в штейнерианстве. Мережковские всегда претендовали говорить от некоего «мы» и хотели вовлечь в это «мы» людей, которые с ними близко соприкасались. К этому «мы» принадлежал Д. Философов, одно время почти вошел в него А. Белый. Это «мы» они называли тайной трех. Так должна была сложиться новая церковь Святого Духа, в которой раскроется тайна плоти. Мой изначальный и обостренный персонализм, который неверно называют индивидуализмом, должен был привести к столкновению. По характеру своему я совсем не подходил к такого рода «мы». Но я тоже считал себя выразителем «нового религиозного сознания» и в каком-то смысле остался им и доныне. Атмосфера Мережковских, в силу реакции, очень способствовала моему повороту к Православной церкви. От петербургских течений того времени я получал толчки для происходящего во мне религиозного процесса, часто вследствие моего сопротивления. Еще до переезда в Петербург меня очень заинтересовали петербургские

Религиозно-философские собрания. Я даже написал о них под псевдонимом статью в «Освобождении». Собрания эти были замечательны, как первая встреча представителей русской культуры и литературы, заболевшей религиозным беспокойством, с представителями традиционно-православной церковной иерархии. Председательствовал на этих собраниях нынешний митрополит Сергий*. Преобладала проблематика В. Розанова. Большое значение имел также В. Тернавцев, хилиаст, писавший книгу об Апокалипсисе. Говорили об отношении христианства к культуре. В центре была тема о плоти, о поле. Эту тему Мережковский получил от Розанова, который был более первороден и оригинален. Я придавал огромное значение постановке новых проблем перед христианским сознанием. С этим связана была для меня возможность приближения к христианству. Но как философ, прошедший через философскую школу, я находил, что в этой нефилософской среде происходила путаница понятий. Мережковский завел страшную путаницу с символом «плоти», и я ему это много раз говорил. Но он испытывал экстаз от словосочетаний. Путаница, по-моему, заключалась в том, что в действительности в истории христианства было не недостаточно, а слишком много «плоти» и было недостаточно духа. Новое религиозное сознание есть религия духа. Но и само противоположение «духа» и «плоти» мне представлялось ложным. Проблема в другом, в противоположении свободы и рабства. В ренессансе начала XX века было слишком много языческого. И это элемент реакционный, враждебный свободе и личности. По-другому я с этим столкнулся у П. Флоренского, в некоторых московских настроениях.

В атмосфере Мережковских меня сначала привлекала противоположность обыденности. Но я всегда был человеком очень неблагоприятным для заражения какой-либо магической атмосферой. Для этого был целый ряд причин. Прежде всего, по своему характеру я склонен к активной реакции и сопротивлению в отношении ко всякой окружающей среде. Я бесконечно люблю свободу, которой противоположна всякая магическая атмосфера. Я всегда веду борьбу за независимость лич-

---

* Примечание 1944 года. Недавно избранный патриархом и скоро после этого умерший.

ности, не допускаю ее смешения с какой-либо коллективной силой и растворения в безликой стихии. Во мне всегда остается критическое отношение к силам, претендующим заражать и покорять. Пафос свободы и пафос личности, то есть, в конце концов, пафос духа, я всегда противополагал господствующей в начале XX века атмосфере. Разнообразные течения того времени задевали во мне лишь душевные оболочки. Я стремился к общению, к новым людям, к испытанию всего, к расширению своего знания, к полноте, но это мало затрагивало духовное ядро моего существа. Я всегда был человеком многоэтажным и многопланным, и это очень усложняло и запутывало мою жизнь и порождало недоразумения в суждениях обо мне. Мне хотелось проникнуть в духовные течения эпохи, постигнуть их смысл, но я не отдавался им. И потому я, в сущности, оставался в стороне и одиноким, как и в марксизме, так и в православии. Я обманывал ожидания всех, всегда возвращаясь к самому себе. Творческий подъем в литературе начала XX века обогатил меня новыми темами, усложнил мою мысль. Я многим обязан общению с людьми того времени. Повторяю, много даров было послано русским людям того взволнованного времени. Я это очень оценил. Но магическая атмосфера, представляющая опасность для свободы духа, не заражала меня до глубины. Во мне оставалось противление многому. Вспоминая свою жизнь, я могу сказать, что ни одна атмосфера, иногда пронизанная сильными токами, меня не захватывала до глубины. В этом источник и моей силы, и моей слабости. Я мог оставаться трезвым среди пьяных. И это должно было раздражать. Ни оккультная атмосфера моей ранней юности, ни тоталитарная революционность социал-демократов, ни атмосфера нового религиозного сознания Мережковских, ни гностическое сектантство антропософов, ни разлитая повсюду дионисическая стихия, ни магическое православие П. Флоренского, ни могущественная магия разыгравшейся революционной стихии большевизма не могли мной овладеть и принудить отречься от свободы духа и от личной совести. И вместе с тем я был в общении со всеми этими движениями и исканиями и, как мне казалось, внутренне узнал их. Меня смешило, когда меня подозревали в том, что я член оккультных обществ, масонских лож и тому подобное. Это только означало совершенное незнание моего характера, моей неспособности подчиниться какой-либо организации. Многое мне делалось противно, и я уходил из разных кругов, часто демонстративно порывал с ними, даже переезжал в другой город. Это характерная черта моей биографии. Мне всегда была неприятна литературщина, тепличная атмосфера, замкнутость в узком кругу, эгоцентризм поэтов, ждущих восхваления их стихов, бессознательная лживость увлеченных оккультными течениями, отсутствие притока свежего воздуха, воздуха вселенной. Я считаю своей слабостью, что в период моей близости к движению умов и душ того времени у меня несколько ослабел и отодвинулся на второй план присущий мне социальный интерес. Это эгоизм культурной элиты. Причина отчасти тут лежала в моем конфликте с марксистами, которые очень враждебно относились к моим духовным исканиям.

Опыт общения с Мережковскими имел для меня большое значение. Я узнал душевную структуру, которой раньше не знал. Именно в начале XX века появились у нас люди двоящихся мыслей. Мережковский был русским писателем, стоявшим вполне на высоте европейской культуры. Он один из первых вводит в русскую литературу ницшеанские мотивы. Все творчество Мережковского, очень плодовитого писателя, обнажает прикрытую схемами и антитезами — «Христос и антихрист», «дух и плоть», «верхняя и нижняя бездна» — двойственность и двусмысленность, неспособность к выбору, безволие, сопровождаемое словесными призывами к действию. С Мережковским исчезает из русской литературы ее необыкновенное правдолюбие и моральный пафос. В его книге о Л. Толстом и Достоевском есть интересные страницы о художественном творчестве Толстого, но она представляет собой памфлет против Толстого. Мережковский совсем не чувствителен к правде толстовского протеста против лжи и неправды, на которых покоится история и цивилизация. Он хочет оправдать и освятить историческую плоть, как это потом будут по-другому делать П. Флоренский и православные новой формации. У Мережковского нельзя уже найти русской сострадательности и жалостливости, которые оказались отнесенными целиком к буддизму. Мережковский проповедует ницшеанизированное христианство. И у самого Ницше было взято не то, что у него было главное — героический дух Заратустры, притяжение горной высоты, своеобразная аскеза в перенесении страданий. У Мережковского, как и у многих других русских того времени, ницшеанство связывалось с половым оргиазмом. Мне всегда казалось, что сам Мережковский очень далек от той «плоти», к освящению которой призывает, и что его отношение к этой «плоти» носит ментально-эстетический характер. Он иногда употребляет слово «свобода», но проблема свободы у него отсутствует, он ее никогда не ставит. «Плоть» поглощает у него свободу. Свобода есть дух. Более всего меня оттолкнуло от него отсутствие темы о свободе. Это ведь и есть тема о достоинстве человека. «Плоть» превратилась у него в символ пола. Мережковский был совершенно прав, когда говорил о правде любви Анны и Вронского против неправды законника и фарисея Каренина. Но эта тема должна быть формулирована как борьба за свободу и достоинство человека против неправды законничества и авторитета, унижающего человека. Мережковский утопил это в своей схеме плоти и духа, в мистическом материализме пола. Дух есть свобода, а не аскетически-монашеское отрицание и умерщвление плоти. У Розанова, проблематика которого не носит такого ментально-литературного характера, «плоть» и «пол» означали возврат к дохристианству, к юдаизму и язычеству. Но эта реабилитация плоти и пола была враждебна свободе, сталкивалась с достоинством личности как свободного духа. Не преображенный и не одухотворенный пол есть рабство человека, плен личности у родовой стихии. У Розанова и нет личности. У него жизнь торжествует не через воскресение к вечной жизни, а через деторождение, то есть распадение личности на множество новых рожденных личностей, в которых продолжается жизнь рода. Розанов исповедовал религию вечного рождения. Христианство для него религия смерти. Мережковский в этом не шел за ним. У него пол не рождающий. Розанов был натуральный, у Мережковского же ничего натурального нет. Но этим самым задавленный в природном смысле пол превратился в ментальное состояние, окрашивающее все литературное творчество. Между мной и Розановым и Мережковским была бездна, потому что для меня основной проблемой была проблема свободы и личности, то есть проблема духа, а не «плоти», которая находится во власти необходимости. И это менее всего означало тот аскетический дух, против которого боролся Мережковский. Но постановка в центре проблем личности и свободы означает большую роль момента морального. Эстетический аморализм меня отталкивал, как равнодушие к достоинству человека. О Розанове нужно сказать специально.

В. В. Розанов один из самых необыкновенных, самых оригинальных людей, каких мне приходилось в жизни встречать. Это настоящий уникум. В нем были типические русские черты, и вместе с тем он был ни на кого не похож. Мне всегда казалось, что он зародился в воображении Достоевского и что в нем было что-то похожее на Федора Павловича Карамазова, ставшего гениальным писателем. По внешности, удивительной внешности, он походил на хитрого рыжего костромского мужичка. Говорил пришептывая и приплевывая. Самые поразительные мысли он иногда говорил вам на ухо, приплевывая. Я, впрочем, не задаюсь целью писать воспоминания. Хочу отметить лишь значение встречи с Розановым в моей внутренней истории. Читал я Розанова с наслаждением. Литературный дар его был изумителен, самый большой дар в русской прозе. Это настоящая магия слова. Мысли его очень теряли, когда вы их излагали своими словами. Ко мне лично Розанов относился очень хорошо, я думаю, что он меня любил. Он часто называл меня Адонисом, а иногда называл барином, при этом говорил мне «ты». О моей книге «Смысл творчества» Розанов написал четырнадцать статей. Он разом и очень восхищался моей книгой, и очень нападал на нее, усматривая в ней западный дух. Но никто не уделял мне столько внимания. Наши миросозерцания и особенно наши мироощущения принадлежали к полярно противоположным типам. Я очень ценил розановскую критику исторического христианства, обличение лицемерия христианства в проблеме пола. Но в остром столкновении Розанова с христианством я был на стороне христианства, потому что это значило для меня быть на стороне личности против рода, свободы духа против объективированной магии плоти, в которой тонет образ человека. Розанов был врагом не церкви, а Самого Христа, Который заворожил мир красотой смерти. В церкви ему многое нравилось. В церкви было много плоти, много плотской теплоты. Он говорил, что восковую свечечку предпочитает Богу. Свечка конкретно-чувственна, Бог же отвлеченен. Он себя чувствовал хорошо, когда у него за ужином сидело несколько священников, когда на столе была огромная традиционная рыба. Без духовных лиц, которые почти ничего не понимали в его проблематике, ему было скучно. Розанов подтверждал, что в церкви было не недостаточно, а слишком много плоти. Его это радовало, меня же это отталкивало. Когда по моей инициативе было основано в Петербурге Религиозно-философское общество, то на первом собрании я прочел доклад «Христос и мир», направленный против замечательной статьи Розанова «Об Иисусе Сладчайшем и о горьких плодах мира». Это не нарушило наших добрых отношений. Он очень любил Лидию. За месяц до смерти и в разгар коммунистической революции Розанов был у нас в Москве и даже ночевал у нас. Он производил тяжелое впечатление, заговаривался, но временами был блестящ. Он сказал мне на ухо: «Я молюсь Богу, но не вашему, а Озирису, Озирису». Розанов производил впечатление человека, который постоянно меняет свои взгляды, противоречит себе, приспособляется. Но я думаю, что он всегда оставался самим собой и в главном никогда не менялся. В его писаниях было что-то расслабляющее и разлагающее. Он много способствовал моде на проблему пола. Я как-то написал о нем статью «О вечно бабьем в русской душе». Влияние Розанова противоположно всякому закалу души. Но он остается одним из самых замечательных у нас явлений, одним из величайших русских писателей, хотя и испорченных газетами. На его проблематику не так легко ответить защитникам ортодоксии. Он по истокам своим принадлежал к консервативным кругам, но нанес им тяжелый удар. Впрочем, я заметил, что правые православные предпочитали В. Розанова Вл. Соловьеву и многое ему прощали. Розанов мыслил не логически, а физиологически. По всему существу его была разлита мистическая чувственность. У него были замечательные интуиции о юдаизме и язычестве. Но уровень его знаний по истории религии не был особенно высок, как и вообще у людей того времени, которые мало считались с достижениями науки в этой области. Вспоминаю о Розанове с теплым чувством. Это была одна из самых значительных встреч моих в петербургской атмосфере.

§

Несчастье культурного ренессанса начала XX века было в том, что в нем культурная элита была изолирована в небольшом круге и оторвана от широких социальных течений того времени. Это имело роковые последствия в характере, который приняла русская революция. Я сам себя чувствовал в этой изоляции, хотя у меня никогда не исчезал вполне социальный инстинкт и сохранились социал-демократические связи. Русские люди того времени жили в разных этажах и даже в разных веках. Культурный ренессанс не имел сколько-нибудь широкого социального излучения. Я говорил уже, что в кругах левой интеллигенции, не только интеллигенции революционно-социалистической, но и либерально-радикальной, миросозерцание оставалось старым. Многие сторонники и выразители культурного ренессанса оставались левыми, сочувствовали революции, но было охлаждение к социальным вопросам, была поглощенность новыми проблемами философского, эстетического, религиозного, мистического характера, которые оставались чуждыми людям, активно участвовавшим в социальном движении. Я это очень болезненно чувствовал, когда бывал на общественных собраниях. Меня охватывало столь знакомое мне чувство отчужденности, оно бывало у меня в среде общественников, но бывало и в среде культурной элиты. Попытка «Вопросов жизни» еще в самом начале установить сближение культурно-ренессанских и социальных течений оказалась бессильной. Результаты сказались гораздо позже, когда о «Вопросах жизни» уже забыли. Русский ренессанс связан был с душевной структурой, которой не хватило нравственного характера. Была эстетическая размягченность. Не было волевого выбора. Сходства было больше с романтическим движением в Германии, чем с романтическим движением во Франции, которое заключало в себе элемент социальный и даже революционный. Творческие идеи начала XX века, которые связаны были с самыми даровитыми людьми того времени, не увлекали не только народные массы, но и более широкий круг интеллигенции. Революция нарастала под знаком миросозерцания, которое справедливо представлялось нам философски устаревшим и элементарным и которое привело к торжеству большевизма. В русской революции разрыв между высшим культурным слоем и низшим интеллигентским и народным слоем был несоизмеримо больший, чем во Французской революции. Деятели Французской революции вдохновлялись идеями Ж. Ж. Руссо и философии XVIII века, были на высоте передовой мысли того времени (это независимо от ее оценки по существу). Деятели русской революции вдохновлялись идеями уже устаревшего русского нигилизма и материализма и были совершенно равнодушны к проблемам творческой мысли своего времени. Их не интересовали Достоевский, Л. Толстой, Вл. Соловьев, Н. Федоров и мыслители начала XX века, их удовлетворяло миросозерцание Гельвеция и Гольбаха, Чернышевского и Писарева, по культуре своей они не поднимались выше Плеханова. Ленин философски и культурно был реакционер, человек страшно отсталый, он не был даже на высоте диалектики Маркса, прошедшего через германский идеализм. Это оказалось роковым для характера русской революции — революция совершила настоящий погром высокой русской культуры. Интеллигенция совершила акт самоубийства. В России до революции образовались как бы две расы. И вина была на обеих сторонах, то есть и на деятелях ренессанса, на их социальном и нравственном равнодушии.

Сам я принадлежал к этой эпохе и был близок со многими творцами культурного ренессанса. Но, как я говорил уже, никогда не сливался вполне с этим движением моего времени, повторяю, многое мне было чуждо. Многое в глубине моей души мне казалось лживым, искусственно взвинченным. Это была эпоха большого обогащения душ, но и размягчения душ. Вячеслав Иванов говорил, что для дионисизма важно не «что», а «как», важно переживание экстатического подъема, независимо от того, к каким реальностям это относится. Дионисическое веяние прошло по России, захватив верхний культурный слой. Оргиазм был в моде. Искали экстазов, что, впрочем, не означает, что искавшие этих экстазов люди были экстатичны по натуре. Но сравнительно мало интересовались реальностями, и эмпирическими, и сверхэмпирическими, умопостигаемыми. Эрос решительно преобладал над Логосом. Но это означало равнодушие к теме о личности и свободе. Андрей Белый, индивидуальность необыкновенно яркая, оригинальная и творческая, сам говорил про себя, что у него нет личности, нет «я». Иногда казалось, что он этим гордился. Это только подтверждало для меня различие между индивидуальностью и личностью. Романтики имели яркую индивидуальность, но у них была слабо выраженная личность. В *личности* есть моральный, аксиологический момент, она не может определяться лишь эстетически. Поэтому для личности совсем не безразлично, откуда происходит экстаз и к чему относится, важно не только «как», но и «что». Упадочные элементы русского ренессанса разлагали личность. Интересно, что в то время очень хотели преодолеть индивидуализм, и идея «соборности», соборного сознания, соборной культуры была в известных кругах очень популярна. Но соборность тут очень отличалась от соборности Хомякова, она скорее была связана с идеями Р. Вагнера о всенародной коллективной культуре и о религиозном возрождении через искусство. В. Иванов был главным теоретиком соборной культуры, преодолевающей индивидуализм, который идет от исторического Ренессанса. Русский ренессанс требовал возврата к древним истокам, к мистике Земли, к религии космической. В. Иванов почти отождествил христианство с дионисизмом. То было вместе с тем проповедью органической культуры в противоположность критической культуре просвещения. Художники-творцы не хотели оставаться в свободе индивидуализма, оторванного от всенародной жизни. То было время очень большой свободы творчества, но искали не столько свободы, сколько связанности творчества. Этим компенсировала себя культурная элита, изолированная, варящаяся в собственном соку, оторванная от народной жизни. Томление по всенародной, органической, коллективной, «соборной» культуре происходило в тепличной атмосфере. Но никто из творцов той эпохи не согласился бы на ограничение свободы своего творчества во имя какого-либо реального коллектива. И какая ирония судьбы! В России индивидуализм культурного творчества был преодолен и была сделана попытка создать всенародную, коллективную культуру. Но через какой срыв культуры! Это произошло после того, как был низвержен и вытеснен из жизни весь верхний культурный слой, все творцы русского ренессанса оказались ни к чему ненужными и в лучшем случае к ним отнеслись с презрением. «Соборность» осуществилась, но сколь непохожая на ту, которую искали у нас люди XIX и начала XX века. Думаю, что тут есть что-то очень глубокое и характерное для России и трагическое для ее судьбы. Русскому народу присущ своеобразный коллективизм, который нужно понять не социологически. Употребляю слово коллективизм условно, вернее было бы сказать «коммюнотарность». У нас совсем не было индивидуализма, характерного для европейской истории и европейского гуманизма, хотя для нас же характерна острая постановка проблемы столкновения личности с мировой гармонией (Белинский, Достоевский). Но коллективизм есть в русском народничестве, левом и правом, в русских религиозных и социальных течениях, в типе русского христианства. Хомяков и славянофилы, Вл. Соловьев, Достоевский, народные социалисты, религиозно-общественные течения начала XX века, Н. Федоров, В. Розанов, В. Иванов, А. Белый, П. Флоренский — все против индивидуалистической культуры, все ищут культуры коллективной, органической, «соборной», хотя и по-разному понимаемой. И осуществилось лишь обратное подобие этой «соборности» в русском коммунизме, который уничтожил всякую свободу творчества и создал культуру социального заказа, подчинив всю жизнь организованному извне механическому коллективу. И сейчас русские культурные люди могут лишь мечтать о свободе творчества, об индивидуальной независимости и достоинстве. Такова русская судьба, такова двойственность России.

Среди течений той бурной эпохи, вокруг первой, не великой революции, был «мистический анархизм». Это течение не имело широкого распространения и существовало лишь в петербургских литературных кругах. Но воспоминание о нем вот почему интересно для меня. Не я был глашатаем «мистического анархизма», глашатаями были Георгий Чулков и Вячеслав Иванов. Я даже был в оппозиции тем формам, какие это направление приняло. Но я все-таки убежден, что первым мистическим анархистом был я, и об этом я говорил с Мережковскими и другими. Это понятно. У меня всегда была анархическая тенденция, которая отделяла меня от социал-демократов и от либерально-радикальных освобожденцев. Особенно сталкивался я на этой почве с П. Струве, который делался все более и более государственником. И вместе с тем мой анархизм имел метафизическую основу и мистическую окраску. Лозунг о «неприятии мира», провозглашенный мистическим анархизмом, был изначальным лозунгом моей жизни, был моей метафизической природой, а не увлечением какой-то эпохи. Категория свободы была основной категорией моего религиозного мирочувствия и религиозного мышления. Я защищал свободу, как верховный принцип, против всякого освящения авторитета и власти. И ныне, в конце своего духовного пути, я чувствую себя более чем когда-либо «мистическим анархистом», хотя предпочитаю не употреблять это скомпрометированное словосочетание. И тем не менее я был противником «мистического анархизма» петербургской литературной среды того времени. Мне многое не нравилось в этом модном на короткое время течении. Мне казалось, что такого рода мистический анархизм равнодушен к истине, утверждает свободу, не связанную с истиной, и утверждает ее не для личности. Мне казалось также, что мистико-анархическая свобода была легкой, в то время как свобода трудна. Мне это течение не представлялось достаточно серьезным, оно носило исключительно литературный характер. Преобладал момент эстетический. Во мне нарастало внутреннее движение к христианству. Влияние мистико-анархических течений мне представлялось разлагающим. Я, очевидно, был «мистическим анархистом» в другом смысле, и тип мистического анархиста того времени мне был чужд. Я и сейчас мистический анархист в том смысле, что Бог. для меня есть прежде всего свобода и Освободитель от плена мира, Царство Божье есть царство свободы и безвластия. Социальные категории власти и господства я считаю непереносимыми на Бога и Его отношение к человеку и миру. В петербургский период моей жизни у меня рано началось отталкивание от той литературной среды, в которой я главным образом вращался, и восстание против нее. Мне очень не нравилось, что эта литературная среда так легко приспособлялась к характеру революционной атмосферы 1905—6 годов, в которой было много дурного. Мне всегда неприятна была литературщина, с которой, в годы изгнания, я встретился в Париже уже во французской среде. В ней не слово становилось плотью, а плоть словом. Словесные сочетания часто заменяли отношения реальные. В петербургский период мои отношения с ренессансной литературной средой связаны главным образом с Вячеславом Ивановым, центральной фигурой того времени. С ним у меня были долгие дружеские отношения, но было и немало драматических столкновений.

Вечеслав Иванов один из самых замечательных людей той, богатой талантами, эпохи. Было что-то неожиданное в том, что человек такой необыкновенной утонченности, такой универсальной культуры народился в России. Русский XIX век не знал таких людей. Вполне русский по крови, происходящий из самого коренного нашего духовного сословия, постоянно строивший русские идеологии, временами близкие к славянофильству и националистические, он был человеком западной культуры. Он долго жил за границей и приехал в Петербург, вооруженный греческой и европейской культурой более, чем кто-либо. В. Иванов — лучший русский эллинист. Он — человек универсальный: поэт, ученый филолог, специалист по греческой религии, мыслитель, теолог и теософ, публицист, вмешивающийся в политику. С каждым он мог говорить по его специальности. Это был самый замечательный, самый артистический козёр, какого я в жизни встречал, и настоящий шармёр. Он принадлежал к людям, которые имеют эстетическую потребность быть в гармонии и соответствии со средой и окружающими людьми. Он производил впечатление человека, который приспособляется и постоянно меняет свои взгляды. Меня это всегда отталкивало и привело к конфликту с В. Ивановым. В советский период я совсем с ним разошелся. Но в конце концов я думаю, что он всегда оставался самим собой. Он всегда поэтизировал окружающую жизнь и этические категории с трудом к нему применимы. Он был всем: консерватором и анархистом, националистом и коммунистом, он стал фашистом в Италии, был православным и католиком, оккультистом и защитником религиозной ортодоксии, мистиком и позитивным ученым. Одаренность его была огромная. Но поэтом он был ученым и трудным. Как поэт он стоит ниже А. Блока. Прежде всего он был блестящий эссеист. Более всего его соблазняло овладение душами. Петербургский период моей жизни очень связан с В. И. Ивановым и его женой Л. Д. Зиновьевой-Анибал, рано умершей. Так называемые «среды» Вяч. Иванова — характерное явление русского ренессанса начала века. На «башне» В. Иванова, так называлась квартира Ивановых на 7 этаже против Таврического сада, каждую среду собирались все наиболее одаренные и примечательные люди той эпохи: поэты, философы, ученые, художники, актеры, иногда и политики. Происходили самые утонченные беседы на темы литературные, философские, мистические, оккультные, религиозные, а также и общественные в перспективе борьбы миросозерцаний. В течение трех лет я был бессменным председателем на Ивановских средах. В. Иванов не допускал мысли, чтобы я когда-нибудь не пришел в среду и не председательствовал на симпозионе. По правде сказать, я всегда себя считал довольно плохим председателем и удивлялся, что мной как председателем дорожат. Я всегда был слишком активным, слишком часто вмешивался в спор, защищал одни идеи и нападал на другие, не мог быть «объективным». Иногда поэты читали свои стихи. Тогда моя роль была пассивной. Я не любил чтения стихов поэтами, потому что они ждали восхвалений. В. Иванов был незаменимым учителем поэзии. Он был необыкновенно внимателен к начинающим поэтам. Он вообще много возился с людьми, уделял им много внимания. Дар дружбы у него был связан с деспотизмом, с жаждой обладания душами. Он представлял тип, противоположный мне. У меня нет дара дружбы, я не способен уделять людям много внимания и у меня нет никакой потребности водительствовать душами. Я вообще совсем не учитель. У меня, вероятно, много равнодушия и нет никакого деспотизма и склонности к насилию, хотя в деятельности я был автократичен. Есть большое уважение ко всякой человеческой личности, но мало внимания. Многие находили, что у меня есть психологические способности и умение разбираться в людях, я не склонен ни к иллюзиям очарования, ни к разочарованию и низвержению предметов увлечения. Я никогда не имел склонности возиться с душами людей, влиять на них, направлять их. Я всегда был в духовной борьбе. В. Иванов был виртуозом в овладении душами людей. Его пронизывающий змеиный взгляд на многих, особенно на женщин, действовал неотразимо. Но в конце концов люди от него уходили. Его отношение к людям было деспотическое, иногда даже вампирическое, но внимательное, широко благожелательное. Когда я вспоминаю «среды», меня поражает контраст. На «башне» велись утонченные разговоры самой одаренной культурной элиты, а внизу бушевала революция. Это было два разобщенных мира. Иногда на «среде» появлялись представители революционных течений, например Луначарский, напоминавший о символе «серп и молот». Однажды, когда «среда» была особенно переполнена, был произведен обыск, произведший сенсацию. У каждой двери стояли солдаты с ружьями. Целую ночь всех переписывали. Для меня это не было новостью. Но в общем культурная элита была на «башне» изолирована. «Мистический анархизм», существовавший короткое время, нисколько не приближал к социальному движению того времени. Единственное, что верно, так это существование подпочвенной связи между дионисической революционной стихией эпохи и дионисическими течениями в литературе. В. Иванов был главным глашатаем дионисизма. Он самый замечательный специалист по религии Диониса. Стихи его полны дионисическими темами. Он любил говорить, что для Ницше дионисизм был эстетическим феноменом, для него же это религиозный феномен. Но сам В. Иванов не может быть назван дионисической натурой. Употребляя романтическую терминологию, можно сказать, что он не столько «натура», сколько «культура», он жил в отражениях культурных эпох прошлого. Менее всего он революционная натура.

Тут необходимо вспомнить об одном характерном проявлении того времени, вызвавшем ложные и нелепые резонансы и пересуды. Дионисическая настроенность, искание необыкновенного, непохожего на обыденность, привели группу писателей того времени к попытке создать что-то похожее на подражание «дионисической мистерии». В этом духе был устроен всего один вечер на квартире у Н. М. Минского. Вдохновителем был В. Иванов. Надеялись достигнуть экстатического подъема, выйти из обыденности. Выражалось это в хороводе. В этой литературно надуманной и не серьезной затее участвовали выдающиеся писатели с известными именами — В. Розанов, В. Иванов, Н. Минский, Ф. Сологуб и другие. Больше это не повторялось. Вспоминаю об этой истории с неприятным чувством. Пошли разные слухи и проникли в печать. Долгие годы спустя в правой обскурантской печати писали даже, что служили черную мессу. Все приняло крайне преувеличенные и легендарные формы. Я не вижу ничего хорошего в том «дионисическом» вечере, вижу что-то противное, как и во многих явлениях того времени. Но ничего ужасного не было, все было очень литературно, театрально, в сущности легкомысленно.

Годы моей петербургской жизни в общении с творцами культурного ренессанса были для меня сравнительно мало творческими. Я еще не вполне себя нашел и не вполне еще определил главную тему моей жизни. Мой кругозор расширился, я узнал для себя много нового, обогатился новыми эмоциями. Но хотя я довольно много писал, я не написал за эти годы ничего, за чем я мог бы признать сейчас устойчивое значение. Очень несовершенная книга «Новое религиозное сознание и общественность» выразила мои тенденции религиозного анархизма. Но во мне происходил потайной процесс, который не мог еще себя выразить. Это был прежде всего внутренний религиозный процесс, и он был в значительной степени связан с духовной реакцией против литературных течений того времени. У меня нарастало глубокое разочарование в литературной среде и желание уйти из нее. Мне казался

Петербург отравленным. Я взял на себя инициативу основания петербургского Религиозно-философского общества и должен был быть его председателем. Но в это время я уже не был уверен, что останусь в Петербурге. Я уехал в 1907 году из Петербурга, сначала в деревню, а потом в Париж, где провел зиму. Там я встретился с Мережковскими. Наше общение прошло в борьбе и взаимопротивлении. Мне были неприятны и чужды их настроения. Столкновение наиболее обострялось в теме о личности. Отношение Мережковских к революции из прекрасного далека было для меня неприемлемым. Они жили в литературно-религиозных схемах и не замечали процессы разложения и беснования в России. Жизнь в Париже не была для меня особенно радостной. У меня была сильная тяга к религиозной серьезности и религиозному реализму. На Мережковских я произвел впечатление человека, слишком приближающегося к православию. И в общении с Мережковскими я делался более православным, чем, может быть, был на самом деле. Во мне вызывало протест литературное сектантство. Меня всегда отталкивали опыты создания сектантской церкви. Новое христианское сознание я не мыслил в форме создания новых таинств. Новизна была для меня не в сакраментальной, а в пророческой сфере. Вся зима прошла в бурных спорах. В Петербург я уже не вернулся.

§

Для русских литературных течений начала XX века очень характерно, что скоро произошел поворот ренессанса к религии и христианству. Русские поэты не могли удержаться на эстетизме. Разными путями хотели преодолеть индивидуализм. Первым был в этом направлении Д. Мережковский. Потом главари русского символизма начали противополагать соборность индивидуализму, мистику эстетизму. В. Иванов и А. Белый были не только поэтами, но и теоретиками мистически окрашенного символизма. Произошло сближение с течением, вышедшим из марксизма и идеализма. Я, может быть, был в этом главным посредником. С З. Гиппиус, с В. Ивановым, с А. Белым меня связывали личные отношения, хотя не прочные и колеблющиеся. Были образованы Религиозно-философские общества в Москве, в Петербурге, в Киеве. Главным лицом тут был С. Н. Булгаков, один из самых замечательных людей начала века, который первый пришел к традиционному православию. В Москве образовалась Религиозно-философское общество «памяти Владимира Соловьева», в котором главными деятелями были С. Булгаков, князь Е. Трубецкой, В. Эрн, Г. А. Рачинский, позже В. Иванов. По переезде в Москву я вошел активно в это общество. Эти религиозно-философские круги мне казались более серьезными, чем литературные круги Петербурга. Но и тут, как и всегда и везде, я не почувствовал себя вполне дома. Я проходил странником через московские религиозно-философские и православные круги. В этой среде я был наиболее «левым» и «модернистом», наиболее представлявшим «новое религиозное сознание», несмотря на мое искреннее желание приобщиться к тайне Православной церкви. Одно время Религиозно-философские общества были довольно популярны, публичные доклады и диспуты посещались очень хорошо, культурная элита охотно ходила на собрания, это были умственные и духовные центры. Религиозно-философские общества выработали свой особый стиль постановки и обсуждения проблем. Каждая проблема обсуждалась в духовной целостности, в каждой проблеме философской, культурной, социально-исторической видели религиозное ядро и основу. Споры происходили на высоком культурном уровне и доходили до больших умственных утончений. Справедливость требует признать, что тут действовали люди самого высокого уровня умственной культуры, какой только знала Россия. Я активно участвовал в спорах в Pontigny и в «Union pour la vérité»[3] и должен сказать, что наши русские споры были выше и глубже. И вот в чем главная разница. В Западной Европе и особенно во Франции все проблемы рассматриваются не по существу, а в их культурных отражениях, в их преломлении в историческом человеческом мире. Когда ставилась, например, проблема одиночества (вспоминаю декаду в Pontigny, посвященную этой проблеме), то говорили об одиночестве у Петрарки, Руссо или Ницше, а не о самом одиночестве. Говорившие стояли не перед последней тайной жизни, а перед культурой. В этом сказывалась утомленность великой культурой прошлого, неверие в возможность разрешать проблему по существу. У нас в России, в период наших старых споров, дело шло о последних, предельных, жизненных проблемах, о первичном, а не об отраженном, не о вторичном. Так было не только в Религиозно-философских обществах, но и в спорах в частных домах, напоминавших споры западников и славянофилов

40 годов. Белинский говорил после спора, продолжавшегося целую ночь: «Нельзя расходиться, мы еще не решили вопроса о Боге». Так было и у нас, когда сходились С. Булгаков, М. Гершензон, Л. Шестов, В. Иванов, А. Белый, Г. Рачинский и другие. Но наша группа была немногочисленна. Большая часть интеллигенции интересовалась другими вопросами, имела другое миросозерцание. Хотя сознание интеллигенции начало уже меняться. Западные культурные люди мало верили в возможность решить вопрос о Боге и после споров расходились вовремя. Споры по целым ночам есть русское явление. Религиозно-философские общества имели свои границы и свои отрицательные стороны. Волевых актов из них не вытекало. Церковной реформы не могло произойти. Но их умственное и духовное влияние несомненно.

О моих опытах сближения с православной средой скажу, когда буду говорить о моем религиозном пути. В московский период это была для меня новая встреча. Была попытка восстановить прервавшуюся традицию. Самое понятие традиции было мне довольно чуждо. Впервые в Москве я захотел узнать этот мир, пройти через этот опыт. С Достоевским я изначально имел глубокую связь. Вл. Соловьева я уже читал раньше, но теперь читал с большим вниманием. Наиболее близка мне была идея Богочеловечества, которую продолжаю считать основной идеей русской религиозной мысли. Но соловьевцем я никогда не был. Даже большее значение имела для меня книга Несмелова «Наука о человеке», особенно второй том. Мысль Несмелова соответствовала моему коренному антропоцентризму. В Москве я начал внимательно читать славянофилов, которые раньше мне были чужды. Особенно заинтересовал меня Хомяков, и я начал о нем готовить книгу. Особенно близка мне была хомяковская идея свободы как основа христианства и церкви. Достоевский и Хомяков были глашатаями религиозной свободы. Читал я также в это время святоотеческую литературу, но большой любовью к ней не проникся. Из учителей церкви любил я главным образом Оригена и особенно святого Григория Нисского; из аскетико-мистической литературы глубже других мне казался Исаак Сирианин. В эти годы подготовлялась русская оригинальная религиозная философия. В Москве я встретил у С. Булгакова П. Флоренского, человека очень оригинального и больших дарований. Это одна из самых интересных фигур интеллектуальной России того времени, обращенных к православию. С П. Флоренским у нас было изначальное взаимное отталкивание, слишком разные мы были люди, враждебно разные. Самые темы у нас были разные. Если от Мережковского меня отталкивала двойственность, переходящая в двусмысленность, отсутствие волевого выбора, злоупотребление литературными схемами, то от Флоренского отталкивал его магизм, первоощущение заколдованности мира, вызывающее не восстание, а пассивное мление, отсутствие темы о свободе, слабое чувство Христа, его стилизация и упадочность, которую он ввел в русскую религиозную философию. В Флоренском меня поражало моральное равнодушие, замена этических оценок оценками эстетическими. Флоренский был утонченный реакционер. Подлинной традиционности в нем не было. Об его книге «Столп и утверждение истины», книге блестящей, имевшей большой успех и влияние в некоторых кругах, я написал статью под названием «Стилизованное православие». За эту статью на меня очень нападали. В книге Флоренского чувствовалась меланхолия осени, падающих осенних листьев. Флоренский был универсальный человек, он талантливый математик, физик, филолог, оккультист, поэт, богослов, философ. Наиболее ценной мне казалась психологическая сторона книги, самая замечательная глава о сомнении. Но я не нахожу, чтобы у него был специфический философский дар. У него можно найти элементы экзистенциальной философии, во всяком случае экзистенциального богословия. Чувствовалась при большой одаренности большая слабость, бессильная борьба с сомнением, искусственная и стилизованная защита консервативного православия, лиризм, парализующий энергию, преобладание стихии религиозного мления. В Флоренском и его душевной структуре было что-то тепличное, отсутствие свободного воздуха, удушье. Он был во всем стилизатор, говорил искусственно тихим голосом, с опущенными вниз глазами. В своей книге он борется с самим собой, сводит счеты с собственной стихийной натурой. Он как-то сказал в минуту откровенности, что борется с собственной безграничной дионисической стихией. Одно время он пил. В Флоренском было что-то соблазняющее и прельщающее. В этом он походил на В. Иванова. Он был инициатором нового типа православного богословствования, богословствования не схоластического, а опытного. Он был своеобразным платоником и по-своему интерпретировал Платона. Платоновские идеи приобретали у него почти сексуальный характер. Его богословствование было эротическое. Это было ново в России. Он также по-своему ждал новой эпохи Духа в христианстве, но был связан и скован. От Флоренского пошла и софиология, хотя он не разработал и не развил ее так, как потом С. Булгаков. Творческая инициатива во многом принадлежала Флоренскому. Но центральной фигурой православного возрождения начала XX века был С. Булгаков.

Моя религиозная философия, которая была вполне осознана и выражена лишь в книге «Смысл творчества», отличалась от преобладающего течения. В основании ее лежали иные темы и проблемы, иной духовный опыт. Я, вероятно, более всех был сосредоточен на теме о человеке. Я был не столько теологом, сколько антропологом. Исходной была для меня интуиция о человеке, о свободе и творчестве, а не о Софии, не об освящении плоти мира, как для других. Меня более всего мучило зло мировой и человеческой жизни. Это не тождествовало с чувством греха, как, например, у Кальвина и Лютера, у янсенистов, в аскетико-монашеском православии. Я изначально чувствовал падшесть мира и несчастье человека, но верил в высшую природу человека. По теме зла мне были родственны Маркион и гностики, Достоевский и Кирхегардт, которого, впрочем, я узнал очень поздно. Достоевский мне всегда был ближе, чем Вл. Соловьев и славянофилы. Достоевский ведь тоже был прежде всего антропологом, он делал открытия о человеке. Мне всегда было чуждо освящение исторической плоти, и в этом я не был в настроениях эпохи. Я никак не мог принять вечных консервативных начал, вытекающих из сакрализации исторических тел благодатной божественной энергией. Это было противно моему пафосу свободы и творчества человека, моей борьбе за ценность личности. Мне оставалась также чуждой тяга вновь обращенной интеллигенции к священству. Священниками стали П. Флоренский, С. Булгаков, С. Соловьев, поэт, племянник Вл. Соловьева, потом перешедший в католичество, С. Дурылин, В. Свентицкий, с которым связана нашумевшая в свое время история извержения его из среды Религиозно-философского общества. Антипатия к клерикализму осталась во мне сильной и неизменной эмоцией. Я никогда не мог преодолеть некоторой отчужденности от духовного сословия. В этом могли усмотреть пережиток дворянско-вольтерианских чувств. Мой антиклерикализм особенно сказался в эмиграции, захваченной клерикальными настроениями. Более сочувственно я относился к старчеству. Об этом, как и о кружке Новоселова, расскажу потом. Но абсолютный авторитет старцев был для меня также неприемлем. Внутренне я остался религиозным анархистом, хотя это требует разъяснения.

Можно было бы установить два течения той эпохи, связанные с мистическими и религиозными исканиями. Одно течение представляла православная религиозная философия, мало, впрочем, приемлемая для официальной церковности. Это прежде всего С. Булгаков, П. Флоренский и группирующиеся вокруг них. Другое течение представляла религиозная мистика и оккультизм. Это А. Белый, В. Иванов в самом характерном для него и даже А. Блок, несмотря на то, что он не склонен был ни к каким идеологиям, молодежь, группировавшаяся вокруг издательства «Мусагет», антропософы. Одно течение вводило софийность в систему православной догматики. Другое течение было пленено софийностью алогической. Космическое прельщение, характерное для всей эпохи, было и там и здесь. За исключением С. Булгакова, для этих течений совсем не стоял в центре Христос и Евангелие. Эрос подавлял агапэ. П. Флоренский, несмотря на все его желание быть ультраправославным, был весь в космическом прельщении. Религиозное возрождение было христианообразным, обсуждались христианские темы и употреблялась христианская терминология. Но был сильный элемент языческого возрождения, дух эллинский был сильнее библейского мессианского духа. В известный момент произошло смешение разных духовных течений. Эпоха была синкретической, она напоминала искание мистерий и неоплатонизм эпохи эллинистической и немецкий романтизм начала XIX века. Настоящего религиозного возрождения не было, но была духовная напряженность, религиозная взволнованность и искание. Было чувство таинственности мира. Была новая проблематика религиозного сознания, связанная еще с течениями XIX века (Хомяков, Достоевский, Вл. Соловьев). Но официальная церковность оставалась вне этой проблематики. Религиозной реформы в церкви не произошло. В это время был открыт Н. Федоров, которого раньше совсем не знали. Это я считаю очень ценным. Н. Федоров во многом мне очень близок. Была открыта Анна Шмидт, биографически связанная с Вл. Соловьевым. Ею одно время были очень увлечены. Я был во внутренней оппозиции против большей части течений, и это, вероятно, раздражало. Если у многих можно было обнаружить пантеистическую тенденцию (результат космоцентризма), то у меня была скорее тенденция дуалистическая, хотя это дуализм относительный. В этот мой период я вновь почувствовал острое одиночество. Для меня имела значение дружба с Е. Г., которую я считаю одной из самых замечательных женщин начала XX века, утонченно-культурной, проникнутой веяниями ренессансной эпохи. Ее связывала также дружба с В. Ивановым. Ей принадлежат «Письма оттуда», напечатанные в «Современных записках», которые, впрочем, не дают о ней вполне верной характеристики. Мои долгие интимные беседы с Е. Г. вспоминаются как очень характерное явление той эпохи. Русский ренессанс, по существу романтический, отразился в одаренной женской душе. Я боролся с многими течениями, между прочим и с попыткой насадить в России чисто немецкое течение. Это был философский журнал «Логос», а также «Мусагет» (Ф. Степун, Э. Метнер и молодежь вокруг). А. Белый был тоже чисто немецкого направления, несмотря на свою русскую неорганизованность и хаотичность. Сам я вышел из Канта и немецкого идеализма и многим ему обязан, но господство неокантианства (Коген, Риккерт) вызывало во мне бурное сопротивление, и это выразилось в воинственных спорах. Многие споры разыгрывались в философском кружке, собиравшемся у М. К. Морозовой. Благодаря моей склонности к протесту и к спору, к парадоксальным преувеличениям мою мысль неверно воспринимали.

§

Русский культурный ренессанс начала века был одной из самых утонченных эпох в истории русской культуры. Это была эпоха творческого подъема поэзии и философии после периода упадка. Это была вместе с тем эпоха появления новых душ, новой чувствительности. Души раскрылись для всякого рода мистических веяний, и положительных и отрицательных. Никогда еще не были так сильны у нас всякого рода прельщения и смешения. Вместе с тем русскими душами овладели предчувствия надвигающихся катастроф. Поэты видели не только грядущие зори, но что-то страшное, надвигающееся на Россию и мир (А. Блок, А. Белый). Религиозные философы проникались апокалиптическими настроениями. Пророчества о близящемся конце мира, может быть, реально означали не приближение конца мира, а приближение конца старой, императорской России. Наш культурный ренессанс произошел в предреволюционную эпоху, в атмосфере надвигающейся огромной войны и огромной революции. Ничего устойчивого более не было. Исторические тела расплавились. Не только Россия, но и весь мир переходил в жидкое состояние. Но апокалиптическое настроение, ожидание грядущих катастроф у русских всегда связано и с великой надеждой. Русский народ, подобно народу еврейскому, — народ мессианский. В лучшей своей части он ищет Царства Божьего, ищет правды и уповает, что не только день Божьего суда, но и день торжествующей Божьей правды наступит после катастроф, испытаний и страданий. Это есть своеобразный русский хилиазм. Он был и в дехристианизированном русском сознании. В культурном ренессансе это носило характер слишком литературный и оторванный от народных движений. О моем соприкосновении с народными религиозными движениями и чаяниями я буду говорить в следующей главе. Трагично для русской судьбы было то, что в революции, готовившейся в течение целого столетия, восторжествовали элементарные идеи русской интеллигенции. Русская революция идеологически стала под знак нигилистического просвещения, материализма, утилитаризма, атеизма. «Чернышевский» совсем заслонил «Вл. Соловьева». Раскол, характерный для русской истории, раскол, нараставший весь XIX век, бездна, развернувшаяся между верхним утонченным культурным слоем и широкими кругами, народными и интеллигентскими, привели к тому, что русский культурный ренессанс провалился в эту раскрывшуюся бездну. Революция начала уничтожать этот культурный ренессанс и преследовать творцов культуры. Русская революция, социально передовая, была культурно реакционной, ее идеология была умственно отсталой. Нигилизм, захвативший в 60 годы часть интеллигенции, теперь перешел на народный слой, в который начало проникать элементарное просвещенство, культ естественных наук и техники, примат экономики над духовной культурой. Это соответствовало человеку ressentiment из народа. Это было, по-видимому, неотвратимо, необходимо для социального переустройства России. Но для творцов культуры, для людей мысли и духа положение стало трагическим и непереносимым. Деятели русской духовной культуры в значительной своей части принуждены были переселиться за рубеж. Отчасти это была расплата за социальное равнодушие творцов духовной культуры.

Трагизм положения увеличился еще оттого, что творцы культуры начала века встретились за рубежом с очень неблагоприятной средой, образовавшейся из гражданской войны. Произошло столкновение с ультрареакционным течением в эмиграции, с консервативно-традиционным и клерикальным православием, не желающим знать всего творческого движения религиозной мысли начала XX века, с реставрационной политикой, вожделеющей утерянного привилегированного положения. Я опишу это в одной из последних глав. И вот что мучительнее и поразительнее всего. Коммунистическая революция истребила свободу духа и мысли и сделала невыносимым положение деятелей культуры и мысли. Но значительная часть эмиграции так же ненавидит свободу и хочет ее истребить, так же проникнута элементарными идеями, так же подчиняет дух интересам политики, так же не принимает наследия культурного ренессанса. Это особенно сказывается в сфере религиозной. Но последствия творческого духовного подъема начала XX века не могут быть истреблены, многое осталось и будет в будущем восстановлено.

Глава VII

ПОВОРОТ К ХРИСТИАНСТВУ.
РЕЛИГИОЗНАЯ ДРАМА.
ДУХОВНЫЕ ВСТРЕЧИ

Я начинаю писать эту главу в страшные и мучительные дни европейской истории. Достаточно сказать, что это июнь 1940 года. Целые миры рушатся и возникают еще неведомые миры. Жизнь людей и народов выброшена во вне, и эта выброшенность во вне определяется прежде всего страшной трудностью и стесненностью жизни. И опять с необыкновенной остротой стоит передо мной вопрос, подлинно ли реален, первичен ли этот падший мир, в котором вечно торжествует зло и посылаются людям непомерные страдания? Это обращает к религиозной теме, которая мучила меня всю жизнь. Я не считаю себя принадлежащим к типу homo religiosus в традиционном смысле, но религиозная тема была для меня преобладающей всю жизнь. Всю жизнь, с детских лет, меня мучают «проклятые вопросы», которые Достоевский считал столь характерными для «русских мальчиков». Таким «русским мальчиком» я остаюсь и на склоне лет. Во времена моей марксистской молодости один довольно культурный марксист немецкой формации мне говорил с укором, что, в сущности, я человек религиозный, что у меня есть потребность в оправдании смысла жизни и в вечности. Для меня характерно сильное чувство, что этим принудительно данным миром не исчерпывается реальность, что есть иной мир, реальность метафизическая, что мы окружены тайной. Мне свойственно переживание Mysterium tremendum (выражение Р. Отто)[1]. Наш мир, которым для слишком многих исчерпывается реальность, мне представляется производным. Он далек от Бога. Бог в центре. Все далекое от Бога провинциально. Жизнь делается плоской, маленькой, если нет Бога и высшего мира. В таком мире, лишенном измерения глубины, нет и настоящей трагедии, и это, вероятно, и пленяет многих. Величавость и торжественность греческой трагедии определялась тем, что люди поставлены перед роком, то есть тайной, и что с людьми действуют и боги. Я никогда не мог идти путем имманентного изживания жизни, всегда стремился выйти за грань всякой имманентной данности жизни, то есть к трансцендентному. Но переживание трансцендентного есть имманентный духовный опыт, трансцендентное не есть авторитет. Отношения имманентного и трансцендентного относительны и парадоксальны. Я все переживаю как свой духовный путь. Религиозная жизнь всегда личная, и личная она именно в своем углублении. Уже с детства начал определяться мой религиозный тип как духовно-внутренний и свободный. Первично внутреннее духовное откровение, в духе явлен Христос-Богочеловек. Историческое откровение есть лишь символизация мистерии духа, и оно всегда ограничено состоянием сознания людей и социальной средой. Все внешнее, все кажущееся извне данным есть лишь символизация моего духа, моего духовного пути и духовной борьбы. Весь мир с его массивностью, его давлением на меня есть лишь символика процессов духа, лишь экстериоризация, самоотчуждение и отяжеление духа. Я никогда не мог принять откровения извне, из истории, из традиции. Религиозную историю, религиозную традицию я мог принять лишь как знаки совершающегося в глубине, как символику духа, как относительное, а не абсолютное. Это всю жизнь оставалось во мне неизменным. Я никогда не мог вполне войти ни в какую точку времени и пространства, ни в какое мгновение и ни в какое место. Центр меня самого и всего для меня помещался в ином плане. Все, что во времени и пространстве, было для меня лишь символом, знаком иного, иной жизни, движения к трансцендентному. Но при этом я не терял чувства и сознания так называемых «реальностей», мог о них рассудительно говорить. Я делал вид, что нахожусь в этих реальностях внешнего мира, истории, общества, хотя сам был в другом месте, в другом времени, в другом плане. Я часто определял себя для самого себя как существо многопланное и многоэтажное. Я говорил уже это. Я мог говорить о войне, о политике, об обыденной жизни так, как будто бы я верил, подобно многим людям, в первичную, подлинную реальность всего этого. Но в действительности я отсутствовал из всего того, о чем рассудительно говорил. Никакие танки и разрушительные бомбардировки не могли убедить меня в глубокой, первичной и последней реальности происходящего в мире. Для меня это лишь символы иного. Я трезво, не мечтательно отношусь к действительности. Но я не «реалист» в обычном смысле слова и уж совсем не «позитивист». Между тем у традиционно верующих людей я всегда замечал очень сильный элемент «позитивизма». Это размышление вводит в религиозную тему моей жизни. Эту главу мне труднее писать, чем все остальные главы книги. Это глава наиболее ответственная. Тут необходима большая правдивость и откровенность. И правдивость эта трудна совсем не потому, что не хочешь быть правдивым, а потому, что правдивость в этой сфере трудна по существу. То, что я напишу, вероятно, не понравится многим и при том с самых противоположных сторон. Ошибочно было бы думать, что для меня религия и философия отождествлялись как для Гегеля. Для этого слишком большое имел значение в моей жизни момент трагически-конфликтный.

§

У меня не было традиционного православного детства, я не изошел ни от какой наивной ортодоксии. В шиллеровском смысле «наивная» ортодоксия существует лишь у тех, кто имеет ее с детства, по наследству, в кровной традиции. Всякая другая ортодоксия должна быть названа «сентиментальной». В нашей семье не было традиционной православной атмосферы. Мой отец был вольтерианец-просветитель. Во вторую половину жизни он сочувствовал религиозным идеям Л. Толстого. Он верил в Бога в деистическом смысле. Почитал Иисуса Христа, но христианство сводил исключительно к любви к ближнему. Он любил читать Библию и на полях делал свои критические замечания совершенно в вольтерианском, рационалистическом духе. К церковным догматам относился отрицательно и видел в них искажение учения Христа. За обедом он любил нападать на Библию и на церковь и высмеивать традиционные взгляды. Это вызывало у матери реакцию, и она говорила: «Alexandre, si tu continues, je m'en vais»[2]. Я говорил уже, что моя бабка, мать отца, была монахиней. В детстве отец жил в церковно-монашеской атмосфере, и его заставляли большую часть года поститься. Это вызвало в нем отрицательную реакцию. Он определился в одной из традиций русского барства, в традиции вольтерианско-просветительской. Мать моя была полуфранцуженка, по воспитанию и складу своему более француженка, чем русская. Хотя по рождению она была православная, но ее традиционная религиозность была усвоена от католической матери. Мать очень не любила, когда ей говорили, что существует разница между православием и католичеством, она сердилась и говорила, что разницы никакой нет. Ничего традиционно

158

православного в ней не было. В детстве у меня не было радостных и пленяющих впечатлений от православной церковной службы, которые остаются на всю жизнь. Мои родители были в дружбе с киевским генерал-губернатором, и меня в детстве водили в генерал-губернаторскую церковь. Там атмосфера не была духовно-православной, это была атмосфера императорского, государственного православия. У меня осталось отталкивающее воспоминание о генералах в лентах и звездах, которые ходили в церковь по долгу службы. На Печерске, в монастырях, была православная церковная атмосфера, но от Печерска после смерти бабушки наша семья отошла, и мы там редко бывали. Да я и не любил монахов. Всякий раз, когда я бывал в Печерске, я испытывал меланхолию и тоску. С Печерском для меня было связано что-то могильное. Я также никогда не любил церковнославянского языка. Эстетически я даже предпочитал церковную латынь, и мне больше нравилась католическая служба. Всю мою жизнь, когда я входил в готический храм на католическую мессу, меня охватывало странное чувство воспоминания о чем-то очень далеком, как бы происходившем в другом воплощении. Я всегда в этом чувствовал что-то таинственное. Но в самых первоначальных формах моей религиозности элемент сакраментально-литургический был сравнительно слабо выражен. Мои религиозные переживания носили иной характер. Как я говорил уже, в кадетском корпусе я однажды на экзамене получил при двенадцатибалльной системе 1 по Закону Божьему (по богослужению). Священник не предвидел, что я буду автором многих книг по религиозной философии. 1 по Закону Божьему был скандал небывалый в истории кадетского корпуса. Для меня это характерно. Я никогда не мог пассивно что-нибудь выучить, не мог выучить и богослужения. И я никак не связывал богослужения со своим ранним исканием смысла жизни и вечности. В моем отношении к Православной церкви всегда было что-то мучительное, никогда не было цельности. Я всегда оставался свободным искателем истины и смысла. Меня рано начала мучить религиозная тема, я, может быть, раньше, чем многие, задумался над темой о тленности всего в мире и над вечностью. Но я не помню в своем детстве ортодоксальных религиозных верований, к которым я мог бы вернуться. Во мне, в сущности, никогда не произошло того, что называют возвращением к вере отцов. Более всего меня всегда отталкивала всякая родовая религиозность. Только в начале московского периода моей жизни я впервые почувствовал красоту старинных церквей и православного богослужения и пережил что-то похожее на то, что многие переживают в детстве, но при ином состоянии сознания. Я всегда чувствовал огромное различие между мной и С. Булгаковым в отношении к унаследованной православной традиции. С. Булгаков происходил из среды православного духовенства, его предки были священники. Я же происхожу из среды русского дворянства, проникнутого просветительски-вольтерианскими, свободомыслящими идеями. Это создает разные душевные типы религиозности даже при сходстве религиозных идей.

Во мне также сравнительно слабо была выражена та основа, которую условно можно назвать натуральным язычеством. Слишком сильно у меня было чувство зла и падшести мира, слишком остро было чувство конфликта личности и мира, космического целого. Нет для меня ничего более чуждого, чем идея космической гармонии. Я много раз задумывался над тем, действительно ли сильно во мне чувство греха, греха личного, греха человеческой природы вообще. Вопрос этот мне представляется сложным. Думаю, что я сильнее чувствую зло, чем грех. Я поражен глубоким несчастьем человека еще более, чем его грехом. Для меня всегда было неприемлемо понятие греха как преступления, вызывающего гнев и кару со стороны Бога. Падшесть мира означает не только греховность мира, ее значение шире. По характеру своему я очень склонен чувствовать собственное несовершенство и греховность. Мне совершенно чуждо чувство самоправедности. Но я с особенной силой чувствую страдание и несчастье. В мировой жизни есть глубокая неправда, есть безвинное страдание. Это с трудом может признать учение о греховности, которое считается наиболее ортодоксальным. Я еще буду говорить о том, что учение о Промысле требует радикальной переработки. В традиционной своей форме это учение ведет к атеизму. Моя вера, спасающая меня от атеизма, вот какова: Бог открывает Себя миру, Он открывает Себя в пророках, в Сыне, в Духе, в духовной высоте человека, но Бог не управляет этим миром, который есть отпадение во внешнюю тьму. Откровение Бога миру и человеку есть откровение эсхатологическое, откровение Царства Божьего, а не царства мира. Бог есть правда, мир же есть неправда. Но неправда, несправедливость мира не есть отрицание Бога, ибо к Богу неприменимы наши категории силы, власти и даже справедливости. Нет ничего мне более чуждого, чем довольство миром, чем оправдание миропорядка. По своему первичному чувству жизни я всегда был спиритуалистом. Слово «спиритуализм» я употребляю не в школьном смысле и не связываю ни с какой метафизической теорией. Спиритуалистическая направленность соединялась во мне с направленностью антропоцентрической, с признанием центрального значения человека. Антропоцентризм я всегда противополагал космоцентризму. Мне всегда с укором говорили, что я не люблю материи и чураюсь материальной стороны жизни. Это требует разъяснения. Ошибочно ставить знак равенства между телом и материей. Тело человека есть прежде всего форма, а не материя. Форма тела не определяется материальным составом. Парадоксально можно было бы сказать, что тело есть дух. Я люблю форму тела, но не люблю материи, которая есть тяжесть и необходимость. Форма тела относится к личности и наследует вечность. Материя же («плоть и кровь») не наследует вечности. Карус интересно говорит, что душа находится не в мозгу, а в форме. По своему основному жизне- и мироощущению я никогда не мог быть подавлен массивностью и тяжестью авторитарной религиозной традиции. Мне нисколько не импонировала эта массивность. Я вижу в ней отяжеление падшестью мира. Я видел социологическое объяснение того, чему придавали священное значение в истории. Иногда во мне просыпался марксист в объяснении истории. Более всего я сопротивлялся внутри христианства религиозному материализму. Поэтому же у меня есть отталкивание от магических элементов религии. Моральный элемент связан с свободой, магический элемент связан с необходимостью и закованностью. Я очень не люблю суеверные и, в сущности, языческие элементы в христианстве. Между тем эти элементы очень выдвигались людьми начала века, обернувшимися к христианству. Магизм был очень популярен, очень в моде. Я не отрицаю реальности магического, но иначе его оцениваю. Христианство в истории очень сложный комплекс. В известном смысле можно сказать, что историческое христианство создано церковью, религиозным коллективом, как социологическим феноменом. Новое состояние религиозного коллектива (соборности) может многое изменить. Структура сознания тут играет огромную роль. Наиболее вечной, наиболее возвышающейся над социологической символикой мне представлялась эсхатологическая сторона христианства.

§

Припоминая свой духовный путь, я принужден сознать, что в моей жизни не было того, что католики и протестанты (гораздо менее православные) называют convertion и чему приписывают такое центральное значение. Я говорил уже, что у меня не было резкого обращения, перехода от совершенной тьмы к совершенному свету. С известного момента моей жизни, которого я не мог бы отнести к определенному дню моей жизни, я сознал себя христианином и вошел в путь христианства. Припоминаю только одно мгновение летом в деревне, когда я шел в тяжелом настроении, уже в сумерки, в саду и нависли тучи. Тьма сгустилась, но в моей душе вдруг блеснул свет. И это пережитое мгновение я не называю резким обращением, потому что до этого я не был ни скептиком, ни материалистом, ни атеистом, ни агностиком, и после этого у меня не были сняты внутренние противоречия, не наступило полного внутреннего покоя и не перестала меня мучить сложная религиозная проблематика. Для описания своего духовного пути я должен все время настаивать на том, что я изошел в своей религиозной жизни из свободы и пришел к свободе. Но свободу эту я переживал не как легкость, а как трудность. В этом понимании свободы, как долга, бремени, как источника трагизма жизни мне особенно близок Достоевский. Именно отречение от свободы создает легкость и может дать счастье послушных младенцев. Даже грех я ощущаю не как непослушание, а как утерю свободы. Свободу же ощущаю как божественную. Бог есть свобода и дает свободу. Он не Господин, а Освободитель, Освободитель от рабства мира. Бог действует через свободу и на свободу. Он не действует через необходимость и на необходимость. Он не принуждает Себя признать. В этом скрыта тайна мировой жизни. Это первичный религиозный опыт, замутненный и искаженный наслоениями мировой необходимости. В применении к себе я потому уже предпочитаю не говорить о резкой convertion, что я не верю в существование единой, целостной ортодоксии, в которую можно было бы обратиться. Я не богослов, моя постановка проблем, мое решение этих проблем совсем не богословские. Я представитель свободной религиозной философии. Но я читал много богословских книг, я хотел узнать и определить, что такое «православие». Свои чтения и размышления я проверял и дополнял общением с духовным миром православия, с представителями православной мысли. В результате долгого пути я принужден сознать, что православие неопределимо, гораздо менее определимо, чем католичество и протестантизм. Я считал это преимуществом православия, его меньшей рационализованностью и видел в этом его большую свободу. Я, по совести, не могу себя признать человеком ортодоксального типа, но православие мне было ближе католичества и протестантизма, и я не терял связи с Православной церковью, хотя конфессиональное самоутверждение и исключительность мне всегда были чужды и противны. Наблюдая над одним богословом, который признавал себя ультраортодоксальным и даже единственным подлинно православным, я так определил это православное сознание. «Православие — это я», — говорит этот ревнитель ортодоксии и обличитель ересей. Если бы я во что бы то ни стало стоял за наименование, то я бы ему ответил: «Твой критерий формально верный, но ошибка твоя в утверждении, что православие это ты, православие это не ты, а я». Я давно заметил, что представители ортодоксии и авторитета, в сущности, никакого авторитета для себя не признают; они себя считают авторитетом и обличают в ересях митрополитов и епископов; для себя они признают большую свободу и отрицают ее лишь для других. Для более радикального обращения в православие в мое время началось особенное увлечение восточными отцами церкви, которым нередко приписывали то, чего у них найти нельзя. Но греческих отцов церкви я всегда ценил гораздо более, чем западных, чем схоластиков. Святой Серафим Саровский стал излюбленным святым, и у него хотели увидеть и то, чего у него не было. В те годы часто более искали экстаза, чем истины. Это видно по совершенному равнодушию к исторической критике.

§

В центре моего религиозного интереса всегда стояла проблема теодицеи. В этом я сын Достоевского. Единственным серьезным аргументом атеизма является трудность примирить существование всемогущего и всеблагого Бога со злом и страданиями мира. Все богословские учения мне представлялись недопустимой рационализацией тайны. Проблема теодицеи была для меня прежде всего проблемой свободы, основной в моей философской мысли. Я пришел к неизбежности допустить существование несотворенной свободы, что, в сущности, означает признание тайны, не допускающей рационализации, и описание духовного пути к этой тайне. Во многих книгах я развивал свою философию свободы, связанную и с проблемой зла, и с проблемой творчества. В период, о котором я говорю, я выпустил книгу «Философия свободы», еще несовершенный эскиз моей философии свободы. Впоследствии меня более всего упрекали за мою идею «несотворенной свободы» (терминология у меня выработалась лишь постепенно). Обычно связывали эту идею с учением любимого мной Я. Беме об Ungrund'e. Но у Беме Ungrund, то есть, по моему толкованию, первичная свобода, находится в Боге, у меня же вне Бога. Первичная свобода вкоренена в ничто, в меоне. И это совсем не должно означать онтологического дуализма, который есть уже рационализация. Наибольшую критику во мне вызывает традиционное учение о Промысле, которое, в сущности, есть скрытый пантеизм в наименее приемлемой форме. Об этом я говорил уже. Если Бог-Пантократор присутствует во всяком зле и страдании, в войне и в пытках, в чуме и холере, то в Бога верить нельзя, и восстание против Бога оправдано. Бог действует в порядке свободы, а не в порядке объективированной необходимости. Он действует духовно, а не магически. Бог есть Дух. Промысел Божий можно понимать лишь духовно, а не натуралистически. Бог присутствует не в имени Божьем, не в магическом действии, не в силе этого мира, а во всяческой правде, в истине, красоте, любви, свободе, героическом акте. Наиболее неприемлемо для меня чувство Бога как силы, как всемогущества и власти. Бог никакой власти не имеет. Он имеет меньше власти, чем полицейский. Категория власти и могущества социологическая, она относится лишь к религии как социальному явлению, есть продукт социальных внушений. Бог не имеет власти, потому что на Него не может быть перенесено такое низменное начало, как власть. К Богу не применимо ни одно понятие, имеющее социальное происхождение. Государство есть довольно низменное явление мировой действительности, и ничто, похожее на государство, не переносимо на отношения между Богом и человеком и миром. На Бога и божественную жизнь не переносимы отношения властвования. В подлинном духовном опыте нет отношений между господином и рабом. Тут правда целиком в теологии апофатической. Катафатическая теология находится во власти социальных внушений. Очищение и освобождение христианского сознания от социоморфизма мне представляется важной задачей христианской философии. Теология находится во власти социоморфизма, она мыслит

Бога в категориях социальных отношений властвования. И это особенно относится к теологической мысли о Боге-Отце, о Боге как Творце мира. Я всегда сильнее чувствовал Бога-Сына, Христа-Богочеловека, Бога человечного, чем Бога-Силу, Бога-Творца. Это и означало, что мысль о Боге-Отце, Творце мира, мне представлялась наиболее зараженной и искаженной космоморфизмом и социоморфизмом. В Бога можно верить лишь в том случае, если есть Бог-Сын, Искупитель и Освободитель, Бог жертвы и любви. Искупительные страдания Сына Божьего есть не примирение Бога с человеком, а примирение человека с Богом. Только страдающий Бог примиряет со страданиями творения. Чистый монотеизм не приемлем и есть последняя форма идолопоклонства. В противоположность Шлейермахеру и многим другим я думаю, что религия есть не чувство зависимости человека, а есть чувство независимости человека. Человек есть существо, целиком зависимое от природы и общества, от мира и государства, если нет Бога. Если есть Бог, то человек есть существо, духовно независимое. И отношение к Богу определяется не как зависимость человека, а как его свобода. Бог есть моя свобода, мое достоинство духовного существа. Ложное учение о смирении исказило христианство и унизило человека как богоподобного духовного существа. Оно, конечно, тоже есть порождение социоморфизма. Самое истолкование грехопадения носит социоморфический характер, то есть понимается как непослушание верховной власти, как неподчинение высшей силе. Это есть наследие первобытных верований. Но грехопадение можно понять как утерю свободы или как испытание свободы. Все, что я говорю сейчас, было для меня не продуктом отвлеченной мысли, а духовного опыта, жизненного пути. Я мог принять и пережить христианство лишь как религию Богочеловечества.

Для меня говорить о Богочеловечестве и богочеловечности значит говорить о религии, в которую я обратился. Я стал христианином не потому, что перестал верить в человека, в его достоинство и высшее назначение, в его творческую свободу, а потому, что искал более глубокого и прочного обоснования этой веры. В этом я всегда чувствовал разницу между собой и большей частью людей, обратившихся в христианство, православных ли или католиков и протестантов. Мою веру не может пошатнуть необыкновенно низкое состояние человека, потому что она основана не на том, что думает сам человек о человеке, а на том, что думает о человеке Бог. В христианстве есть двойственность в отношении к человеку. С одной стороны, человек есть существо падшее и греховное, не способное собственными силами подняться, свобода его ослаблена и искажена. Но с другой стороны, человек есть образ и подобие Божье, вершина творения, он призван к царствованию, Сын Божий стал человеком, и в Нем есть предвечная человечность. Существует соизмеримость между человеком и Богом в вечной человечности Бога. Без этой соизмеримости нельзя понять самой возможности откровения. Откровение предполагает активность не только Открывающегося, но и воспринимающего откровение. Оно двучленно. Из Халкидонского догмата о Богочеловечестве Иисуса Христа не было сделано антропологических выводов, стоящих на высоте откровения Богочеловечества. Я много критиковал гуманизм в той его форме, в какой он сложился в века новой истории. Гуманизм переживает кризис и крах, поскольку он приходит к сознанию самодостаточности человека. Достоевский и Ницше с наибольшей силой обозначают этот кризис гуманизма, этот переход его в антигуманизм, в отрицание человечности. Но мне самому глубоко присущ религиозный гуманизм, вера в человечность Бога. Это человек бесчеловечен, Бог же человечен. Человечность есть основной атрибут Бога. Человек вкоренен в Боге, как Бог вкоренен в человеке. Эта первичная истина затемнена и даже закрыта падшестью человека, его экстериоризацией, его отпадением не только от Бога, но и от собственной человеческой природы. Вот как я осознал для себя основной миф христианской богочеловечности: это есть тайна двойного рождения, рождения Бога в человеке и рождения человека в Боге. В Боге есть нужда в человеке, в творческом ответе человека на божественный зов. Эпиграфом своей книги «Смысл творчества» я взял из Ангелуса Силезиуса: «Ich weiss dass ohne mich Gott nicht ein Nu kann leben, werd ich zu nicht, er muss von Noth den Geist aufgeben»[3]. Германская мистика глубоко сознала ту тайну, что не только человек не может жить без Бога, но и Бог не может жить без человека. Это есть тайна любви, нужда любящего в любимом. Такого рода сознание противоположно сознанию, которое понимает отношения между Богом и человеком как судебный процесс. Религиозный гуманизм, вкорененный в идее богочеловечности, призван совершить очищение, спиритуализацию и гуманизацию человеческой среды, воспринимающей откровение. Понимание христианского откровения зависит от структуры сознания, которое может быть шире и уже, глубже и поверхностнее.

Человеческое сознание очень зависит от социальной среды, и ничто так не искажало и не затемняло чистоту христианского откровения, как социальные влияния, как перенесение социальных категорий властвования и рабства на религиозную жизнь и даже на самые догматы. И Священное Писание есть уже преломление откровения Бога в ограниченной человеческой среде и ограниченном человеческом языке. Обоготворение буквы Писания есть форма идолопоклонства. Поэтому научная библейская критика имеет освобождающее и очищающее значение. Религиозную жизнь я всегда принимал не как воспитание и не как судебный процесс, а как творчество.

Для меня всегда огромное значение имела «Легенда о Великом Инквизиторе». Я видел в ней вершину творчества Достоевского. Католическое обличье легенды мне представлялось второстепенным. «Великий Инквизитор» — мировое начало, принимающее самые разнообразные формы, по видимости самые противоположные — католичества и авторитарной религии вообще, коммунизма и тоталитарного государства. В книге «Миросозерцание Достоевского» я высказал свои мысли по этому поводу. Но вот что важно для понимания моего духовного пути и моего отношения к христианству. В мое сердце вошел образ Христа «Легенды о Великом Инквизиторе», я принял Христа «Легенды». Христос остался для меня навсегда связанным со свободой духа. Когда мне возражали против того, что свобода есть основа христианства, то я воспринимал это как возражение против моего самого первоначального принятия Христа и обращения в христианство. Отречение от бесконечной свободы духа было для меня отречением от Христа и от христианства, принятием соблазна Великого Инквизитора. И я видел в истории христианства и христианских церквей постоянное отречение от свободы духа и принятие соблазнов Великого Инквизитора во имя благ мира и мирового господства. Ложно искание гарантий и безошибочных критериев в религиозной жизни. В духовной жизни есть риск, есть необеспеченность. Символические формы богопочитания подменили реальное искание Царства Божьего. Возрождение внутри христианства есть возрождение духа пророческого и мессианского. У меня всегда было особенное почитание пророков и пророческая сторона религии была особенно близка и, быть может, подавляла другие стороны. Соблюдение правды, а не жертвоприношения угодны Богу. У меня всегда было символическое понимание культа и плоти религиозной жизни и противление тому, что можно назвать наивным реализмом в религии. Но мой символизм был реалистического, а не идеалистического типа. У меня было отталкивание и антипатия к религиозному освящению «плоти», которое было так популярно в течениях начала XX века. Мысль моя была несвоевременна, она сопротивлялась главенствующему течению. Мысль моя несвоевременна и сейчас, когда и в православии, и в католичестве, и в протестантизме есть возврат к ультраортодоксии. В противоположность господствующим сейчас течениям я всегда верил, что существует не только универсальное христианство, но и универсальная религия. Христианство есть вершина универсальной религии. Но самое христианство не достигло еще вершины, оно еще не завершено. Можно было бы сказать, что христианство исторически не христианского происхождения. Миф об искуплении носит универсальный характер и в христианстве он лишь реализуется. Миф для меня не противоположен реальности, в нем есть реальный элемент. Все это не есть возражение против христианства, а его защита. Самое главное в христианстве необъяснимо исторически, оно не исторического, а метаисторического происхождения. Необъяснима личность Христа-Богочеловека. Но исторически, снизу, христианство впитало в себя не только еврейский мессианизм, но и все античные религии, в которых были предчувствия явления Христа-Искупителя. С известного момента я начал много читать книг по мистике, и меня поражало сходство мистик всех времен и всех религиозных вероисповеданий. Это сходство обнаруживается на известной духовной глубине. Различия же обнаруживаются в душевно-телесных оболочках. Но мистика, как она обнаружилась в исторических ее проявлениях, имеет свои границы. Мистика монистического типа (в Индии, у Шанкары, у Плотина, у Экхардта, в монофизитском уклоне христианской монашеской мистики) не решает проблемы личности, она имеет антиперсоналистическую тенденцию. Такого рода монистические течения мне чужды, потому что проблема личности и личной судьбы для меня всегда была центральна. Я всегда был персоналистом по своей религиозной метафизике. И потому проблема индивидуальной судьбы в вечности была для меня первее всех проблем. Растворение личности, неповторимой индивидуальности в безликой божественности, в отвлеченном божественном единстве противоположно христианской идее о человеке и о богочеловечности. Это всегда означает победу космоцентризма над антропоцентризмом. Для меня нет более антипатичной идеи, чем идея растворения человека в космической жизни, признанной божественной. Это космическое прельщение прельщало и соблазняло многих в начале XX века. Тайна христианства есть тайна Богочеловечности, тайна встречи двух природ, соединяющихся, но несмешивающихся. Человек не исчезает, он обоживается, но наследует свою человечность в вечной жизни. Думаю, что это даже мысль вполне ортодоксальная, но в ортодоксии недостаточно раскрытая и часто затемненная монофизитской тенденцией. Я все время боролся против монофизитства во всех его формах. Но я всегда очень любил германскую мистику, почитаю ее одним из величайших явлений в истории духа. Из великих германских мистиков более всего любил Я. Беме. Он имел для меня огромное значение. И я всегда поминаю его в своих молитвах наряду с Достоевским и некоторыми другими любимыми. Мистический гнозис Я. Беме имел семитически-кабалистическую прививку, и потому проблема человека имела для него особенное значение. Неверно причислять его к мистикам космоцентрического типа и к пантеистам.

§

Моя внутренняя религиозная жизнь складывалась мучительно, и моменты незамутненной радости были сравнительно редки. Не только оставался непреодоленным трагический элемент, но трагическое я переживал как религиозный феномен по преимуществу. У меня была несимпатия к успокоенному, довольному религиозному типу, особенная антипатия была к религиозному млению и к мещанскому религиозному комфорту. Думаю, что мучительный религиозный путь связан не только с моими внутренними противоречиями, но и с острым чувством зла и безмерностью моей любви к свободе. У меня всегда был недостаток религиозной теплоты, теплоты религиозной плоти. Я иногда завидовал людям, у которых было много этой теплоты. Но еще чаще животная теплота и связанная с ней душевность претили моему острому эстетическому чувству. Это эстетическое чувство питалось более эмоциями пессимистическими, чем эмоциями оптимистическими. Нужно еще сказать, что мечтательность у меня всегда была сильнее непосредственной душевности. Я все-таки более всего человек мечты. Но я мало выражал эту свою мечтательную природу во вне. Часто, слишком часто мечту я переживал как глубокую реальность, действительность же как призрачный кошмар. Величайшие подъемы моей жизни связаны с внутренней музыкой, вызванной мечтой. Но эта мечтательность связывается у меня с суровым религиозным реализмом, отвращением от сентиментально-идеалистической, прекраснодушной религиозности. Климат и пейзаж моей религиозной жизни мне иногда представлялись как безводная пустыня с возвышающимися скалами. Да не подумают, что я себе всегда представлялся человеком, взбирающимся на высокие скалы. Религиозно я скорее переживал себя как человека с малым количеством благодатных даров. У меня нет религиозной самоуверенности. Я часто переживал состояние безблагодатности и богооставленности. Но бывали минуты большого подъема. Помню один сон, самый замечательный сон моей жизни, в котором отразилось что-то существенное в моем духовном пути. Я всегда вижу сны и часто мучительные, близкие к кошмару сны. Только изредка бывали значительные, символические. Снится мне огромная, необъятная площадь, уставленная деревянными столами и скамейками. На столах обильная еда. Это Вселенский собор. Я хочу сесть на одну из скамеек около стола и принять участие в соборном деле и общении. Я вижу сидящими многих своих хороших знакомых и друзей из православного мира. Но куда я ни пробую сесть, мне всюду говорят, что свободного для меня места нет. Я обернулся и вижу, что в конце площади возвышается крутая скала без всякой растительности. Я иду к этой скале и пытаюсь на нее подняться. Это страшно трудно и руки мои в крови. Сбоку, внизу я вижу обходную извилистую дорогу, по которой подымается простой народ, рабочие. Мучительными усилиями я продолжаю взбираться по скале. Наконец, я достигаю вершины скалы. На самой вершине я вижу образ распятого Христа, обливающегося кровью. Я падаю у Его ног в полном изнеможении, почти без чувств. В этот момент я просыпаюсь, потрясенный сном. Когда я рассказал некоторым православным друзьям этот сон, то мне сказали, что это выражение моей гордости. Я думаю, что беда была не в моей гордости, беда была в том, что я был недостоин высоты этого сна, что он соответствовал моим тайным мыслям и моим мечтам, но не соответствовал силе моей религиозной воли, моей способности к религиозному действию. Я всегда сознавал себя человеком недостойным собственной мысли и моих исканий. Вероятно, беда была тут в моем барстве, которое я лишь частично умел преодолеть, в гипертрофии мысли и идейного вообра-

жения. «Новое религиозное сознание» совсем не означа~
притязаний духоносности. В моем понимании и пережива~
нии христианства всегда был сильный эсхатологический
элемент. Но я никогда не чувствовал себя на высоте эсхатологического сознания, которое требует большой напряженности, активности, целостной отдачи себя. Я не могу сказать, что я любил «мир», не могу сказать, что я соблазняюсь
«миром». Но мои душевные оболочки были озарены
«миром», особенно его впечатлениями, я не достиг
достаточной освобожденности от «мира».

Меня отделяло от людей, которые считали себя вполне
ортодоксальными, то, что историческое откровение было
для меня вторичным по сравнению с откровением духовным. Духовное откровение, внутреннее откровение духа
реально. Историческое откровение символично, есть символика духа. Все события мировой и исторической жизни
суть лишь символика событий духовных. Но в истории
есть прорывы метаистории и метаисторическое в истории
приобретает исторический характер. Рассказанное в Евангелии несовершенным человеческим языком приобретает
для меня значение, определяющее мою судьбу, полно для
меня смысла не потому, что я усваиваю Евангелие извне,
как извне данное откровение, а потому, что раскрываю,
расшифровываю в нем центральные события духа, мистерию духа. Поэтому для меня приобретает огромное значение философская критика. Преодоление «просвещения»
должно означать не совершенное его отрицание, не возврат к состоянию до «просвещения», а достижение состояния высшего, чем «просвещение», в которое войдут его положительные завоевания. Я имею в виду прежде всего
«просвещение» в более глубоком, кантовском смысле со-
вершеннолетия и свободной самодеятельности разума. Меня нередко называли «модернистом» на православной почве. Я не очень люблю это слово, оно ставит истину в слишком большую зависимость от времени. Я, конечно, модернист, но в том смысле, что признаю возможность творческого процесса в христианстве, возможность новизны.
Я не верю в неподвижность сознания, сознание может
очищаться, расширяться и углубляться, и потому многое новое и по-новому может ему раскрываться. Истина вечна и
вечно лишь то, что от истины. Утверждать релятивизм истины есть оппортунистическая ложь. Я совсем не релятивист и
не прагматик. Но существуют ступени в раскрытии истины,
возможны ущемления истины. Истина не падает на нас
сверху как какой-то блестящий предмет, она есть также

..., она приобретается в духовной борьбе, в дви... более неприемлем наивный реализм в понима-... ...ния. Меня связывала со многими представите-... ...ой религиозной мысли начала XX века великая ...то возможно продолжение откровения в христи-анстве, ...вое излияние Духа Святого. Эта надежда была и у чуждого и враждебного мне П. Флоренского. Вопросы об отношении христианства к творчеству, к культуре, к общественной жизни требовали новых постановок и новых решений. Существует вечная истина христианства, и она не зависит от времени, но христианство в своей исторической, то есть относительной форме приходило к концу. Новая эпоха в христианстве выражалась главным образом в критике и предчувствиях. Мне всегда казалось неуместным и нелепым, когда меня обвиняли в ересях. Еретик по-своему очень церковный человек и утверждает свою мысль как ортодоксальную, как церковную. Это совершенно не применимо ко мне. Я никогда не претендовал на церковный характер моей религиозной мысли. Я искал истину и переживал как истину то, что мне открывалось. Историческая ортодоксия представлялась мне недостаточно вселенской, замкнутой, почти сектантской. Я не еретик и менее всего сектант, я верующий вольнодумец. Думы мои вольные, совершенно свободные, но думы эти связаны с первичной верой. Мне свойственна незыблемость некой первичной веры. У меня есть религиозное переживание, которое очень трудно выразить словами. Я погружаюсь в глубину и становлюсь перед тайной мира, тайной всего, что существует. И каждый раз с пронизывающей меня остротой я ощущаю, что существование мира не может быть самодостаточным, не может не иметь за собой в еще большей глубине Тайны, таинственного Смысла. Эта Тайна есть Бог. Люди не могли придумать более высокого слова. Отрицание Бога возможно лишь на поверхности, оно невозможно в глубине.

§

В религиозной жизни большое значение имеют встречи с людьми. Общение с людьми есть путь опытного познания. Я всю жизнь искал общения и всю жизнь общение мне было трудно. Это одно из главных противоречий моей природы. Я затрудненный в общении, одинокий человек, но не желающий остаться замкнутым в себе, тоскующий по общению. По переезде в Москву, через С. Булгакова, с которым меня связывали уж старые отношения, у меня произошла встреча с наиболее характерными православными кругами, раньше мне чуждыми, с самой сердцевиной русского православия. Это было для меня уже не книжное, а опытное познание православия, православия, сознающего себя наиболее истинным. Это прежде всего был М. А. Новоселов и его кружок. В этом кружке были В. А. Кожевников, друг Н. Федорова и автор главной книги о нем, человек необъятной учености, Ф. Д. Самарин, Б. Мансуров, осколки старого славянофильства, ректор Московской духовной академии епископ Федор, аскетического типа. С. Булгаков в это время был уже близок с этим кругом, и это означало значительный поворот вправо, религиозно и политически. П. Флоренский, человек другой формации, тоже бывал в этом кружке. М. Новоселов был центральной фигурой, и у него на квартире, которая производила впечатление монастырского общежития, происходили собрания, читались доклады и велись споры. Это была группировка более правая и более ортодоксальная, чем группировка Религиозно-философского общества, связанного с именем Вл. Соловьева, очень непопулярного в Новоселовском кружке. Вокруг М. Новоселова собирались люди истово православные, связанные с монастырями и пустынями, со старцами. Многие подчинили себя духовному руководству старцев, ездили в Зосимову пустынь, которая приобрела центральное духовное значение и заменила Оптину пустынь. Известен своей духовностью был старец Герман, о котором я еще скажу. Сам М. Новоселов — бывший толстовец, обратившийся в православие. Он издавал популярную православную библиотеку. По-своему М. Новоселов был замечательный человек (не знаю, жив ли он еще), очень верующий, безгранично преданный своей идее, очень активный, даже хлопотливый, очень участливый к людям, всегда готовый помочь, особенно духовно. Он всех хотел обращать. Он производил впечатление монаха в тайном постриге. Культура его была узкая, у него не было широких умственных интересов. Он очень любил Хомякова и считал себя его последователем. Очень не любил Вл. Соловьева, не прощал ему его гностических тенденций и католических симпатий. Православие М. Новоселова было консервативное, с сильным монашески-аскетическим уклоном. Но вместе с тем у него не было того клерикализма и поклонения авторитету иерархии, которые характерны для правых течений русской эмиграции. Он признавал лишь авторитет старцев, то есть людей духовных даров и духовного опыта, не связанных с иерархическим чином. Епископов он ни в грош не ставил и рассматривал их как чиновников синодального ведомства, склонившихся перед государством. Он был монархист, признавал религиозное значение самодержавной монархии, но был непримиримым противником всякой зависимости церкви от государства. Одно время я посещал собрания у М. Новоселова и принимал участие в прениях. Меня интересовал этот мир, я искренно хотел более проникнуть в тайну православия и надеялся найти там большую серьезность, чем в петербургских литературных кругах. Но атмосфера была мне изначально чуждая, я все время пересиливал себя. Мой прирожденный антиклерикализм давал себя чувствовать. Но самые люди внушали уважение, особенно сам Новоселов. Вспоминаю, что однажды в Новоселовском кружке происходили прения по вопросу о введении в программу духовных академий преподавания сравнительной истории религий. Тогда встал епископ Федор, тогда ректор Московской духовной академии, то есть высшего учебного заведения, и сказал: «Зачем сравнительная история религий, которая может соблазнить? Что такое история религии, что такое наука, когда речь идет о спасении или гибели души для вечной жизни». То был голос традиционного, монашески-аскетического православия, враждебного знанию, науке, культуре. Это был обскурантизм, от которого я содрогнулся. Этот путь был для меня невозможен. Я сделал опыт поездки в Зосимову пустынь и встречи со старчеством. М. Новоселов всех старался туда вести. Я поехал туда с ним и с С. Булгаковым. Опыт этот был для меня мучительный.

Интеллигенты, возвращавшиеся к православию, почитали старчество и искали духовного руководства старцев. В те годы обращенность к старцам была более характерна для интеллигенции, которая хотела стать по-настоящему православной, чем для традиционно-бытовых православных, которые никогда от церковного православия не отходили. Старцев почитали не только новые православные, но также далекие от церкви теософы и антропософы. Они видели в старцах посвященных. О старчестве создавался настоящий миф. Предполагали, что кроме известных старцев, живущих в определенных монастырях и пустынях, есть еще скрывающиеся старцы, местопребывание которых неизвестно или известно немногим. Люди искали духовных учителей и руководителей. Для православных течений того времени характерен культ святого Серафима. Монашество святого Серафима представлялось новым белым монашеством, в нем видели веяние Духа Святого. В разговорах святого Серафима с Мотовиловым видели откровение глубины православия, православного пневмоцентризма. В старчестве видели продолжение той же как бы эзотерической традиции православия. Я перечитал литературу, необходимую для ознакомления с Оптиной пустынью и старцем Амвросием. В образе старца Амвросия я не нашел ничего похожего на то, что в него хотели вложить. Старец Амвросий принадлежал к очень традиционному типу монашеского православия, был достойнейшим его представителем. В отличие от святого Серафима, в котором действительно были белые лучи, в старце Амвросии было что-то унылое, в нем не было веяния нового духа. В Зосимовой пустыне было два старца — старец Герман, который считался особенно духовным, и старец Алексей, схимник и затворник, который на соборе окончательно решил избрание патриарха Тихона, ему поручено было решить выбор между двумя кандидатами, вытянув из урны имя. Зосимова пустынь расположена во Владимирской губернии. Никаких особенных красот в ней нет. В день, когда мы приехали, там была великая княгиня Елизавета Федоровна, которую я видел в церкви. Для меня это было неприятное впечатление как знак связи Православной церкви с императорским режимом. Служба была длинная, значительную часть ночи. За мной в церкви стоял П. Флоренский, тогда еще не священник. Я обернулся и увидел, что он плачет. Мне потом сказали, что он переживал очень тяжелый период. Я должен был исповедываться у старца Германа. Но нас согласился принять и старец Алексей, находившийся в затворе. Разговор с ним произвел на меня очень тяжелое впечатление. Ничего духовного я не почувствовал. Он все время ругал последними словами Льва Толстого, называя его Левкой. Я очень почитаю Л. Толстого, и мне это было неприятно. Было что-то вульгарное в манере говорить старца Алексея и не было ничего духовно-поучительного. Иное впечатление произвел на меня старец Герман. Старец Алексей был из «образованных», и это самое плохое. Старец Герман был простой мужик, без всякого образования. Он произвел на меня впечатление большой доброты и благостности. Я почувствовал большую снисходительность старца к человеческим грехам и слабостям. Более сильное и значительное впечатление на меня впоследствии произвел отец Алексей Мечев. О старце Германе у меня осталась хорошая память. Но это не то, что о нем говорили и чего искали. Во всяком случае мне было ясно, что я не принадлежу к людям, которые отдают свою волю духовному руководству старцев. Мой путь был иной и, может быть, более трудный. Рано утром я стоял у окна монастырской гостиницы Зосимовой пустыни и смотрел на падающий мокрый снег. У меня было печальное настроение, я испытывал меланхолию трудной и противоречивой духовной судьбы. Я вполне готов каяться в своих многочисленных грехах и в этом согласен был смиряться. Но я не мог смирить своих исканий нового духа, своего познания, своего свободолюбия. Одно время я довольно много читал аскетических духовных книг типа «Добротолюбия». В них можно найти, конечно, некоторые элементарные и бесспорные истины. Но у меня всегда оставалось тяжелое чувство унижения человека, отрицания всякого творческого порыва и подъема. Более всего я все-таки любил «Подражание Христу». Это книга, возвышающаяся над конфессиями. В ней есть благородная печаль, горькое чувство человеческой жизни и судьбы. Я не говорю о книгах мистических. Германская мистика имела для меня особенное значение. После Пророков, книги Иова, Экклезиаста, Евангелий мои любимые духовные авторы германские мистики, более всего Я. Беме и Ангелус Силезиус, отчасти Таулер. Но я, в сущности, всегда думал, что монашеская аскеза, особенно сирийского типа, есть искажение учения Христа, есть монофизитство, она находится в противоречии с откровением о Богочеловечности. С этим связан пережитый мной кризис, потрясение, которое я испытал в духовном опыте творчества. Более всего меня отталкивали книги епископа Феофана Затворника, самого популярного у нас духовного писателя. Все, что писал Феофан Затворник не об аскезе и внутренней жизни, а о практической морали и об отношении к общественной жизни, ужасно своей непросветленностью, своим мракобесием и рабством. Аскетический подвиг в течение двадцати лет затвора не просветляет ума и нравственного сознания, не вырабатывает подлинно христианского отношения к жизни общества. У меня нарастало восстание против некоторых сторон православия, против состояния Православной церкви, против обскурантизма иерархии, против синодального рабства. Меня поражает и поражало, с какой легкостью утверждают совсем не соответствующее действительности, этой презренной эмпирической действительности. Говорят, например, что церковь есть рай на земле. Походит ли это на неприглядную церковную действительность? Уж скорее можно было бы сказать, что церковь есть земля на небе. Такая церковь есть церковь нуменальная, а не феноменальная. Но я твердо стою на том, что преодоление самоутверждения и гордыни есть главное в христианстве. Это самоутверждение и гордыня скрываются и за смирением.

В это время вокруг меня процветали всякого рода оккультные течения. Наиболее интересно было течение антропософическое. Оно увлекало более культурных людей. Вяч. Иванов был связан с оккультизмом, и одно время на него имела влияние А. Р. Минцлова, эмиссар Р. Штейнера в России. Андрей Белый сделался антропософом. Молодые люди, группировавшиеся вокруг «Мусагета», все были захвачены антропософией или другими формами оккультизма. Искали тайных обществ, посвященных. Подозревали друг друга в причастности к оккультным организациям. В разговорах были оккультные намеки. Старались обнаружить оккультные знания, которых в действительности не было. Я признаю существование оккультных дарований в человеке. Но у большей части людей, увлеченных в то время оккультизмом, я никаких оккультных дарований не замечал. Ультраправославный П. Флоренский тоже был причастен к оккультизму. Это связано было с его магическим мироощущением, и в нем, может быть, были оккультные способности. Я говорил уже, что в ранней молодости, в личной своей жизни я столкнулся с оккультизмом, связанным с индусскими махатмами. У меня была отрицательная реакция, и я вел борьбу с этими веяниями. Мое отношение к оккультизму сложно вот почему. Я не могу признать всю сферу оккультных явлений шарлатанством или самообманом, не могу объяснить эти явления исключительно психопатологией. Я допускаю существование оккультных сил в человеке и оккультных явлений, еще не исследованных научно. Оккультные течения проходят через всю историю человечества с первобытных времен. Во все времена также существовали оккультные общества и ордена. Это должно что-то значить, иметь какой-то смысл. Это явление требует углубленного объяснения. Не думаю также, чтобы всю сферу оккультных явлений можно бы отнести к действию сил демонических, как думают многие православные и католики. Наиболее противоположными христианству я считаю формы оккультизма, заменяющие религию и придающие себе религиозное значение. Моя критика оккультизма, теософии и антропософии связана была с тем, что все эти течения космоцентричны и находятся во власти космического прельщения, я же видел истину в антропоцентризме и самое христианство понимал как углубленный антропоцентризм. В антропософии, которую я знал лучше и по книгам и по людям, я не находил человека, человек растворялся в космических планах, как в теософии я не находил Бога, Бог также растворялся в космических планах. Популярность оккультических и теософических течений я объяснял космическим прельщением эпохи, жаждой раствориться в таинственных силах космоса, в душе мира, а также неспособностью церковного богословия ответить на запросы современной души. Но темой моей жизни была тема о человеке, о его свободе и его творческом призвании. Оккультизм есть сфера магии по преимуществу, то есть необходимости, а не свободы. Магия есть господство над миром через познание необходимости и закономерности таинственных сил мира. Свободы духа я не видел у людей, увлеченных оккультизмом. Они не владели оккультными силами, оккультные силы владели ими. Антропософия разлагала целость человеческой личности, потрошила душу не менее психоанализа. Она усилила разложение личности у Андрея Белого, не помогла ему собрать и концентрировать личность. Некоторые антропософы производили на меня впечатление людей одержимых, находящихся в маниакальном состоянии. Когда они произносили слова «доктор (то есть Штейнер) сказал», то менялось выражение глаз, лицо делалось иным и продолжать разговор нельзя было. Верующие антропософы гораздо более догматики, гораздо более авторитарны, чем самые ортодоксальные православные и католики. Мне хотелось больше ознакомиться с антропософией, которой начали увлекаться близкие мне люди. Благодаря знакомству с антропософами я получил возможность прослушать цикл лекций Р. Штейнера, которые он прочел в Гельсингфорсе в антропософической ложе. Я многое там ощутил. Атмосфера была мне очень чуждой, и я все время вел с ней борьбу. Сам Штейнер, с которым я познакомился, произвел на меня сложное впечатление и довольно мучительное. Но он не произвел на меня впечатления шарлатана. Это человек, который убеждал и гипнотизировал не только других, но и самого себя. У него были разные лица, то лицо добродушного пастора, он и одет был как пастор, то лицо мага, владеющего душами. В нем было что-то аскетическое и страдальческое. Вероятно, главным соблазном его была власть над душами. Редко кто производил на меня впечатление столь безблагодатного человека, как Штейнер. Ни одного луча, падающего сверху. Все хотел он добыть снизу, страстным усилием прорваться к духовному миру.

Книги Штейнера мне всегда казались скучными и малоталантливыми. Обыкновенно говорили, что это популяризация и что нужно слушать его курсы, чтобы оценить его. Но в курсе о Бхагават-Гите, который я прослушал в антропософической ложе, я нашел совершенно то же, что и в книгах. Разница лишь в том, что у Штейнера был ораторский талант, литературного же таланта не было. Его манера говорить была магическим актом овладения душами при помощи жестов, повышений и понижений голоса, меняющегося выражения глаз. Он гипнотизировал своих учеников, некоторые даже засыпали. А. Белый, который в то время почти совсем не знал немецкого языка, тоже подвергся гипнотическому воздействию. Штейнер читал еще публичную лекцию о свободе воли, которая показалась мне очень посредственной и философски не интересной, как не интересна его философская (не теософическая) книга «Философия свободы». Из пребывания в Гельсингфорсе я вынес некоторое поучение и еще более укрепился в своей критике антропософии и оккультизма вообще. Я это выразил в статье в «Русской мысли», которая вызвала негодование антропософов. Нужно еще сказать об А. Р. Минцловой, которая одно время играла большую роль в литературных кругах, увлекающихся оккультизмом.

С А. Р. Минцловой я встретился впервые в Петербурге у В. Иванова. Я тогда мало обратил на нее внимания. После преждевременной смерти Л. Д. Зиновьевой-Анибал А. Минцлова приобрела огромное влияние на В. Иванова в качестве утешительницы. Утешение носило оккультный характер. Больше внимания я обратил на Минцлову, когда она приехала в Москву для уловления в антропософические сети А. Белого и молодых людей, группировавшихся вокруг него. Она была послом Штейнера в России. Через нее рассчитывали получить посвящение. Это была некрасивая полная женщина с выпученными глазами. В ней было некоторое сходство с Блаватской. Внешность была скорее отталкивающая. У нее были только красивые руки, я всегда обращал большое внимание на руки. Минцлова была умная женщина, по-своему одаренная, и обладала большим искусством в подходе к душам, знала, как с кем разговаривать. Я воспринимал влияние Минцловой как совершенно отрицательное и даже демоническое. С ней у меня было связано странное видение. После ее приезда в Москву вот что произошло со мной: я лежал в своей комнате, на кровати, в состоянии полусна; я ясно видел комнату, в углу против меня была икона и горела лампадка, я очень сосредоточенно смотрел в этот угол и вдруг под образом увидел вырисовавшееся лицо Минцловой, выражение лица ее было ужасное, как бы одержимое темной силой; я очень сосредоточенно смотрел на нее и духовным усилием заставил это видение исчезнуть, страшное лицо растаяло. Потом Женя, которая обладает большой чувствительностью, видела ее в форме змеи, с которой мне приходилось бороться. Минцлова чувствовала мое враждебное к ней отношение и хотела его преодолеть. Это привело к тому, что в следующее лето она на два дня заехала к нам в деревню в Харьковскую губернию, по дороге в Крым. Разговоры с ней были интересны. Но ей не удалось склонить меня на свою сторону. Очень странно было ее исчезновение. Из Крыма она вернулась в Москву. Через несколько дней после возвращения она вышла с приятельницей, у которой остановилась, на Кузнецкий мост. Приятельница повернула в одну сторону, она в другую. Она больше не возвращалась и исчезла навсегда. Это еще более способствовало ее таинственной репутации. Молодые люди, во всем склонные видеть явления оккультного характера, говорили то, что она скрылась на Западе, в католическом монастыре, связанном с розенкрейцерами; то, что она покончила с собой, потому что была осуждена Штейнером за плохое исполнение его поручений. Такие лица, как Минцлова, могли иметь влияние лишь в атмосфере культурной элиты того времени, проникнутой оккультными настроениями и исканиями. В этой атмосфере было много бессознательной лживости и самообмана, мало было любви к истине. Хотели быть обманутыми и соблазненными. Терпеть не могли критики. Все захотели быть приобщенными к истинному розенкрейцерству, как это было у нас в масонских течениях конца XVIII и начала XIX века. Но тогда было больше наивности. У людей есть неистребимая потребность играть в жизни роль, быть приобщенным к чему-то самому главному, к центру, определяющему человеческие судьбы. Человек сознает свое значение и играет роль то от того, что он причастен к центру революционной деятельности, к революционному комитету, определяющему движение, то от того, что причастен к самому подлинному, наиправославнейшему православию, то от того, что причастен к оккультному ордену, посвящен в оккультную традицию. Во всех случаях действуют одни и те же психологические пружины. Во всех случаях человек надеется возвысить себя не через личные качества и достижения, а через причастность к играющим роль группировкам. В десятые годы XX века в России многие культурные, но творчески бессильные молодые люди более всего мечтали о том, чтобы быть приобщенными к тайне розенкрейцерства. И молодые девушки влюблялись в тех молодых людей, которые давали понять о своей причастности к оккультным обществам, как в другие годы и в другой обстановке влюблялись в тех молодых людей, которые давали понять о своей причастности к центральному революционному комитету. Эротика всегда у нас окрашивалась в идеалистический цвет. В 30 годы она носила шеллингианский характер, в 60 годы нигилистический, в 70 годы народнический, в 90 годы марксистский, в начале XX века она приобретала окраску «декадентскую», в десятые годы XX века она делалась антропософической и оккультической. Это явление смешное, в нем обнаруживается недостаточная выраженность личности, но оно свидетельствует о русском идеализме.

Очень характерной фигурой описываемого времени был Андрей Белый, человек больших дарований. Временами в нем чувствовались проблески гениальности. У этой очень яркой индивидуальности твердое ядро личности было утеряно, происходила диссоциация личности в самом его художественном творчестве. Это, между прочим, выражалось в его страшной неверности, в его склонности к предательству. С А. Белым у нас были странные отношения. У меня была к нему симпатия. Я очень ценил его романы «Серебряный голубь» и «Петербург», написал о них две статьи, в которых даже преувеличил их качества. А. Белый постоянно бывал у нас в доме, ел, пил и даже иногда спал у нас. Он производил впечатление друга дома. Со мной он постоянно соглашался, так как вообще не мог возражать в лицо. Потом внезапно на некоторое время совершенно исчезал. В это время он обыкновенно печатал какую-нибудь статью с резкими нападениями на меня, с карикатурными характеристиками меня. То же он делал и с другими своими друзьями, с Мережковскими, с Э. Метнером, с Г. А. Рачинским, с В. Ивановым. У меня было такое впечатление, что он сводил счеты за то, что, соглашаясь с глазу на глаз, не будучи согласен, он отыгрывался в ругательных статьях. Рассчитывать на А. Белого нельзя было ни в каком отношении. Он стал штейнерианцем, но в известный момент стал смертельным врагом Штейнера и писал о нем ужасные вещи, потом опять вернулся в лоно штейнерианства. В лето 17 года он был страстным почитателем А. Ф. Керенского, был почти влюблен в него и изображал свои чувства у нас в гостиной посредством танцев. Но потом он также был увлечен большевизмом и увидел в нем рождение нового сознания и нового человека. Одаренность А. Белого была огромная, и в его творчестве было что-то новое. Но он не мог создать никакого художественно совершенного произведения. Наиболее оригинальны были его «Симфонии», форма совершенно новая. А. Белый — самая характерная фигура эпохи, более характерная, чем В. Иванов, который был связан с культурными эпохами прошлого. В. Иванов — настоящий ученый, у него огромные знания. У А. Белого знания были сомнительные, он все постоянно путал. У него были симпатии к германской духовной культуре, и он вдохновлялся германскими влияниями. Но он не знал как следует немецкого языка и ничего по-настоящему по-немецки не прочел. А. Белый характерен для разных течений начала века, потому что он не мог оставаться в чистой литературе и в эстетическом сознании, его символизм носил мистический и оккультический характер, он отражал все духовные настроения и искания эпохи. Он был одержим ужасами и страхами, роковыми предчувствиями, смертельно боялся встреч с японцами и китайцами. Он был несчастный человек, у него была тяжелобольная душа. Иногда он бывал очарователен. На него трудно было сердиться. Он чувствовал себя одиноким, хотя был окружен друзьями и даже обожанием. Пошатнулся образ человека, и Белый более всех отразил это в своем творчестве. Я же считал своей миссией бороться за образ человека.

В те годы встречалось много интересных людей. Как бездарна нынешняя «великая историческая эпоха» в сравнении с талантливостью той эпохи. Очень запомнился мне один очень яркий человеческий образ. Однажды вошел к нам в столовую во время завтрака таинственный человек. Все почувствовали странность его появления. Это был nordischer Mensch[4], напоминающий викинга: огромного роста, очень красивый, но уже среднего возраста, с падающими на плечи кудрями, одетый в плащ. На улице он ходил без шляпы. Когда мы ходили с ним по Москве, то он обращал на себя всеобщее внимание. Он прожил с нами дней десять. Это было очень интенсивное общение. Он был очаровательный человек и, несмотря на свою несколько театральную внешность, вызывал доверие. В нем было много доброты и внимания к людям. Он оказался шведским врачом Любеком. Он специально был направлен ко мне и проникся ко мне большой симпатией. Более всего поражал Любек своей проницательностью, близкой к ясновидению. Он многое угадывал относительно людей, которых видел первый раз и о которых ничего не слыхал. Относительно Вячеслава Иванова он проявил настоящее ясновидение. Он был мистик и мистически одарен. Сила его была не в философской или богословской мысли. П. Флоренский, которому я помогал разговаривать с ним по-немецки, причислил его к мистикам и теософам типа Сведенборга, которого он признавал сравнительно невинным. Любек встречал с нами Новый год, это был канун 1914 года. И вот что более всего нас поразило. Было большое общество, и все пытались делать предсказания на следующий год. О войне никто не думал. Любек сделал следующее предсказание. В наступающем году начнется страшная мировая война, Россия потерпит поражение и будет обрезана в своей территории, после этого будет революция. Обо мне лично сказал, что во время революции я стану профессором Московского университета, что тоже оказалось верно. Прозрения Любека поразительны, потому что в это время политическое положение Европы не давало оснований ждать войны. О Любеке у меня осталось очень хорошее воспоминание. У Лидии было особенно близкое общение с Любеком. Женя со своей склонностью к ясновидению по-особому его вопринимала. Я знал, что у него есть санатория для нервных больных в Финляндии. Меня очень огорчило, когда я уже за границей получил известие, что Любек кончил жизнь самоубийством. Я это тяжело пережил. Почему такая судьба? Правда, из общения с Любеком я мог заключить, что в нем есть неразрешимое противоречие, есть трагический надлом. И все же необъяснима судьба людей.

Теперь перехожу в совершенно другую атмосферу.

§

В известный год моей жизни, который я считаю счастливым, я пришел в соприкосновение и вступил в общение с новой для меня средой народных богоиска-

183

телей, познакомился с бродячей народной религиозной Россией. В то время в московском трактире около церкви Флора и Лавра (недалеко от Мясницкой) происходили по воскресеньям народные религиозные собеседования разного рода сектантов. Меня это очень заинтересовало, и я отправился на такое собеседование. Оно произвело на меня очень сильное впечатление. Это была бродячая Русь, ищущая Бога и Божьей правды. Я принял очень активное участие в религиозных спорах и с некоторыми сектантами вступил в личное общение. Тут обнаружились моя способность к общению и беседе с людьми из народной среды, чуждыми нашему образованию и культуре, и симпатии этих людей ко мне. Народные собрания в трактире назывались Ямой. Там было огромное разнообразие религиозных направлений — бессмертники (самая интересная из сект), баптисты и евангелисты разных оттенков, левого толка раскольники, духоборы, скрытые хлысты, толстовцы. Бессмертники, новая секта мистического типа, которая меня наиболее заинтересовала, распадалась на несколько типов — бессмертников Ветхого Завета, бессмертников Нового Завета и бессмертников Третьего Завета. Прежде всего меня поразил народный язык сектантов — сильный, красочный, образный, по сравнению с которым интеллигентский язык был бледным и отвлеченным. Никита Пустосвят, так именовали одного из сектантов, давал такого рода реплики: «Не паши мне по голове». В общем беседа стояла на довольно высоком уровне, была мистическая напряженность, сложная и углубленная религиозная мысль, было страстное искание правды. Для изучения русского народа эти собрания были неоценимы. Некоторые из сектантов были настоящими народными гностиками и развивали целые гностические системы. Чувствовались в некоторых течениях подземные манихейские и богумильские влияния. Мотивы диалистические соответствовали чему-то во мне самом. Но я очень спорил против сектантского духа и старался опрокинуть их замкнутые системы. Более всего поражало, что представитель каждой секты сознавал себя в абсолютной истине, а других в заблуждении и лжи. Это и вызывало во мне наибольшее противление. Секты мистического характера были интереснее сект характера рационалистического. Наибольшая несимпатия у меня была к баптистам, я не мог вынести их сознания собственной спасенности, выраженного в рассудительной форме. Толстовцы были малоинтересны. Самое жалкое впечатление производил православный миссионер, который должен был опровергать и обличать сектантов. Он топил православие, и даже когда он говорил что-то верное, это производило отталкивающее впечатление. Более всего меня заинтересовали бессмертники, и я отдал много сил на беседы и споры с ними. Бессмертники приходили и ко мне на дом. Основная идея бессмертников была та, что они никогда не умрут и что люди умирают только потому, что верят в смерть или, вернее, имеют суеверие смерти. Как и все сектанты, они основывались на текстах Священного Писания. Победу Христа над смертью они понимали не в смысле воскресения мертвых, а в смысле достигнутого эмпирического бессмертия, в том смысле, что смерти нет для уверовавших во Христа. Если люди умирали, то потому только, что не верили в победу Христа над смертью. Если бессмертник умрет, то потому, что потеряет веру. Опровергнуть бессмертников не было никакой возможности, факт смерти ничего им не доказывал, кроме слабости веры. Один бессмертник говорил, что, когда его будут хоронить и оплакивать, он будет идти около гроба и смеяться над маловерами. Смерть есть такая же иллюзия для бессмертников, как болезнь для «христианской науки»; есть порождение ложной веры, и ей нужно противопоставить истинную веру. Мне говорили, что были и бессмертники-сатанисты, это те, которые верили лишь в собственную бессмертность, всех же остальных людей считали обреченными на смерть. Русская народная религиозная мысль глубоко задумалась над проблемой смерти. В секте бессмертников, как и во всех сектах, была несомненная и важная истина, но взятая в исключительности и оторванности от других сторон истины, от полноты истины. Никита Пустосвят, из левого раскола, однажды на собрании подошел ко мне и сказал: «Если хочешь знать истину, то пригласи меня к себе». Я, конечно, захотел знать истину и пригласил его к себе. Он сел посреди комнаты и начал развивать мне очень сложную гностическую систему изумительно красивым, образным народным языком. Моей мыслью он совсем не интересовался. Я пытался ему возражать, но это оказалось безнадежным. Это был абсолютно убежденный человек, сознавший себя носителем единоспасающей истины. Это тяжелая сторона сектантства. Но меня поражал ум многих сектантов. Я часто узнавал мысли, знакомые мне из чтения Я. Беме и других христианских мистиков-теософов. Я заметил, что Беме у нас с начала XIX века просочился в народную среду. Его даже в народе считали святым. У меня было исключительное почитание Беме, и мне было интересно его влияние. Народные религиозные собрания в Яме скоро были прекращены полицией, характерное явление старого режима. Для меня было ясно, что официальное казенное православие было бессильно бороться с сектантскими религиозными движениями в народе, оно могло лишь запрещать и преследовать. В то время как я посещал Яму, А. Белый писал свой роман «Серебряный голубь», в котором он описывал мистическую народную секту, родственную хлыстовству. Я предложил ему пойти в Яму и послушать сектантов. К моему удивлению, он отказался идти и положился лишь на свою художественную интуицию. Эта интуиция оказалась изумительной, он что-то угадал в русском мистическом сектантстве. Но наиболее интересные индивидуальные встречи с народными богоискателями у меня произошли в другом месте.

Лето мы проводили в течение ряда лет в деревне, принадлежавшей матери Лидии, в Харьковской губернии, около Люботина. Летом того года, в который я общался с сектантами в Яме, ко мне пришли из соседней усадьбы Шеерманов для духовных бесед со мной. Выяснилось, что очень близко от нас владелец усадьбы, Вл. А. Шеерман, толстовец по убеждениям, устроил толстовского типа колонию, духовную общину. Там были не только толстовцы, толстовцы даже составляли меньшинство. Со всех сторон стекались туда искатели Бога и жизни по Божьей правде и из интеллигенции, и из народа. Там можно было встретить и представителей разного рода сект, и одиночек, открывших свой способ спасения мира. Одиночек-богоискателей было даже больше, чем сектантов в собственном смысле слова. В этом своеобразном духовном центре я встретил впервые добролюбовцев, последователей Александра Добролюбова, декадентского поэта, который стал странником, искателем праведной жизни и основал целое духовное движение. С добролюбовцами общение было трудно, потому что они давали обет молчания и на ваш вопрос ответ мог последовать лишь через год. Я считал это недостатком внимания к людям. Сам Владимир Шеерман был чудесный человек, кристально чистый, исключительно преданный исканию праведной жизни. Его толстовство не было узко сектантским и удушливым, как у многих других. Я очень любил Л. Толстого, но не любил толстовцев. Один толстовец, который ходил к нам с В. Шеерманом, был невыносим своим морализмом и осуждением всех. Брат Вл. Шеермана был направления скорее оккультно-теософического, чем толстовского. Меня очень обрадовало существование такого духовного центра около нас, как раскрытие новых возможностей общения. Население шеермановской колонии не было постоянным и устойчивым. Часто являлись новые люди. Многие лишь проходили через этот духовный центр по дороге на Кавказ, чтобы жить в кавказских горах. Все вновь являвшиеся богоискатели и правдоискатели обыкновенно приходили ко мне и вели духовные беседы. Я перевидал очень много людей этого типа и хорошо ознакомился с этой стороной жизни русского народа. Я не мыслю себе Россию без этих людей и этого рода духовных движений. Это есть характерное русское странничество. Что сталось с этой страннической духовной Россией в коммунистическом строе? В России самодержавно-монархической легче было быть странником, чем в России советской, одержимой стремлением к тоталитарной организации жизни. Я слыхал, что на Кавказе были совершенно раздавлены духовные движения и общины. Все эти искатели праведной жизни в Боге, которых я встречал в большом количестве, были революционерами, хотя революционность их была духовная, а не политическая. Все они были религиозные анархисты, в этом близкие Л. Толстому, близкие и мне. Меня поражало, что одиночки обыкновенно имели свой верный способ спасения мира и человека и приходили мне изложить этот способ спасения. В них был гностический элемент в том смысле, что спасение зависело от знания истины. Значение злой воли в человеческой жизни недооценивалось. Некоторые производили впечатление одержимых idée fixe, но все целиком отдавали себя исканию истины и осуществлению праведной, божественной жизни. Вспоминаю одного, у которого была последовательно продуманная система спасения. Он исключительно был сосредоточен на проблеме времени как источнике зла. Он считал время победимым и проповедывал, что нужно «завернуться в мгновении», тогда все входит в вечную жизнь, победится смерть. В его системе было что-то верное, но в целом было упрощение и преувеличение части, многие проблемы совершенно ускользнули из его сознания. Нужно сказать, что всем было свойственно упрощение в мысли, опрощение в жизни. Не знаю, как они выносили мою философскую и культурную усложненность, мой склонный к проблематическому ум. Но они относились ко мне дружественно и любили со мной разговаривать.

Самым большим моим другом был Акимушка. Это был простой мужик, чернорабочий. У него было очень плохое зрение, и он производил впечатление человека, который на что-нибудь наткнется или упадет. Он был безграмотный. По своим манерам он иногда напоминал А. Белого. Беседы с ним были духовно углубленными, он стоял на высоте самых трудных мистических тем, характерных для германской мистики. Он мне был ближе, чем многие интеллигентные и культурные люди, с ним мне было легче разговаривать. Общение с Акимушкой убедило меня в неверности народнической точки зрения на существование пропасти между культурным слоем и народом. Акимушка говорил мне, что ему далек крестьянин, поглощенный материальными вопросами, а близок я, с которым может разговаривать об интересующих его духовных вопросах. Существует единство в царстве духа. Акимушка рассказал мне однажды о необыкновенном событии, происшедшем с ним, когда он был мальчиком. Он был пастухом и пас стадо. И вдруг у него явилась мысль, что Бога нет. Тогда солнце начало меркнуть, и он погрузился в тьму. Он почувствовал, что если Бога нет, то и ничего нет, есть лишь совершенное ничто и тьма. Он как будто бы совершенно ослеп. Потом в глубине ничто и тьмы вдруг начал загораться свет, он вновь поверил, что есть Бог, «ничто» превратилось в мир, ярко освещенный солнцем, все восстановилось в новом свете. Акимушка, вероятно, никогда не слыхал о Мейстере Экхардте и Я. Беме, но он описывал опыт, очень родственный опыту, описанному этими великими мистиками. В Акимушке была своеобразная утонченность. Это был один из самых замечательных людей, каких я в жизни встречал. Более чем у кого-либо меня поражало у него мистическое чувство жизни и мистическая жажда. Внешняя жизнь объективного мира для него как будто бы совсем не существовала, и он не мог в ней ориентироваться, был детски беспомощен. Вместе с тем в нем чувствовалась большая доброта и благожелательство. Он часто приходил к нам в дом, обедал у нас, потом мы совершали с ним прогулки и вели духовные беседы. Через некоторое время он уехал на Кавказ и исчез. Память о нем я очень храню. Я также храню память о художнике Б. и его жене. Они были близки к добролюбовцам. Б. был очень красив, в нем было что-то францисканское и очень благостное. Его жена внешне была менее привлекательна, но очень умна, и беседа с ней была интересна. Она была ближе к православию, любила «Добротолюбие» и постоянно читала восточную мистико-аскетическую литературу. Самого Б. я больше любил, но с его женой более охотно беседовал на духовные темы. Б. часто приходил к нам в дом. Потом они тоже уехали на Кавказ, куда стекались разные духовные течения. Меня всегда поражало, что все эти люди забывали чуждый им, слишком помещичий стиль нашего дома и дорожили духовным общением прежде всего. Вспоминаю о годах общения с этими людьми как о лучших в моей жизни и о людях этих как о лучших людях, каких мне пришлось встречать в жизни. Испорченный наследственным барством и эгоизмом философа и писателя, дорожащего прежде всего благоприятными условиями для своего умственного творчества и писательства, я мало делал по сравнению с этими людьми для осуществления праведной жизни, но в глубине своего сердца я мечтал о том же, о чем и они. Вспоминаю счастливые дни в деревне на Рождество. Сильный мороз, все в снегу, сад освещен лунным светом и создается сказочная атмосфера. Подъезжает Вл. Шеерман на розвальнях и везет с собой нового гостя. Шеерман в тулупе, большая борода вся в снегу. Он смотрит ласково своими добрыми глазами. В гостиной пылает камин. Наш любимый мопс Томка лежит весь закрытый красным одеялом и рычит при входе неизвестных людей. Начинается духовная беседа. Какая система спасения мира у нового гостя? В это время мир уже приближался к страшной мировой войне, которая открывает эру катастроф, несчастий и страданий, которым не видно конца.

§

У меня очень нарастало восстание против официального православия, против исторических форм церковности. С горечью должен сказать, что впечатления от церковно-православной жизни в большинстве случаев у меня были тяжелые и вводящие в соблазн. По поводу дела имяславцев на Афоне, в котором принимала участие русская иерархия и дипломатия, я написал негодующую статью «Гасители Духа», направленную против Святейшего Синода. У меня не было особенных симпатий к имяславству, но меня возмущали насилия в духовной жизни и низость, не-духовность русского Синода. Номер газеты, в которой была напечатана статья, был конфискован, а я отдан под суд по статье о богохульстве, которая карала вечным поселением в Сибири. Мой адвокат признавал мое дело безнадежным. Дело откладывали ввиду войны и невозможности вызвать всех свидетелей. Так оно оттянулось до революции, и революция прекратила это дело. Если бы революции не было, то я был бы не в Париже, а в Сибири, на вечном поселении. Летом 17 года, в стихии революции, в Москве происходили церковные собрания, подготовлявшие епархиальный съезд и собор. Я никогда не любил церковных собраний, меня отталкивала их малая духовность. Но я пытался ходить на эти собрания, хотя никакой активной роли на этих собраниях не собирался играть. Впечатление у меня осталось очень тяжелое и отталкивающее. Я решил никогда больше церковных собраний не посещать. Я бы характеризовал эти собрания как собрания чайных союза русского народа. Всякий, бывший на этих собраниях, должен был вынести впечатление о глубокой связи Православной церкви с реакцией и контрреволюцией, с самодержавной монархией, с «черносотенными» настроениями. Ныне Православная церковь от этого совершенно освободилась. Вместе с тем отталкивал мещанский, малодуховный характер средней церковной массы. Ведь и уровень проблем, которыми был занят собор, был невысокий и совсем не соответствовал катастрофическому характеру эпохи. На соборе не было поднято ни одной проблемы, поставленной русской религиозной мыслью. Это было мещанское, бытовое православие, занятое исключительно мелочными, хотя и необходимыми, вопросами внешнего церковного устроения. Даже участие таких людей, как С. Булгаков и князь Е. Трубецкой, которые составляли большую часть документов собора, не могло поднять уровня. Тут обнаружилась необыкновенная косность официальной церковности. Помню, что в начале революции я с большим трудом убедил священника нашего прихода в Большом Власьевском переулке выбросить из церковной службы слово о самодержавном государе императоре. Священник этот был прекрасный человек (в старой России было немало хороших священников, хотя почти не было хороших епископов), но он весь был проникнут старыми церковно-государственными принципами. Крушение самодержавной монархии представлялось ему крушением Православной церкви. Когда начались преследования против церкви и духовенства, то нашлось много людей, преданных своей вере и согласных терпеть страдание и мучение. Церковная атмосфера очистилась гонениями.

Но никаких признаков возникновения нового творческого сознания внутри церковного православия заметить нельзя было. Церковь, как традиционный социальный институт, оказалась сильнее, чем церковь как мистический организм. Но у меня было одно светлое впечатление от Православной церкви перед самой моей высылкой из советской России. Это моя встреча с отцом Алексеем Мечевым. Он был из белого духовенства, но почитался старцем. У меня всегда оставалась антиклерикальная закваска, и мой антиклерикализм питался впечатлениями от людей церкви. Самое сильное и самое отрадное впечатление от всех встреч с духовными лицами у меня осталось от отца Алексея Мечева. От него исходила необыкновенная благостность. Я в нем не заметил никаких отрицательных бытовых черт духовного сословия. Вспоминаю с очень теплым чувством о беседе с ним перед самым моим отъездом за границу. Он очень благословлял этот отъезд и говорил, что у меня есть положительная миссия в Западной Европе. Мы беседовали в его маленькой комнатке около церкви, был яркий солнечный день, и отец Алексей был в белом. Он во всяком случае был представителем белого, а не черного православия. Он, между прочим, говорил, что не следует рассчитывать ни на какие интервенции и военные насилия для свержения большевизма, а исключительно на духовный переворот внутри русского народа. Рассказывал о красноармейцах, которые приходили по ночам к нему каяться. Все это соответствовало моим собственным настроениям. Через отца Алексея я чувствовал связь с Православной церковью, которая у меня никогда не порывалась вполне, несмотря на мою острую критику и мое ожидание совершенно новой эпохи в христианстве. Во всяком случае, я всегда чувствовал себя принадлежащим мистической Церкви Христовой. В моем религиозном положении было родство с положением Вл. Соловьева.

Когда я попал за границу и соприкоснулся с русской эмиграцией, то это было одно из самых тяжелых впечатлений моей жизни. Об этом буду говорить в другом месте. Скажу только, что русская православная атмосфера за рубежом может лишь оттолкнуть от православия человека, который дорожит истиной, правдой и духовной свободой. Эта атмосфера заражена глубокой реакцией, и религиозной, и политической. Всего печальнее, что этим заражена молодежь. Даже часть молодежи, социально поворачивающаяся к коммунизму, заражена религиозной реакционностью. Ищут не правды, а порядка и сильной власти. В православном зарубежье обнаружились клерикальные настроения, которых в прошлом у нас не было. В православии не было клерикализма, который вдруг начали утверждать как единственно истинное православие. Епископы и священники были почти обоготворены. Если какой-нибудь епископ старой формации не склонен был преувеличивать своего авторитета, то молодежь была недовольна и требовала от него авторитарного иерархического сознания, то есть, в сущности, подчинения сознанию молодежи. Большая часть эмиграции рассматривала Православную церковь как орудие желанного государственного порядка. Утверждался примат политики над духом, как в православии императорском. Это саддукеи. Меньшая часть дорожила прежде всего ортодоксальной церковностью, и христианство для нее сводилось к храмовому благочестию и к млению от уставных церковных служб. Я острее чем когда-либо почувствовал страшный соблазн: отсутствие благодатного просветления у людей, почитающих себя ортодоксально верующими, постоянно посещающих церковные службы, молящихся, часто причащающихся. Это есть омертвение духовности во внешнем обряде, законе, уставе, православное фарисейство, много худшее фарисейства древнееврейского, которое было вершиной религии юдаизма. Традиция русской творческой религиозной мысли казалась совершенно прерванной, ее поддерживала лишь небольшая группа представителей философской и богословской мысли, которых не признавали настоящими православными. У меня нарастал настоящий бунт против этой атмосферы, и я не пропускал случая, чтобы не выступить с протестом устным и письменным. Я буду еще много говорить о моем соприкосновении с западным христианским миром, с католиками и протестантами. Эти отношения были сложные. Мне очень свойствен сверхконфессионализм (это слово я предпочитаю слову интерконфессионализм). Я всегда особенно хотел реформации, хотя и не в специально протестантском смысле. Эта реформация или глубокая духовная реформа необходима и для протестантского мира. Но вполне понятной может стать моя внутренняя религиозная жизнь и моя религиозная драма только в связи с пережитым мной внутренним опытом, глубоким внутренним кризисом — я имею в виду основную мечту моей жизни, тему о творчестве человека. Об этом в следующей главе. Но чем более я думаю о том, как сойти христианству с мертвой точки и вступить на новый творческий путь, тем более прихожу к тому, что это есть путь эсхатологического христианства, верного мессианской идее. Бог открывает себя миру, но Он не управляет этим миром. Этим миром управляет князь мира сего. «Да приидет Царствие Твое». Это значит, что в этом мире нет еще Царства Божьего, Царство Божье ожидается и к нему лишь идут. Царство Божье есть иное по сравнению с царством мира. Идея Царства Божьего должна быть понята эсхатологически. Так и понимают многие историки христианства (И. Вейсс, Луози, Швейцер). Но Царство Божье не только ожидается, оно и творится. Эсхатологическое сознание предполагает глубокое изменение человеческого сознания. Очень по-разному переживают люди и представители религиозной мысли религиозную драму. Моя религиозная драма очень мало имеет общего с драмой, пережитой Кирхегардтом, или с обычной драмой мучительных сомнений. Моя религиозная драма прежде всего в том, что я очень мучительно переживаю обычные, ставшие ортодоксальными понятия о Боге и об отношении Бога и человека. Я не сомневаюсь в существовании Бога, но у меня бывают мгновения, когда приходит в голову кошмарная мысль, что они, ортодоксы, мыслящие отношения между Богом и человеком социоморфически, как отношения между господином и рабом, правы, и тогда все погибло, погиб и я. В пределе религий кошмар грезится, как явление злого Бога, который из рабства мыслится людьми как добрый. Этому противополагается иной религиозный опыт — Бог не понят человеком, Бог ждет от человека дерзновенного творческого ответа. Но этим налагается на человека безмерно большая ответственность и тяжесть, чем обычное требование победы над грехами. Предельное дерзновение в том, что от человека зависит не только человеческая судьба, но и божественная судьба.

Глава VIII

МИР ТВОРЧЕСТВА. «СМЫСЛ ТВОРЧЕСТВА» И ПЕРЕЖИВАНИЕ ТВОРЧЕСКОГО ЭКСТАЗА

Тема о творчестве, о творческом призвании человека — основная тема моей жизни. Постановка этой темы не была для меня результатом философской мысли, это был пережитый внутренний опыт, внутреннее озарение. Обыкновенно поставленную мной тему о творчестве неверно понимают. Ее понимают в обычном смысле культурного творчества, творчества «наук и искусств», творчества художественных произведений, писания книг и прочее. При этом тема эта превращается в довольно банальный вопрос о том, оправдывает ли христианство творчество культуры, то есть, другими словами, не является ли христианство принципиально обскурантским? Но моя тема совсем иная, гораздо более глубокая. Я совсем не ставил вопроса об оправдании творчества, я ставил вопрос об оправдании творчеством. Творчество не нуждается в оправдании, оно оправдывает человека, оно есть антроподицея. Это есть тема об отношении человека к Богу, об ответе человека Богу. Тема об отношении к человеческой культуре, к культурным ценностям и продуктам есть уже вторичная и производная. Меня беспокоил вопрос об отношении творчества и греха, творчества и искупления. Я пережил период обостренного сознания греховности человека. И вошел в глубь этого сознания. То, вероятно, были моменты наиболее близкие к православию. Но если сознание греховности есть неизбежный момент духовного пути, который мне очень свойствен, то исключительная отдача себя этому сознанию и бесконечное углубление в него приводит к подавленности и к ослаблению жизненной силы. Переживание греховности может предшествовать просветлению и возрождению, а может превратиться в бесконечное сгущение тьмы. Переживание греховности, понятое как единственное и всеобъемлющее начало духовной жизни, не может привести к творческому подъему и озарению, оно должно перейти в другое переживание, чтобы произошло возрождение жизни. В сущности, меня всегда беспокоил один вопрос:

как преодолеть подавленность и перейти к подъему? Традиционные книги о духовной жизни обыкновенно дают ответ на этот вопрос в том смысле, что после переживания греховности и недостоинства человека наступает просветление благодатью. Но благодать исходит от Бога, сверху, снизу же, от человека исходит лишь переживание греховности и ничтожества человека. Мой вопрос и заключается в том, может ли исходить благостная сила, преодолевающая подавленность грехом, и от человека, может ли человек оправдать себя не только покорностью высшей силе, но и своим творческим подъемом. Для уяснения моей мысли очень важно понять, что для меня творчество человека не есть требование человека и право его, а есть требование Бога от человека и обязанность человека. Бог ждет от человека творческого акта как ответа человека на творческий акт Бога. О творчестве человека верно то же, что и о свободе человека. Свобода человека есть требование Бога от человека, обязанность человека по отношению к Богу. Но Бог не мог открыть человеку то, что человек должен открыть Богу. В Священном Писании мы не находим откровения о творчестве человека. Это не открыто, а сокрыто Богом. Требование, предъявленное мне, чтобы я оправдал ссылкой на тексты Священного Писания свою идею о религиозном смысле творчества человека, было непониманием проблемы. Дерзновение творчества было для меня выполнением воли Бога, но воли не открытой, а сокрытой, оно менее всего направлено против Бога. Тема о творчестве была для меня вставлена в основную христианскую тему о Богочеловечестве, она оправдана богочеловеческим характером христианства. Идея Бога о человеке бесконечно выше традиционных ортодоксальных понятий о человеке, порожденных подавленным и суженным сознанием. Идея Бога есть величайшая человеческая идея. Идея человека есть величайшая Божья идея. Человек ждет рождения в нем Бога. Бог ждет рождения в Нем человека. На этой глубине должен быть поставлен вопрос о творчестве. Необычайно дерзновенна мысль, что Бог нуждается в человеке, в ответе человека, в творчестве человека. Но без этого дерзновения откровение Богочеловечества лишается смысла. В глубине Божественной жизни есть предвечная человечность, есть драма отношений Бога и Его другого, божественного и человеческого. И это открывается в духовном опыте человека, а не в богословском умозрении; божественная драма опрокинута в человеческую драму, то, что вверху, опрокинуто в то, что внизу.

Это приоткрывалось у некоторых мистиков. Я говорил уже, что эпиграфом к «Смыслу творчества» я взял приведенный мной стих Ангелуса Силезиуса. Любящий (Бог) не может существовать без любимого (человека) — об этом невозможно мыслить в рациональных понятиях, на этом нельзя построить рациональной онтологии; мыслить можно лишь символически, и символическое мышление может означать лишь приближение к Тайне. Мистерия творчества не противополагается мистерии искупления, она есть другой момент духовного пути, другой акт мистической драмы. Для моего философского пути важно отметить, что я не верю в возможность рациональной онтологии, я верю лишь в возможность феноменологии духовного опыта, символически описываемого. Творчество для меня не столько оформление в конечном, в творческом продукте, сколько раскрытие бесконечного, полет в бесконечность, не объективация, а трансцендирование. Творческий экстаз (творческий акт есть всегда экс-тасис) есть прорыв в бесконечность. Отсюда возникала для меня трагедия творчества в продуктах культуры и общества, несоответствие между творческим замыслом и осуществлением. Проблема нового религиозного сознания в христианстве для меня стояла иначе, иначе формулировалась, чем в других течениях русской религиозной мысли начала XX века. Это не проблема плоти, как у Мережковского, не проблема освящения космоса, как в софиологическом течении, а проблема творчества, проблема новой религиозной антропологии. Эта новая антропология отлична от антропологии святоотеческой и схоластической, как и от антропологии гуманистической, поскольку она обоснована натуралистически.

Я пережил период сознания подавленности грехом. От нарастания этого сознания не возгорался свет, а увеличивалась тьма. В конце концов человек приучается созерцать не Бога, а грех, медитировать над тьмой, а не над светом. Острое и длительное переживание греховности ведет к подавленности, в то время как цель религиозной жизни есть преодоление подавленности. И вот я преодолел состояние подавленности, испытал состояние большого подъема. Это было настоящим внутренним потрясением и озарением. Я летом лежал в деревне в кровати, и уже под утро вдруг все мое существо было потрясено творческим подъемом и сильный свет озарил меня. Я перешел от подавленности грехом к творческому подъему. Я понял, что сознание греховности должно переходить в сознание творческого подъема, иначе человек опускается вниз. Это разные полюсы человеческого существования. Тайна христианства не может исчерпываться тайной искупления. Искупление лишь один из актов мистерии. Мне стал чужд исключительно сотериологический тип религии. В опыте творчества преодолевается подавленность, раздвоенность, порабощенность внеположностью. Повторяю, что под творчеством я все время понимаю не создание культурных продуктов, а потрясение и подъем всего человеческого существа, направленного к иной, высшей жизни, к новому бытию. В творческом опыте раскрывается, что «я», субъект, первичнее и выше, чем «не-я», объект. И вместе с тем творчество противоположно эгоцентризму, есть забвение о себе, устремленность к тому, что выше меня. Творческий опыт не есть рефлексия над собственным несовершенством, это — обращенность к преображению мира, к новому небу и новой земле, которые должен уготовлять человек. Творец одинок и творчество носит не коллективно-общий, а индивидуально-личный характер. Но творческий акт направлен к тому, что имеет мировой, общечеловеческий, космический и социальный характер. Творчество менее всего есть поглощенность собой, оно всегда есть выход из себя. Поглощенность собой подавляет, выход из себя освобождает.

Пережитое мною откровение творчества, которое есть откровение человека, а не Бога, нашло себе выражение в книге «Смысл творчества. Опыт оправдания человека». Книга эта написана единым, целостным порывом, почти в состоянии экстаза. Книгу эту я считаю не самым совершенным, но самым вдохновенным своим произведением, и в ней впервые нашла себе выражение моя оригинальная философская мысль. В нее вложена моя основная тема, моя первородная интуиция о человеке. И я считаю своей слабостью, что я не исключительно посвятил себя этой теме и периодически отвлекался и другими темами, менее для меня характерными. Тут обнаруживается также моя сравнительно слабая способность к систематическому развитию мысли. Я мыслю и пишу афористически и стараюсь находить формулировки для своих интуиций. Мысль моя не дискурсивна и в ней нет дискурсивной связи. Наиболее совершенной своей книгой я считаю книгу, написанную значительно позже, — «О назначении человека. Опыт парадоксальной этики». В ней я пытался создать цельную этику. Я всегда был мыслителем экзистенциального типа, был им, когда это выражение еще не употребляли. Книга «Смысл творчества» была книгой периода Sturm und Drang моей жизни. Писание этой книги, которое связано было с большим подъемом моих жизненных сил, сопровождалось изменением в складе моей жизни. Это был период реакции против московской православной среды. Я ушел из Религиозно-философского общества, перестал посещать его собрания. Отошел также от издательства «Путь». Я ушел в творческое уединение. С этим совпало мое путешествие на целую зиму в Италию. Мы жили во Флоренции и Риме. На обратном пути в Россию, вызванные болезнью матери, посетили Ассизы. Италию я пережил очень сильно и остро. Там я написал часть книги «Смысл творчества». У меня родилось много мыслей о творчестве Ренессанса. Я считал это творчество неудачей, но неудачей великой. Эта неудача связана с трагедией творчества вообще. Но вся атмосфера Италии, не современной Италии, а Италии прошлого, вдохновляла меня к писанию моей книги. Я пережил в Италии минуты большой радости. Особенно любил я ранний, средневековый еще, Ренессанс и флорентийский Ренессанс Quatrocente. Очень любил Боттичелли и видел огромный смысл в пережитой им драме творчества. Менее всего любил высокое римское Возрождение XVI века. Очень не любил собор святого Петра. Никак не мог полюбить Рафаэля. Непосредственные вкусы мои были скорее прерафаэлитские. Но меня всегда очень волновал Леонардо. В Риме я любил барочные фонтаны, но не любил барочных церквей. Более всего любил первохристианские церкви. Огромное впечатление на меня произвела Кампанья, где памятники человеческого творчества превратились в явления природы. Рим давал сильное чувство мировой истории. У меня также всегда было особенное почитание святого Франциска, которого я считаю величайшим явлением в истории христианства, и я непременно хотел посетить Ассизы. У меня осталось тяжелое впечатление от заброшенности монастыря святого Франциска современными итальянцами. Один францисканский монах, датчанин по происхождению, рассказывал нам о забвении святого Франциска. В церкви не было никого, кроме монахов. Для нас, православных, специально служили мессу у гроба святого Франциска. Я с грустью покинул Италию. Вернулся я уже в совсем другую, фашистскую Италию. По переезде в Москву у меня начался новый период. Православные круги, не только правые, но и левые, отнеслись очень подозрительно и даже враждебно к моим мыслям о творческом призвании человека. Я почувствовал себя очень одиноким в своем сознании. Когда вышла моя книга «Смысл творчества», то в личном разговоре ее высоко оценил Вяч. Иванов, который не сочувствовал моим мыслям, но относился вообще сочувственно к чужому творчеству. Он воспринял книгу музыкально. С. Булгаков в своей книге «Свет невечерний» признал демонический, человекобожеский характер моей мысли о творчестве. Много писал о книге лишь В. Розанов.

§

Проблема творчества была для меня связана с проблемой свободы. Уже раньше, как я говорил, я написал «Философию свободы». Эта книга была написана не как цельное произведение, а как собрание отдельных этюдов. Меня не удовлетворяла эта книга. Терминология в ней недостаточно выработана. Впоследствии я гораздо лучше выразил свои мысли. Но в ней утверждался уже примат свободы. Творческий акт человека и возникновение новизны в мире не могут быть поняты из замкнутой системы бытия. Творчество возможно лишь при допущении свободы, не детерминированной бытием, не выводимой из бытия. Свобода вкоренена не в бытии, а в ничто, свобода безосновна, ничем не определяема, находится вне каузальных отношений, которым подчинено бытие и без которых нельзя мыслить бытия. Я вполне формулировал для себя истину о внебытийственном характере свободы лишь впоследствии. В книге «Философия свободы» я еще не освободился от предрассудков онтологической философии и не вполне освободился от онтологизма и в книге «Смысл творчества». Но в «Смысле творчества» я уже выразил основную для меня мысль, что творчество есть творчество из ничего, то есть из свободы. Критики приписывали мне нелепую мысль, что творчество человека не нуждается в материи, в материалах мира. Но ничего подобного я никогда не утверждал. Творческий акт человека нуждается в материи, он не может обойтись без мировой реальности, он совершается не в пустоте, не в безвоздушном пространстве. Но творческий акт человека не может целиком определяться материалом, который дает мир, в нем есть новизна, не детерминированная извне миром. Это и есть тот элемент свободы, который привходит во всякий подлинный творческий акт. В этом тайна творчества. В этом смысле творчество есть творчество из ничего. Это лишь значит, что оно не определяется целиком из мира, оно есть также эманация свободы, не определяемой ничем извне. Без этого творчество было бы лишь перераспределением элементов данного мира и возникновение новизны было бы призрачным. Меня беспокоила и интересовала более всего тема, как из небытия возникает бытие, как не существовавшее становится существующим. Переход небытия в бытие не может быть объяснен из уже детерминированного бытия. Но это и есть тема о свободе. Признать, что свобода вкоренена в небытие или ничто, значит признать иррациональную тайну свободы. Это может быть выражено лишь в символическом описании духовного опыта. О небытийственной, добытийственной свободе нельзя составить понятия. Я признавал, что творческие дары даны человеку Богом, но в творческие акты человека привходит элемент свободы, не детерминированный ни миром, ни Богом. Творчество есть ответ человека на призыв Бога. Бесплодно и нелепо ставить вопрос о том, может ли быть оправдано творчество с точки зрения религии искупления. Для дела искупления и спасения можно обойтись без творчества. Но для Царства Божьего творчество человека необходимо. Царство Божье приходит и через творческое дело человека. Новое, завершающее откровение будет откровением творчества человека. Это и будет чаемая эпоха Духа. И в ней наконец реализуется христианство как религия Богочеловечества. Я сознал религиозный, а не культурный только, смысл творчества, творчества не оправдываемого, а оправдывающего. В глубине это есть дерзновенное сознание о нужде Бога в творческом акте человека, о Божьей тоске по творящем человеке. Творчество есть продолжение миротворения. Продолжение и завершение миротворения есть дело богочеловеческое, Божье творчество с человеком, человеческое творчество с Богом. Но я изначально сознал глубокую трагедию человеческого творчества и его роковую неудачу в условиях мира. Это сознание есть очень существенная сторона моей книги «Смысл творчества». Творческий акт в своей первоначальной чистоте направлен на новую жизнь, новое бытие, новое небо и новую землю, на преображение мира. Но в условиях падшего мира он отяжелевает, притягивается вниз, подчиняется необходимому заказу, он создает не новую жизнь, а культурные продукты большего или меньшего совершенства. Результаты творчества носят не реалистический, а символический характер. Создается книга, симфония, картина, стихотворение, социальное учреждение. Есть несоответствие между творческим взлетом и творческим продуктом. Не буду повторять того, о чем я уже много раз писал. Но хотелось бы предотвратить ложное понимание моей мысли. Я совсем не отрицаю творчества культуры, совсем не отрицаю смысла продуктов творчества в этом мире. Это есть путь человека, человек должен пройти через творчество культуры и цивилизации. Но это есть творчество символическое, дающее лишь знаки реального преображения. Реалистическое творчество было бы преображением мира, концом этого мира, возникновением нового неба и новой земли. Творческий акт есть акт эсхатологический, он обращен к концу мира.

С такого рода пониманием смысла творчества связаны были мои симпатии к романтизму и несимпатии к классицизму, хотя эти понятия я считаю условными. Классицизм можно называть достижением совершенства в творческом акте, и в этом смысле смешно было бы восставать против классического. Но ложь классицизма как известного духовного типа лежит в допущении возможности имманентного совершенства в конечном, в условиях этого мира. Классицизм антиэсхатологичен. Правда романтизма, за которым нужно признать и много грехов, лежит в сознании недостаточности совершенства в конечном, в устремлении к бесконечному, то есть к запредельному. В этом мире совершенство творческого произведения может быть лишь символическим, то есть лишь знаком иного, совершенства в ином мире, в ином плане бытия и сверхбытия. Настоящая цель заключается в победе самой реальности над символом. Но нужно понять сложность этой мысли. Ложно и ограничено то сознание, которое символы принимает за реальность. Символическое сознание выше этого наивно-реалистического сознания, и именно оно открывает путь к подлинным реальностям. Наивно-реалистическое сознание заковано в условно-символическом мире. Мое же отношение к романтизму всегда было двойственно. С одной стороны, я непосредственно предпочитал романтизм классицизму, и мне противна, как я уже говорил, реакция против романтизма на Западе в период между двумя войнами. Но, с другой стороны, многое в романтизме меня отталкивало, у романтиков я видел много лживости. Правда романтиков в недовольстве конечностью и закованностью этого мира, в устремленности к тому, что лежит за пределами рационального порядка. Но истинный путь лежит от наивного реализма, иногда принимающего форму классицизма, через символизм к подлинному реализму. Моя тема была: возможен ли и как возможен переход от символического творчества продуктов культуры к реалистическому творчеству преображенной жизни, нового неба и новой земли. В этом смысле творчество есть конец мира. У русских писателей, переходивших за границы искусства, у Гоголя, у Л. Толстого, у Достоевского и многих других остро ставилась эта тема. К ней также подходили Ницше, Ибсен, символисты. Я знаю, что постановка этой темы может производить впечатление требования чуда. Можно ли перейти от творчества совершенных произведений к творчеству совершенной жизни? Творчество не нужно тут понимать как моральное совершенствование. В этом не было бы ничего нового. Старое христианское сознание всегда колебалось между аскетическим, мировраждебным сознанием и сознанием, оправдывающим творчество культуры в этом мире и освящающим формы общества. Но для меня шла речь о чем-то третьем, о реальном изменении этого мира. Глава об искусстве в книге «Смысл творчества» меня менее всего сейчас удовлетворяет.

Мое ожидание наступления новой творческой эпохи не было ренессансно-гуманистическим. Мое религиозно-философское миросозерцание может быть, конечно, истолковано как углубленный гуманизм, как утверждение предвечной человечности в Боге. Человечность присуща Второй Ипостаси Святой Троицы, в этом реальное зерно догмата. Человек есть существо метафизическое. Этого моего убеждения не может пошатнуть низость эмпирического человека. Мне свойствен пафос человечности. Хотя я убежден и убеждаюсь все более и более, что человеку мало свойственна человечность. Я теперь часто повторяю: «Бог человечен, человек же бесчеловечен». Вера в человека, в человечность есть вера в Бога, и она не требует иллюзий относительно человека. Моя человечность лучше всего выразилась в книге «О назначении человека». Л. Шестов даже написал обо мне, что я самый человечный из философов. Но я много писал о кризисе европейского гуманизма и предсказывал наступление эпохи антигуманистической, в чем оказался совершенно прав. Я говорил о внутренней диалектике гуманизма, в которой гуманизм переходит в антигуманизм. Утверждение самодостаточности человека оборачивается отрицанием человека, ведет к разложению начала чисто человеческого на начало, притязающее стоять выше человеческого («сверхчеловек»), и на начало, бесспорно стоящее ниже человеческого. Вместо бого-человечества утверждается бого-звериность. Огромное значение для понимания экзистенциальной диалектики гуманизма имели для меня Достоевский, Ницше и Маркс. После пережитого мною внутреннего переворота, связанного с опытом творческого подъема, я никогда не изменял своей веры в творческое призвание человека. Но моя надежда на скорое наступление творческой эпохи была ослаблена катастрофическими событиями мировой войны, русской революции, переворота в Германии, новой войны, сумеречным, не творческим периодом между двумя войнами, угрозами нового мирового рабства. Я предвидел и предчувствовал наступление катастроф. Мне свойственно катастрофическое чувство жизни. Я не верю в твердость и устойчивость мирового и социального порядка. То, что казалось устройчивым и прочным, опрокидывается с большой легкостью вулканическими силами, которые всегда скрыты за кажущейся гармонией. Исторические катастрофы обнаруживают большой динамизм и дают впечатление создания совершенно новых миров, но совсем не благоприятны для творчества, как я его понимал и как его предвидел в наступлении новой творческой религиозной эпохи. Динамизм исторических катастроф даже предварял собой эпоху реакционную в отношении к подлинному творчеству человека, ибо она враждебна человеку и истребительна для свободы духа. Мир вступил в античеловеческую эпоху, характеризующуюся процессом дегуманизации. Но трагический опыт ужасающей комедии истории подготовляет совершенно новую эпоху в судьбах человека. То, что происходит на поверхности истории, не может пошатнуть веры в творческое призвание человека, связанное с метафизическими глубинами. Для понимания моей мысли важно подчеркнуть, что мне чужда идея прямого, сплошного, непрерывного развития. Я вообще антиэволюционист в том смысле, что признаю прерывность, связанную с вторжением в мировой процесс свободы, и отрицаю непрерывность, как выражение детерминизма. Мне всегда казалось неправильным словосочетание «творческая эволюция», которым Бергсон обозначил свою книгу. Творчество и эволюция не только разные, но даже противоположные вещи. В мировом и историческом процессе нет необходимости прогресса, закономерного развития. Возможны периоды реакции и тьмы, как возможны и творческие прорывы, повороты, раскрытие новых аспектов мира, новых миров. Мне всегда казались мало значительными и не очень важными сами по себе события на поверхности истории, я вижу в них лишь знаки иного. Я никогда не склонен был придавать особенного значения и тем социально выраженным «объективным» начинаниям, в которых сам принимал участие и бывал инициатором. Я никогда не преувеличивал значения своей «активности» и даже преуменьшал ее значение. Отчасти тут сказывалась толстовская и даже нигилистическая закваска. Мне казалось, что настоящая жизнь — за всем этим. Ценными и подлинными, первородными мне представлялись лишь творческие подъемы и прорывы, лишь мой внутренний творческий мир. В творческом подъеме преодолевалась подавленность, а это самое главное. Я оставался верен основной идее «Смысла творчества». Философски я даже очень усовершенствовал выражение своей мысли, более определил терминологию. Но я, может быть, недостаточно концентрировал и недостаточно проповедовал основную идею своей жизни. Я с горечью замечал, что меня плохо понимают, плохо понимают самое главное у меня и, в сущности, плохо знают мои центральные мысли, плохо связывают разные стороны моей мысли. И это несмотря на то, что моя мысль очень централизована и целостна. Я много писал о событиях времени, постоянно производил оценку происходящего, но все это, употребляя выражение Ницше, было «несвоевременными размышлениями»; они были в глубоком конфликте со временем и были обращены к далекому будущему. Я никогда не был ни политическим деятелем, ни политическим публицистом, я был моралистом, защищавшим свою идею человека в эпоху, враждебную человеку. Я пытался проповедовать человечность в самую бесчеловечную эпоху. Меня так плохо понимали, что, когда я высказался в защиту экзистенциальной философии, то увидели в этом что-то совершенно новое для меня и почти измену моему философскому прошлому. И никто не заметил, что для меня экзистенциальная философия была лишь выражением моей человечности, человечности, получившей метафизическое знание. В этом я отличаюсь от Гейдеггера, Ясперса и других, отличаюсь и от Кирхегардта.

§

Стараясь психологически понять источники моего апофеоза творчества, я замечаю связь моего исключительного отношения к творчеству с моим пессимистическим отношением к мировой данности, к тому, что называют «действительностью». Чтобы жить достойно и не быть приниженным и раздавленным мировой необходимостью, социальной обыденностью, необходимо в творческом подъеме выйти из имманентного круга «действительности», необходимо вызвать образ, вообразить иной мир, новый по сравнению с этой мировой действительностью (новое небо и новую землю). Творчество связано с воображением. Творческий акт для меня всегда был трансцендированием, выходом за границу имманентной действительности, прорывом свободы через необходимость. В известном смысле можно было бы сказать, что любовь к творчеству есть нелюбовь к «миру», невозможность остаться в границах этого «мира». Поэтому в творчестве есть эсхатологический момент. Творческий акт есть наступление конца этого мира, начало иного мира. Иллюзия классицизма заключается в том, что будто бы результаты творческого акта могут быть совершенными в этом мире, могут нас оставлять и не притягивать к иному миру. Но так называемые классические в смысле совершенства продукты творчества, в сущности, всегда говорят о мире ином, чем эта мировая действительность, и упреждают преображение мира. В этом упреждении преображения мира смысл искусства. Поэтому искусство имеет катартическое и освобождающее значение. Но творчество не всегда бывает истинным и подлинным, оно может быть ложным и иллюзорным. Человеку свойственно и лже-творчество. Человек может давать ответ не на призывы Бога, а на призыв Сатаны. Но проблема демонизма в искусстве мне представляется очень сложной. Пусть в самом Леонардо да Винчи был демонический элемент, хотя мне представляется это крайне преувеличенным. В подлинном творческом художественном акте Леонардо сгорает всякий демонизм и исчезает всякое зло. Прямолинейное морализирование над творчеством недопустимо. Все традиционные богословские учения мне представлялись враждебными моей идее творчества. Я находился с ними в постоянном конфликте. Никто не соглашался со мной вполне, хотя некоторые находили, что я поднял интересный вопрос. Я говорю не только о течениях мысли на почве православия. Совершенно то же я встречал в западных христианских течениях, в мысли католической и протестантской, которая охвачена была жаждой возврата к истокам прошлого (томизм, бартианство). Некоторые статьи обо мне, написанные на Западе, сопоставляли меня с тем, что называли христианской теософией, с Я. Бёме, Сен-Мартеном, Фр. Баадером, но не соглашались признать мою мысль ортодоксальной. Когда я ближе познакомился с современной католической и протестантской мыслью, то я был поражен, до чего моя проблема творчества им чужда, чужда и вообще проблематика русской мысли. Наибольшие сомнения и возражения вызывает мое учение о несотворенной, добытийственной свободе, которое у меня все более и более вычеканивалось. Я остался очень одиноким в своей мысли. Ортодоксальные системы, которые выражают организованный социальный коллектив, должны отрицать творчество или признавать его в очень поверхностном смысле. Нельзя написать драмы, романа, лирического стихотворения, если нет конфликта, столкновения с нормой и законом, нет «незаконной» любви, внутренних сомнений и противоречий, нет всего того, что представляется недопустимым с точки зрения «закона» установившегося ортодоксального мнения. Невозможна творческая философская мысль, если нет сферы проблематического, нет мучительных усилий разрешить новые вопросы, нет искания истины, которая не падает сверху в готовом и застывшем виде, нет борений духа. Но ортодоксальные системы не хотят знать никакой новой проблематики, относятся подозрительно и враждебно к творческому беспокойству, к исканию, к борениям духа. Они, в сущности, не могут принять Шекспира, Гете, Бетховена.

Наблюдая над творческим процессом в самом себе, я иногда поражался несходством с тем, что мне говорили о себе другие люди. Я всегда сознавал себя прежде всего философом, всегда сознавал свое философское призвание. В конце концов, более всего я любил философию, философское познание. Философы академического типа предпочитали меня называть мыслителем, очевидно, обозначая этим философа более вольного, менее методического типа: моя философия никогда не была профессорской. Но самое главное то, что мой процесс мысли и познания протекал иначе, чем обыкновенно его описывают. Во мне нет того, что называют обдумыванием, дискурсивным, выводным мышлением, нет систематической, логической связи мысли. Я, в сущности, не могу развивать своей мысли, доказывать. Анализ сравнительно слабая сторона моей мысли. Я мыслитель типа исключительно интуитивно-синтетического. У меня бесспорно есть большой дар сразу понять связь всего отдельного, частичного с целым, со смыслом мира. Самые ничтожные явления жизни вызывают во мне интуитивные прозрения универсального характера. При этом интуиция носит интеллектуально-эмоциональный, а не чисто интеллектуальный характер. За малым и раздельным в мире я вижу доховную действительность, из которой проливается свет на все. Наиболее важные для меня мысли приходят мне в голову, как блеск молнии, как лучи внутреннего света. Когда я начинаю писать, я иногда чувствую настолько сильный подъем, что у меня кружится голова. Мысль моя протекает с такой быстротой, что я еле успеваю записывать. Я не кончаю слов, чтобы угнаться за своей мыслью. Я никогда не обдумываю формы, она сама собой выливается, моя мысль даже изначально связана с внутренним словом. Я почти никогда не исправляю и не обдумываю написанного, могу печатать в таком виде, как первоначально написалось. Поэтому в моей манере писать есть небрежность. Я делаю лишь небольшие вставки и иногда этим нарушаю последовательность мысли. Манера писать у меня, как я говорил уже, афористическая, хотя эта естественно свойственная мне форма недостаточно выработанная и последовательная. Афоризм для меня есть микрокосм мысли, в нем в сжатом виде присутствует вся моя философия, для которой нет ничего раздельного и частного. Это философия конкретно-целостная. Я всю жизнь пишу. Писание для меня духовная гигиена, медитация и концентрация, способ жить. Писать я всегда мог при всех условиях и при всяком душевном состоянии. Я мог писать, когда у меня было 39 температуры, когда у меня очень болела голова, когда в доме было очень неблагополучно, когда происходила бомбардировка, как в Москве в октябре 17 года и в Париже в 40 году и 44 году. Оболочки моей души, очень восприимчивой и чувствительной, могли вибрировать, я мог испытывать состояние растерянности. Но дух мой оставался свободным, независимым от окружающих условий, обращенным к творчеству. Этим я всю жизнь держался, в этом была моя сила, несмотря на все мои слабости, в этом я более всего чувствовал благодатную помощь. Самые важные, основоположные для меня мысли приходили мне в голову в моменты, которые могут многим показаться неподходящими для философского мышления. Иногда случайные явления жизни были важнее для моей мысли, чем углубленное чтение философских книг. Я всегда много читал, но чтение книг не есть главный источник моей мысли, моей собственной философии; главный источник — события жизни, духовный опыт. Когда я писал книгу, то обычно в это время не читал книг на эту тему и даже не заглядывал в них, если они лежали на столе около меня. Это стесняет свободу моей мысли, ослабляется творчество. Я говорил уже, что весь план моей книги «О назначении человека», которая, может быть, самая систематическая из моих книг, мне вдруг пришел в голову, когда я сидел в балете Дягилева, не имевшего никакой связи с темой книги. Я всегда жил в нескольких планах. Я мог быть истерзан моей собственной болезнью и болезнью близких, мог быть несчастен от очень тяжелых событий жизни и в то же время испытывать подъем и радость творческой мысли. Я не бывал подавлен исключительно чем-либо одним. Это очень затрудняло понимание меня. В оформлении своей мысли, в своем отношении к писанию я не артист, интересующийся совершенством своего продукта. Моя внутренняя чувствительность и интуитивность гораздо тоньше и многообразнее, чем это выражается в моих писаниях и речах. Я плохо умею выразить свое конкретное видение мира. Я пишу потому, что внутренний голос повелевает мне сказать то, что я услыхал, пишу, потому что не могу не писать. У меня нет никакого рефлектирования над своим писанием, никакого интереса к тому, найдут ли другие хорошим то, как я написал. Писание есть для меня почти физиологическая потребность. Как писатель, я лишен всякого кокетства, всякой оглядки на себя. В возникновении моей мысли, может быть, есть артистический момент. Но я пишу и не как ученый, и не как артист, я не стремлюсь объективировать своего творчества, я хочу выразить себя, крикнуть другим, что услыхал изнутри. Творчество и писательство для меня не столько объективирование, сколько трансцендирование. Я употреблял уже это выражение. Я не создаю объектов, но я выхожу из себя в другое. Я не принадлежу к писателям, которые любят ими написанное. Меня обыкновенно не удовлетворяет мной написанное. Я не люблю себя перечитывать, не люблю даже читать цитат из себя в статьях, написанных обо мне. У меня есть почти ненормальное равнодушие к тому, что обо мне пишут. Я не люблю видеть себя в объективированном мире, не люблю смотреть на свою фотографию. Я люблю лишь происходящий во мне творческий подъем, преодолевающий самое различение субъекта и объекта. Но некоторыми своими книгами я все-таки дорожу, особенно в иные моменты. Творчество было для меня погружением в особый, иной мир, мир свободный от тяжести, от власти ненавистной обыденности. Творческий акт происходит вне времени. Во времени лишь продукты творчества, лишь объективация. Продукты творчества не могут удовлетворять творца. Но пережитый творческий подъем, экстаз, преодолевающий различение субъекта и объекта, переходит в вечность. Очень сложна проблема отношения творчества и созерцания. Я надеюсь обратиться к этой проблеме в другой задуманной книге. Верно ли противоположение творчества и созерцания? Думаю, что нет. Созерцание не есть совершенная пассивность духа, как часто думают. В созерцании есть также момент духовной активности и творчества. Эстетическое созерцание красоты природы предполагает активный прорыв к иному миру. Красота есть уже иной мир за этим миром. Созерцание иного и духовного, умного мира предполагает преодоление этого мира, отделяющего нас от Бога и духовного мира. В созерцании высшего, прекрасного, гармонического созерцающий переживает момент творческого экстаза. Ошибочно думать, что состояние вдохновенности и одержимости высшим не есть творческое состояние. Гений — человек одержимый, но он творец. Но самые моменты созерцания не знают борьбы, конфликта, мучительного противления и затруднения, эти состояния преодолеваются. Этим созерцание отличается от других форм активности духа. И человек должен периодически приходить к моментам созерцания, испытывать благодатный отдых созерцания. Исключительный динамизм, непрерывный активизм или растерзывает человека, или превращает его в механизм. В этом ужас нашей эпохи.

Глава IX

РУССКАЯ РЕВОЛЮЦИЯ И МИР КОММУНИСТИЧЕСКИЙ

Я пережил русскую революцию как момент моей собственной судьбы, а не как что-то извне мне навязанное. Эта революция произошла со мной, хотя бы я относился к ней очень критически и негодовал против ее злых проявлений. Мне глубоко антипатична точка зрения слишком многих эмигрантов, согласно которой большевистская революция сделана какими-то злодейскими силами, чуть ли не кучкой преступников, сами же они неизменно пребывают в правде и свете. Ответственны за революцию все, и более всего ответственны реакционные силы старого режима. Я давно считал революцию в России неизбежной и справедливой. Но я не представлял себе ее в радужных красках. Наоборот, я давно предвидел, что в революции будет истреблена свобода и что победят в ней экстремистские и враждебные культуре и духу элементы. Я писал об этом. Но мало кто соглашался со мной. Наивным и смешным казалось мне предположение гуманистов революции о революционной идиллии, о бескровной революции, в которой, наконец, обнаружится доброта человеческой природы и народных масс. Революция есть тяжелая болезнь, мучительная операция больного, и она свидетельствует о недостатке положительных творческих сил, о неисполненном долге. Я сочувствовал «падению священного русского царства» (название моей статьи в начале революции), я видел в этом падении неотвратимый процесс развоплощения изолгавшейся символики исторической плоти. Мне близки были взгляды Карлейля на революцию. Старая историческая плоть России, называвшаяся священной, разложилась, и должна была явиться новая плоть. Но это еще ничего не говорит о качестве этой новой плоти. Русская революция стояла под знаком рока, как и гитлеровская революция в Германии, она не была делом свободы и сознательных актов человека. Революция еще раз подтвердила горькость русской судьбы. Несчастье ее было не в том, что она была преждевременной, а в том, что она была запоздалой. Характер русской революции определился тем, что она была порождением войны. Есть что-то безрадостное в революции, происшедшей из войны. В России целое столетие подготовлялась революция, происходили разного рода революционные движения. Но непосредственно революция не была подготовлена. Самодержавная монархия не столько была свергнута, сколько разложилась и сама пала. Вспоминаю, что приблизительно за месяц до февральской революции у нас в доме сидели один меньшевик и один большевик, старые знакомые, и мы беседовали о том, когда возможна в России революция и свержение самодержавной монархии. Меньшевик сказал, что это возможно, вероятно, не раньше, чем через 25 лет, а большевик сказал, что не раньше, чем через 50 лет. Большевики не столько непосредственно подготовили революционный переворот, сколько им воспользовались. Я всегда чувствовал не только роковой характер революции, но и демоническое в ней начало. И это нужно сказать и в том случае, когда мы видим правду в революции.

В последний год перед революцией в Москве происходили закрытые общественные собрания. В них принимали участие левые элементы интеллигенции, но не экстремистские. Бывали более умеренные социал-демократы и социалисты-революционеры, и более левые кадеты. Е. Кускова и С. Прокопович были в центре. А. Потресов приходил под руку с Верой Засулич, уже очень старой. Несколько раз появлялся и большевик Скворцов-Степанов, впоследствии редактор «Известий». Я активно выступал в этих собраниях, иногда даже председательствовал. У меня было впечатление, что все эти люди, представлявшие разные революционные и оппозиционные течения, чувствовали себя во власти стихийных, фатальных сил, которыми они не могут управлять и направлять согласно своему сознанию. По обыкновению, я совсем не чувствовал себя сливающимся с этой группировкой. Даже когда я активно говорил, я был чужим и далеким. К моменту февральской революции я не чувствовал связи ни с какой группировкой. Когда разразилась революция, я чувствовал себя чужим и ненужным. Я испытал большое одиночество в февральской революции. Меня очень отталкивало, что представители революционной интеллигенции стремились сделать карьеру во Временном правительстве и легко превращались в сановников. Трансформация людей — одно из самых мучительных впечатлений моей жизни. Я наблюдаю это сейчас во Франции, после поражения*. Многое отталкивало меня уже в февральской, свободолюбивой революции. Хуже всего я себя внутренне чувствовал в кошмарное лето 17 года. Я посещал многочисленные митинги того времени, не участвуя в них, всегда чувствовал себя на них несчастным и остро ощущал нарастание роковой силы большевизма. Я вполне сознавал, что революция не остановится на февральской стадии, не останется бескровной и свободолюбивой. Как это ни странно, но я себя внутренне лучше почувствовал в советский период, после октябрьского переворота, чем в лето и осень 17 года. Я тогда уже пережил внутреннее потрясение, осмыслил для себя события и начал проявлять большую активность, читал много лекций, докладов, много писал, спорил, был очень деятелен в Союзе писателей, основал Вольную академию духовной культуры. В первые дни революции активность моя выразилась лишь в том, что когда Манеж осаждался революционными массами, а вокруг Манежа и внутри его были войска, которые каждую минуту могли начать стрелять, я с трудом пробрался внутрь Манежа, спросил офицера, стоявшего во главе этой части войска, и начал убеждать его не стрелять, доказывая ему, что образовалось новое правительство и что старое правительство безнадежно пало. Может быть, мои убеждения и оказали некоторое влияние. Войска не стреляли. А может быть, я себя этим утешал. Очень тяжелое потрясение я пережил, когда началось бегство русской армии с фронта. Вероятно, тут вспыхнули во мне традиционные чувства, связанные с тем, что я принадлежу к военной семье, что мои предки были георгиевские кавалеры. Некоторое время я очень страдал, готов был даже солидаризоваться с генералами старой армии, что, вообще говоря, мне совершенно чуждо. После этого во мне произошел процесс большого углубления, я пережил события более духовно. И я сознал совершенную неизбежность прохождения России через опыт большевизма. Это момент внутренней судьбы русского народа, экзистенциальная ее диалектика. Возврата нет к тому, что было до большевистской революции, все реставрационные попытки бессильны и вредны, хотя бы то была реставрация принципов февральской революции. Возможно только движение вперед после пережитого катастрофического опыта, возможно лишь Aufhebung в гегелевском смысле. Но это

---

* И после освобождения (примечание 1945 года).

углубление сознания не означало для меня примиренность с большевистской властью. В октябре 17 года я еще был настроен страстно-эмоционально, недостаточно духовно. Я почему-то попал от общественных деятелей на короткое время в члены Совета Республики, так называемый Предпарламент, что очень мне не соответствовало и было глупо. Я там увидал революционную Россию всех оттенков. Было много старых знакомых. Мне мучительно было видеть людей раньше преследуемых, живших на нелегальном положении или в эмиграции, в новой роли людей у власти. У меня всегда было отвращение ко всякой власти. Я был настроен так воинственно, что не захотел поздороваться с моей старой знакомой А. М. Коллонтай. Впоследствии я стал выше всего этого. В самом начале 18 года я написал книгу «Философия неравенства», которую не люблю, считаю во многом несправедливой и которая не выражает по-настоящему моей мысли. Одни укоряли меня за эту книгу, другие укоряли за то, что я отказался от нее. Но должен сказать, что в этой совершенно эмоциональной книге, отражающей бурную реакцию против тех дней, я остался верен моей любви к свободе. Я также и сейчас думаю, что равенство есть метафизически пустая идея и что социальная правда должна быть основана на достоинстве каждой личности, а не на равенстве.

Изначально я воспринял моральное уродство большевиков. Для меня их образ был неприемлем и эстетически, и этически. В течение пяти лет я прожил в советском коммунистическом строе, и все эти пять лет я отличался моральной непримиримостью. Могу сказать, что за это трудное время я никогда не изменял себе. Я даже горжусь этими годами своей жизни и признаю за ними особенное достоинство в моей биографии. Вокруг я видел много людей, изменивших себе. Повторяю, что перевоплощение людей — одно из самых тяжелых впечатлений моей жизни. Я видел эти перевоплощения и в революционерах, занявших видное положение в советской власти. Вспоминаю о Х., которого я хорошо знал, когда он был в революционном подполье. Он мне казался очень симпатичным человеком, самоотверженным, исключительно преданным своей идее, мягким, с очень приятным, несколько аскетического типа лицом. Жил он в очень тяжелых условиях, скрывался от преследований, голодал. В нем было что-то скорбно-печальное. Этого человека, которого хорошо знали Лидия и Женя, и в прежнее время Лидия даже очень помогла ему бежать из Сибири, совершенно нельзя было узнать в советский период. По словам видевшей его Жени, у него совершенно изменилось лицо. Он разжирел, появилась жесткость и важность. Он сделал советскую карьеру, был советским послом в очень важном месте, был народным комиссаром. Перевоплощение этого человека было изумительное. Это очень остро ставит проблему личности. Личность есть неизменное в изменениях. В стихии большевистской революции меня более всего поразило появление новых лиц с небывшим раньше выражением. Произошла метаморфоза некоторых лиц, раньше известных. И появились совершенно новые лица, раньше не встречавшиеся в русском народе. Появился новый антропологический тип, в котором уже не было доброты, расплывчатости, некоторой неопределенности очертаний прежних русских лиц. Это были лица гладко выбритые, жесткие по своему выражению, наступательные и активные. Ни малейшего сходства с лицами старой русской интеллигенции, готовившей революцию. Новый антропологический тип вышел из войны, которая и дала большевистские кадры. Это тип столь же милитаризованный, как и тип фашистский. Об этом я не раз писал. С людьми и народами происходят удивительные метаморфозы. Для меня это был новый и мучительный опыт. Впоследствии такие же метаморфозы произошли в Германии и они, вероятно, произойдут во Франции. Я вспоминаю о годах жизни в советской России как о времени большой духовной напряженности. Была большая острота в восприятии жизни. В коммунистической атмосфере было что-то жуткое, я бы даже сказал, потустороннее. Катастрофа русской революции переживалась мистически, чего совсем нет в катастрофе французской. С моей стороны была большая активность, хотя и не политического характера. В это необыкновенное время были хорошие отношения между людьми, чего совсем не было в эмиграции.

С коммунизмом я вел не политическую, а духовную борьбу, борьбу против его духа, против его вражды к духу. Я менее всего был реставратором. Я был совершенно убежден, что старый мир кончился и что никакой возврат к нему невозможен и нежелателен. От эмиграции и ее настроений у меня было отталкивание. Я относился очень враждебно ко всякой интервенции извне, к вмешательству иностранцев в русскую судьбу. Я был убежден, что вина и ответственность за ужасы революции лежат прежде всего на людях старого режима и что не им быть судьями в этих ужасах. Я потом начал сознавать, что ответственность за духоборческий, враждебный духовной культуре характер русской революции лежит на деятелях русского ренессанса начала XX века. Русский ренессанс был асоциален, был слишком аристократически замкнутым. И более всего, может быть, ответственность лежит на историческом христианстве, на христианах, не исполнивших своего долга. Я понял коммунизм как напоминание о неисполненном христианском долге. Именно христиане должны были осуществить правду коммунизма, и тогда не восторжествовала бы ложь коммунизма. Это впоследствии, уже на Западе, стало одним из основных мотивов моей христианской деятельности. Коммунизм для меня был не только кризисом христианства, но и кризисом гуманизма. То была одна из главных тем моих размышлений. Я был очень сосредоточен на проблемах философии истории и думал, что время очень благоприятствовало историософической мысли. Возникновение на Западе фашизма, который стал возможен только благодаря русскому коммунизму, которого не было бы без Ленина, подтвердило многие мои мысли. Вся западная история между двумя войнами определилась страхом коммунизма. Русская революция была также концом русской интеллигенции. Революции всегда бывают неблагодарны. Русская революция отнеслась с черной неблагодарностью к русской интеллигенции, которая ее подготовила, она ее преследовала и низвергла в бездну. Она низвергла в бездну всю старую русскую культуру, которая, в сущности, всегда была против русской исторической власти. Опыт русской революции подтверждал мою давнюю уже мысль о том, что свобода не демократична, а аристократична. Свобода не интересна и не нужна восставшим массам, они не могут вынести бремени свободы. Это глубоко понимал Достоевский. Фашистские движения на Западе подтверждали эту мысль, они стоят под знаком Великого Инквизитора — отказ от свободы духа во имя хлеба. В русском коммунизме воля к могуществу оказалась сильнее воли к свободе. В коммунизме элемент империалистический сильнее элемента революционно-социального. Наибольшее отталкивание у меня было именно от этого империалистического элемента.

Годы, проведенные в советской России, в стихии коммунистической революции, давали мне чувство наибольшей остроты и напряженности жизни, наибольших контрастов. Я совсем не чувствовал подавленности. Я не был пассивен, как в катастрофе, разразившейся над Францией, я был духовно активен. Даже когда была введена обязательная трудовая повинность и пришлось чистить снег и ездить за город для физических работ, я совсем не чувствовал себя подавленным и несчастным, несмотря на то, что привык лишь к умственному труду и чувствовал физическую усталость. Я даже видел в этом правду, хотя и дурно осуществляемую. Одно время жизнь была полуголодная, но всякая еда казалась более вкусной, чем в годы обилия. Я оставался жить в нашей квартире с фамильной мебелью, с портретами на стенах моих предков, генералов в лентах, в звездах, с георгиевскими крестами. Мой кабинет и моя библиотека оставались нетронутыми, что имело для меня огромное значение. Хотя я относился довольно непримиримо к советской власти и не хотел с ней иметь никакого дела, но я имел охранные грамоты, охранявшие нашу квартиру и мою библиотеку. В коммунистической стране разного рода бумажки имели священное значение. Это было в значительной степени бумажное бюрократическое царство. В это время слишком многие писатели ездили в Кремль, постоянно встречались с покровителем искусств Луначарским, участвовали в литературном и театральном отделе. Я относился к этому враждебно, не хотел встречаться с товарищем моей молодости Луначарским. Я порвал отношения с моими старыми друзьями В. Ивановым и М. Гершензоном, так как видел в их поведении приспособление и соглашательство. Думаю сейчас, что я был не вполне справедлив, особенно относительно М. Гершензона. Советский строй в то время не был еще вполне выработанным и организованным, его нельзя было еще назвать тоталитарным и в нем было много противоречий. Прежде чем был учрежден общий академический паек, который очень многие получили, был дан паек двенадцати наиболее известным писателям, которых в шутку называли бессмертными. Я был одним из этих двенадцати бессмертных. Не совсем понятно, почему меня ввели в число двенадцати избранников, то есть поставили в привилегированное положение в отношении еды. В то самое время, как мне дали паек, я был арестован и сидел в Чека. Тогда в Кремле еще были представители старой русской интеллигенции: Каменев, Луначарский, Бухарин, Рязанов, и их отношение к представителям интеллигенции, к писателям и ученым, не примкнувшим к коммунизму, было иное, чем у чекистов, у них было чувство стыдливости и неловкости в отношении к утесняемой интеллектуальной России.

§

Я проявил разнообразную активность за пять лет своей жизни в советско-коммунистическом режиме. В 18 году я участвовал в церковном шествии приходов с патриархом во главе. Эта церковная демонстрация приняла грандиозный характер. Люди шли на нее, не уверенные, что останутся в живых. Но жертв не было. По обыкновению, я продолжал много писать, хотя и ничего не мог напечатать. Я написал четыре книги, между прочим, важную для меня книгу «Смысл истории» и философскую книгу о Достоевском. Обе эти книги родились из моих лекций и семинаров. Я очень много размышлял о проблемах философии истории. Этому способствуют исторические катастрофы и переломы. О Достоевском я написал книгу главным образом под влиянием размышлений о «Легенде о Великом Инквизиторе», которой придавал исключительное значение. Я принимал очень активное участие в правлении всероссийского Союза писателей, был товарищем председателя Союза и больше года замещал председателя, который по тактическим соображениям не избирался. Когда нужно было хлопотать о членах Союза писателей, освобождать их из тюрьмы или охранять от грозящего выселения из квартир, то обыкновенно меня просили ездить для этого к Каменеву, в помещение московского Совета рабочих депутатов, бывший дом московского генерал-губернатора. Должен сказать, что несчастный по своей дальнейшей судьбе Каменев был всегда очень внимателен и всегда защищал ученых и писателей. Он много сделал в этом отношении для защиты гонимой интеллигенции. Но ездить к нему была для меня жертва. Каменев, хотя и был любезен, но приобрел уже вид сановника, носил шубу с бобровым воротником. Вся обстановка была бюрократическая, что вызывало во мне отвращение. Однажды мне пришлось с другим членом правления Союза писателей быть у Калинина, чтобы хлопотать об освобождении из тюрьмы М. Осоргина, арестованного по делу комитета помощи голодающим и больным. Мы сослались на Луначарского. Глава государства Калинин сказал нам изумительную фразу: «Рекомендация Луначарского не имеет никакого значения, все равно как если бы я дал рекомендацию за своей подписью, — тоже не имело бы никакого значения, другое дело, если бы товарищ Сталин рекомендовал». Глава государства признавал, что он не имеет никакого значения. В 20 году я был факультетом избран профессором Московского университета и в течение года читал лекции. На своих лекциях я свободно критиковал марксизм. В то время это было еще возможно. Но материально существовать я мог только благодаря участию в Лавке писателей. Главным лицом в Лавке был М. Осоргин. Эта Лавка превратилась в литературный центр, где все встречались, во что-то вроде клуба.

В течение всех пяти лет моей жизни в России советской, у нас в доме в Малом Власьевском переулке собирались по вторникам (не помню точно), читались доклады, происходили собеседования. Это, вероятно, было единственное место в Москве, где собирались и свободно разговаривали. Мы очень дорожили этой традицией. В самое тяжелое время продовольственного кризиса мы все-таки предлагали гостям к морковному чаю какие-то пирожки, представлявшие собой творчество из ничего. Это было творческое изобретение Жени. На наших Вторниках перебывали очень разнообразные люди, принадлежавшие к самым противоположным направлениям, от социал-демократов меньшевиков, до людей консервативного образа мыслей, бывали православные, католики, антропософы, старообрядцы, свободомыслящие социал-демократы. Доклады читались на очень разнообразные темы, но всегда в духовной углубленности. Ничего похожего на политические заговоры не было, и это не нравилось активистам. Преобладали темы по философии истории и философии культуры. Иногда набивалось в нашу гостиную такое количество людей, что она не вмещала, и приходилось сидеть в соседней комнате. Я более всего дорожил тем, что в период очень большого гнета над мыслью был где-то центр, в котором продолжалась свободная мысль. У нас иногда бывали люди, фамилию которых я даже как следует не знал, их приводили знакомые. Я убежден, что попадали к нам и люди, которые потом докладывали о слышанном властям. В «Правде» однажды было напечатано, что у Бердяева во Вторник опять было собрание, на котором обсуждался вопрос, антихрист ли Ленин, и в результате собеседования было решено, что Ленин не антихрист, но предшественник антихриста. Это, конечно, была стилизация и написано в шутливом тоне. Но в стране, где царствовала Чека, это была шутка небезопасная. Мы продолжали наши собрания до самой моей высылки из России. В эти же годы я выступал и публично и перед огромными аудиториями, которых не знал ни раньше, ни после. Особенно запомнилось мне одно собрание. Клуб анархистов (они в то время были дозволены) объявил диспут о Христе. Пригласили меня участвовать. Были приглашены также епископы и священники, которые не явились. Были толстовцы, были последователи Н. Федорова, соединявшие идею Федорова о воскрешении с анархо-коммунизмом, были просто анархисты и просто коммунисты. Когда я вошел в переполненный зал, то почувствовал раскаленную и очень напряженную атмосферу. Было много красноармейцев, матросов, рабочих. Была атмосфера стихии революции, еще не вполне оформленной и не вполне организованной. Было начало 19 года, а может быть, конец 18 года. Один рабочий читал доклад об Евангелии, в котором излагал популярные брошюры отрицательной библейской критики, много говорили о противоречиях в Евангелиях. Труднее всего спорить, когда вы имеете дело с очень элементарным и мало культурным противником. Потом говорил толстовец, резко нападая на церковь. Говорил федоровец, который именовал себя биокосмистом. Он нес невероятную чепуху об Евангелии от кобылицы. В конце заявил, что социальная программа-максимум уже осуществлена и что теперь остается поставить на очередь дня космическое воскресение мертвых. Это вызвало в аудитории смех. Потом говорил один анархист, и нужно сказать, что он был лучше и приличнее других. (Одно время я читал лекции в характерном для того времени советском учреждении, Государственном институте слова. Я читал курс по Этике слова. У меня было много слушателей анархистов, с которыми потом были собеседования. Они были очень симпатичны и имели интеллектуальные запросы.) Прослушав всех, говоривших о Христе, я почувствовал, что говорить будет необыкновенно трудно. Что можно сказать в такой атмосфере, насыщенной страстями, при такой интеллектуальной элементарности? Но я сделал огромное духовное напряжение, собрал все свои силы и попросил слова. В тот же момент я почувствовал большое вдохновение и я говорил лучше, чем когда-либо в жизни. Это был мой самый большой успех. Я нашел подходящие слова и сказал приблизительно то, что потом изложил в моей брошюре «О достоинстве христианства и недостоинстве христиан». Сначала аудитория отнеслась ко мне враждебно, были насмешливые возгласы. Но постепенно я овладел слушателями и окончил при громе аплодисментов. Потом ко мне многие подходили, жали руку и благодарили. Вспоминаю также мою публичную лекцию «Наука и религия» в огромном зале Политехнического музея. Было, вероятно, тысячи полторы или две слушателей. Преобладали рабочие и красноармейцы, было много коммунистов. После лекции публика просила открыть прения. Но мне пришлось заявить, что лекция разрешена без прений. За моей спиной стоял один субъект не очень приятного вида, который вдруг выступил и сказал: «От Всероссийской чрезвычайной комиссии объявляю прения открытыми». У слушателей я чувствовал большой интерес к вопросам. Атмосфера была напряженная, как и вообще в революционной советской России того времени. Самое интересное было после лекции, когда я пешком возвращался домой на Арбат. За мной шла целая группа слушателей, состоявшая главным образом из рабочих. Один рабочий, который мне показался интереснее других, с большой страстностью нападал на религию и на веру в Бога. Я ему сказал: «Зачем же Вы ходите на такие лекции, как мои?» Ответ был неожиданный: «Я хочу, чтобы мне опровергли доказательства против веры в Бога». У многочисленных слушателей советской России того времени я находил более напряженный интерес к вопросам философским и вопросам религиозным, чем впоследствии у молодежи русской эмиграции. Я чувствовал необъятность России, огромность стихии.

§

В стихии большевистской революции и в ее созиданиях еще больше, чем в ее разрушениях, я очень скоро почувствовал опасность, которой подвергается духовная культура. Революция не щадила творцов духовной культуры, относилась подозрительно и враждебно к духовным ценностям. Любопытно, что когда нужно было зарегистрировать всероссийский Союз писателей, то не оказалось такой отрасли труда, к которой можно было бы причислить труд писателя. Союз писателей был зарегистрирован по категории типографских рабочих, что было совершенно нелепо. Миросозерцание, под символикой которого протекала революция, не только не признавало существование духа и духовной активности, но и рассматривало дух как препятствие для осуществления коммунистического строя, как контрреволюцию. Русский культурный ренессанс начала XX века революция низвергла, прервала его традицию. Но все еще оставались люди, связанные с русской духовной культурой. У меня зародилась мысль о необходимости собрать оставшихся деятелей духовной культуры и создать центр, в котором продолжалась бы жизнь русской духовной культуры. Это не должно было быть возобновлением Религиозно-философских обществ. Объединение должно было быть более широким, охватывающим людей разных направлений, но признающих самостоятельность и ценность духовной культуры. Я был инициатором образования Вольной академии духовной культуры, которая просуществовала три года (19—22 годы). Я был ее председателем, и с моим отъездом она закрылась. Это своеобразное начинание возникло из собеседований в нашем доме. Значение Вольной академии духовной культуры было в том, что в эти тяжелые годы она была, кажется, единственным местом, в котором мысль протекала свободно и ставились проблемы, стоявшие на высоте качественной культуры. Мы устраивали курсы лекций, семинары, публичные собрания с прениями. Собственного помещения ВАДК, конечно, не могла иметь, так как была действительно вольным, не государственным учреждением. Публичные доклады мы устраивали в помещении Высших женских курсов, лекции же и семинары в разных местах, обыкновенно в каких-нибудь советских учреждениях, в управлении которых были знакомые. Одно время я читал лекции и вел семинар в помещении Центроспирта. По этому случаю в «Правде» было написано, что в советском учреждении читаются лекции на религиозно-духовные темы, и что это не может быть терпимо. При этом автор заметки, которая представляла собой донос, хотел быть остроумным и закончил словами, что между религией и спиртом всегда была связь. В результате меня как председателя ВАДК вызвали для объяснения в Чека, а также и председателя Центроспирта. Я показал бумагу от Каменева, в которой говорилось, что ВАДК зарегистрирована в московском Совете рабочих депутатов. С большим трудом я объяснил следователю Чека, что такое духовная культура и чем она отличается от материальной. Все это кончилось ничем, но, вероятно, было причислено к фактам, которые послужили поводом к моей высылке из советской России. Я читал лекции по философии истории и философии религии, а также вел семинар о Достоевском. Мои лекции и семинар послужили основой для моих книг. Посещаемость моих лекций и семинара была хорошая. Бывали и коммунисты. В первом ряду обыкновенно сидел молодой человек, который был несомненно агентом Чека. Я говорил всегда свободно, нисколько не маскируя своей мысли. Так же свободны были прения после публичных докладов. Особенный успех имели публичные доклады в последний год. На трех докладах (о книге Шпенглера, о магии и мой доклад о теософии) было такое необычайное скопление народа, что стояла толпа на улице, была запружена лестница, и я с трудом проник в помещение и должен был объяснить, что я председатель. Однажды в качестве председателя я во время доклада получил записку от администрации женских курсов, что может провалиться пол от слишком большого скопления людей. При этом нужно сказать, что никаких объявлений в газетах мы не делали и о собраниях обыкновенно узнавалось на предшествующем собрании или через Лавку писателей. Была большая умственная жажда, потребность в свободной мысли. Впоследствии эту жажду и эту потребность, вероятно, удалось задавить. Но задавить вполне нельзя, и я уверен, что в России подземно продолжает существовать свободная мысль. Это подтверждается очень интересным письмом, которое я получил уже за рубежом, в Париже, от одного молодого человека*. Это письмо я напечатал в «Пути». В мое время еще недалеко зашел конструктивный коммунистический период, еще была революционная стихия и тоталитаризм советского государства еще не окончательно захватил всю жизнь, он распространялся главным образом на политическую и экономическую сферы. Можно было даже издавать некоторые книги не казенного направления. Я не хотел уезжать из России, не хотел делаться эмигрантом. Я верил во внутренний процесс перерождения коммунизма, в освобождение от гнета, которое произойдет через духовное возрождение. Я чувствовал, что есть человеческая стихия, среди которой возможна творческая духовная деятельность. Но я встретил внешние препятствия.

Не могу сказать, чтобы я подвергался особенным гонениям со стороны советской власти. Но я все-таки два раза был арестован, сидел в Чека и Гепеу, хотя и недолго, и, что гораздо важнее, был выслан из России и уже двадцать пять лет живу за границей. Первый раз я был арестован в 20 году в связи с делом так называемого Тактического центра, к которому никакого прямого отношения не имел. Но было арестовано много моих хороших знакомых. В результате был большой процесс, но я к нему привлечен не был. Однажды,

* Написано в 41 году.

когда я сидел во внутренней тюрьме Чека, в двенадцатом часу ночи меня пригласили на допрос. Меня вели через бесконечное число мрачных коридоров и лестниц. Наконец, мы попали в коридор более чистый и светлый, с ковром, и вошли в большой кабинет, ярко освещенный, с шкурой белого медведя на полу. С левой стороны, около письменного стола, стоял неизвестный мне человек в военной форме, с красной звездой. Это был блондин с жидкой заостренной бородкой, с серыми мутными и меланхолическими глазами; в его внешности и манере было что-то мягкое, чувствовалась благовоспитанность и вежливость. Он попросил меня сесть и сказал: «Меня зовут Дзержинский». Это имя человека, создавшего Чека, считалось кровавым и приводило в ужас всю Россию. Я был единственным человеком среди многочисленных арестованных, которого допрашивал сам Дзержинский. Мой допрос носил торжественный характер, приехал Каменев присутствовать на допросе, был и заместитель председателя Чека Менжинский, которого я немного знал в прошлом; я встречал его в Петербурге, он был тогда писателем, неудавшимся романистом. Очень выраженной чертой моего характера является то, что в катастрофические и опасные минуты жизни я никогда не чувствую подавленности, не испытываю ни малейшего испуга, наоборот, я испытываю подъем и склонен переходить в наступление. Тут, вероятно, сказывается моя военная кровь. Я решил на допросе не столько защищаться, сколько нападать, переведя весь разговор в идеологическую область. Я сказал Дзержинскому: «Имейте в виду, что я считаю соответствующим моему достоинству мыслителя и писателя прямо высказать то, что я думаю». Дзержинский мне ответил: «Мы этого и ждем от Вас». Тогда я решил начать говорить раньше, чем мне будут задавать вопросы. Я говорил минут сорок пять, прочел целую лекцию. То, что я говорил, носило идеологический характер. Я старался объяснить, по каким религиозным, философским, моральным основаниям я являюсь противником коммунизма. Вместе с тем я настаивал на том, что я человек не политический. Дзержинский слушал меня очень внимательно и лишь изредка вставлял свои замечания. Так, например, он сказал: «Можно быть материалистом в теории и идеалистом в жизни и, наоборот, идеалистом в теории и материалистом в жизни». После моей длинной речи, которая, как мне впоследствии сказали, понравилась Дзержинскому своей прямотой, он все-таки задал мне несколько неприятных вопросов, связанных с людьми. Я твердо решил ничего не говорить о людях. Я имел уже опыт допросов в старом режиме. На один самый неприятный вопрос Дзержинский сам дал мне ответ, который вывел меня из затруднения. Потом я узнал, что большая часть арестованных сами себя оговорили, так что их показания были главным источником обвинения. По окончании допроса Дзержинский сказал мне: «Я Вас сейчас освобожу, но Вам нельзя будет уезжать из Москвы без разрешения». Потом он обратился к Менжинскому: «Сейчас поздно, а у нас процветает бандитизм, нельзя ли отвезти господина Бердяева домой на автомобиле?» Автомобиля не нашлось, но меня отвез с моими вещами солдат на мотоциклетке. Когда я выходил из тюрьмы, начальник тюрьмы, бывший гвардейский вахмистр, который сам сносил мои вещи, спросил у меня: «Понравилось ли Вам у нас?» Режим тюрьмы Чека гораздо более тяжелый, дисциплина тюрьмы революции более суровая, чем в тюрьме старого режима. Мы находились в абсолютной изоляции, чего не было в прежних тюрьмах. Дзержинский произвел на меня впечатление человека вполне убежденного и искреннего. Думаю, что он не был плохим человеком и даже по природе не был человеком жестоким. Это был фанатик. По его глазам, он производил впечатление человека одержимого. В нем было что-то жуткое. Он был поляк и в нем было что-то тонкое. В прошлом он хотел стать католическим монахом, и свою фанатическую веру он перенес на коммунизм. Через некоторое время после арестов был процесс Тактического центра. На него была допущена публика, и я присутствовал на всех заседаниях. Среди обвиняемых были люди, с которыми у меня были личные отношения. Впечатление от процесса было очень тяжелое. Это была театральная инсценировка. Все было предрешено заранее. Некоторые обвиняемые вели себя с большим достоинством, но были и такие, которые вели себя недостойно и унизительно. Приговор не был особенно тяжелым и условным.

Некоторое время я жил сравнительно спокойно. Положение начало меняться с весны 22 года. Образовался антирелигиозный фронт, начались антирелигиозные преследования. Лето 22 года мы провели в Звенигородском уезде, в Барвихе, в очаровательном месте на берегу Москвы-реки, около Архангельского Юсуповых, где в то время жил Троцкий. Леса около Барвихи были чудесные, мы увлекались собиранием грибов. Мы забывали о кошмарном режиме, он чувствовался меньше в деревне. Однажды я поехал на один день в Москву. И именно в эту ночь, единственную за все лето, когда я ночевал в нашей московской квартире, явились с обыском и арестовали меня. Я опять был отвезен в тюрьму Чека, переименованную в Гепеу. Я просидел около недели. Меня пригласили к следователю и заявили, что я высылаюсь из советской России за границу. С меня взяли подписку, что в случае моего появления на границе СССР я буду расстрелян. После этого я был освобожден. Но прошло около двух месяцев, прежде чем удалось выехать за границу. Высылалась за границу целая группа писателей, ученых, общественных деятелей, которых признали безнадежными в смысле обращения в коммунистическую веру. Это была очень странная мера, которая потом уже не повторялась. Я был выслан из своей родины не по политическим, а по идеологическим причинам. Когда мне сказали, что меня высылают, у меня сделалась тоска. Я не хотел эмигрировать, и у меня было отталкивание от эмиграции, с которой я не хотел слиться. Но вместе с тем было чувство, что я попаду в более свободный мир и смогу дышать более свободным воздухом. Я не думал, что изгнание мое продлится 25 лет. Немецкое посольство очень нам помогло. Дало высылаемым персональные визы на въезд в Германию, но отказалось дать советской власти коллективную визу для высылаемых. Немцы оказали нам целый ряд услуг. Мне приходилось иногда ходить в Гепеу по делам высылки. Между прочим, меня послали хлопотать у Менжинского об ускорении высылки. Однажды я пришел в Гепеу и дожидался следователя, заведывавшего высылкой. Я был поражен, что коридор и приемная Гепеу были полны духовенством. Это все были живоцерковники. На меня это произвело тяжелое впечатление. К Живой церкви я относился отрицательно, так как ее представители начали свое дело с доносов на патриарха и Патриаршую церковь. Так не делается реформация, которой я сам хотел. В приемной Гепеу я столкнулся с епископом Антонином, которого я встречал в Петербурге. Епископ Антонин был один из самых талантливых и передовых русских епископов, он играл активную роль в Религиозно-философских собраниях.

225

Но его роль в образовании церкви возрождения была некрасивой, он постоянно угрожал и доносил. Епископ Антонин подошел ко мне, поцеловал меня и хотел вести со мной интимный разговор, вспоминая прошлое. Разговор в приемной Гепеу мне показался неуместным, и я был с ним очень сух. Это было одно из моих последних впечатлений от советской России и не радостных. В отъезде было для меня много мучительного, приходилось расставаться со многими и многими, и впереди была неизвестность. Особенно тяжело было для меня расставание с любимым племянником. Но мне предстоял еще длинный и интересный путь на Западе и очень творческая для меня эпоха. В моей высылке я почувствовал что-то провиденциальное и значительное. То было свершение моей судьбы.

§

Уже за границей я писал много о коммунизме и русской революции. Я пытался осмыслить это событие, имеющее огромное значение не только для судьбы России, но и для судьбы мира. Я сделал духовное усилие стать выше борьбы сторон, очиститься от страстей, увидеть не только ложь, но и правду коммунизма. Наблюдая настроения русской эмиграции, я почувствовал, что я один из очень немногих людей, свободных от ressentiment по отношению к коммунизму и не определяющих своей мысли реакцией против него. Это и вызвало вражду против меня. Что я противопоставлял коммунизму, почему я вел и продолжаю вести борьбу против него? Я противопоставлял прежде всего принцип духовной свободы, для меня изначальной, абсолютной, которой нельзя уступить ни за какие блага мира. Я противопоставлял также принцип личности как высшей ценности, ее независимости от общества и государства, от внешней среды. Это значит, что я защищал дух и духовные ценности. Коммунизм, как он себя обнаружил в русской революции, отрицал свободу, отрицал личность, отрицал дух. В этом, а не в его социальной системе, было демоническое зло коммунизма. Я согласился бы принять коммунизм социально, как экономическую и политическую организацию, но не согласился его принять духовно. Духовно, религиозно и философски я убежденный и страстный антиколлективист. Это совсем не значит, что я антисоциалист. Я сторонник социализма, но мой социализм персоналистический, не авторитарный, не допускающий примата общества над личностью, исходящей от духовной ценности каждого человека, потому что он свободный дух, личность образ Божий. Я антиколлективист, потому что не допускаю экстериоризации личной совести, перенесения ее на коллектив. Совесть есть глубина личности, где человек соприкасается с Богом. Коллективная совесть есть метафорическое выражение. Человеческое сознание перерождается, когда им овладевает идолопоклонство. Коммунизм как религия, а он хочет быть религией, есть образование идола коллектива. Идол коллектива столь же отвратителен, как идол государства, нации, расы, класса, с которым он связан. Но социально в коммунизме может быть правда, несомненная правда против лжи капитализма, лжи социальных привилегий. Ложь коммунизма есть ложь всякого тоталитаризма. Тоталитарный коммунизм есть лжерелигия. И именно как лжерелигия коммунизм преследует все религии, преследует как конкурент. Потом отношение к религии изменилось в советской России. Тоталитарный коммунизм, как и тоталитарный фашизм и националсоциализм, требует отречения от религиозной и моральной совести, отречения от высшего достоинства личности как свободного духа. Пример насильственного тоталитаризма дали старые теократии. Современный тоталитаризм есть обратная сторона кризиса христианства. Тоталитаризм отвечает религиозной потребности и есть эрзац религии. Тоталитарным должно было быть христианство, свободно, не принудительно тоталитарным. Но после неудачи насильственного тоталитаризма (теократии) оно стало частичным, оно загнано в уголок души и вытеснено из всех сфер жизни. Тоталитарным же стало то, что, по существу, должно быть частичным, — государство, нация, раса, класс, общественный коллектив, техника. В этом источник современной трагедии.

Интересно, что, когда меня высылали из советской России, мне сказал любопытную фразу мягкий и сравнительно культурный коммунист К. Он был председателем Академии художественных наук, членом которой я был. «В Кремле надеются, что, попав в Западную Европу, вы поймете, на чьей стороне правда». Это должно было значить, что я пойму неправду капиталистического мира. Фраза эта могла быть сказана в Кремле лишь представителями старой коммунистической интеллигенции, ее вряд ли бы сказали коммунисты новой формации. Мне не нужно было быть высланным в Западную Европу, чтобы понять неправду капиталистического мира. Я всегда понимал эту неправду, я всегда не любил буржуазный мир. Это, может быть, сильнее всего было выражено в моей книге «Смысл творчества». После переезда в Западную Европу я в эмоциональной подпочве вернулся к социальным взглядам моей молодости, но на новых духовных основаниях. И произошло это вследствие двойной душевной реакции — реакции против окружающего буржуазно-капиталистического мира и реакции против настроений русской эмиграции. Я всегда был склонен к протесту против окружающей среды, я ею определялся отрицательно, что, впрочем, тоже есть зависимость. У меня есть сильный дух противоречия. Но я все-таки не совсем оправдал надежды Кремля. Я остался духовным противником тоталитарного коммунизма как в России, так и на Западе, что не мешало невежественным и маниакальным кругам эмиграции считать меня если не коммунистом, то коммюнизаном. В действительности, метафизически, я более крайний противник коммунизма, чем представители разных течений эмиграции, по состоянию своего сознания коллективистических, признающих примат коллектива, общества и государства над личностью. Я же был и остаюсь крайним персоналистом, признающим верховенство личной совести, примат личности над обществом и государством. Я не признаю первичной реальности каких-либо коллективов, я фанатик реальности индивидуально-личного, неповторимо-единичного, а не общего и коллективного. Но социальная проекция моего метафизического персонализма совсем иная, чем в социальном индивидуализме. В этом трудность меня понять для людей, мыслящих по установившимся шаблонам. Персонализм есть трудное метафизическое учение, переворачивающее понятие реальности.

У меня в результате испытаний выработалось очень горькое чувство истории. Оно более всего питается наблюдениями над жизнью общества, но также и чтением книг по истории. Периодически являются люди, которые с большим подъемом поют: «От ликующих, праздно болтающих, обагряющих руки в крови, уведи меня в стан умирающих за великое дело любви»[1]. И уходят, несут страшные жертвы, отдают свою жизнь. Но вот они побеждают и торжествуют. И тогда они очень быстро превращаются в «ликующих, праздно болтающих, обагряющих руки в крови». И тогда являются новые люди, которые хотят уйти в «стан умирающих». И так без конца совершается трагикомедия истории. Только Царство Божье стоит над этим.

Глава X

РОССИЯ И МИР ЗАПАДА

Группа высланных выехала из России в сентябре 1922 года. Мы ехали через Петербург и из Петербурга морем в Штеттин и оттуда в Берлин. Высылаемых было около 25 человек, с семьями это составляло приблизительно 75 человек. Поэтому из Петербурга в Штеттин мы наняли целый пароход, который целиком и заняли. Пароход назывался «Oberburgermeister Haken». Когда мы переехали по морю советскую границу, то было такое чувство, что мы в безопасности, до этой границы никто не был уверен, что его не вернут обратно. Но вместе с этим чувством вступления в зону большей свободы у меня было чувство тоски расставания на неопределенное время со своей родиной. Поездка на пароходе по Балтийскому морю была довольно поэтическая. Погода была чудесная, были лунные ночи. Качки почти не было, всего около двух часов качало за все путешествие. Мы, изгнанники с неведомым будущим, чувствовали себя на свободе. Особенно хорош был лунный вечер на палубе. Начиналась новая эпоха жизни. По приезде в Берлин нас очень любезно встретили немецкие организации и помогли нам на первое время устроиться. Представители русской эмиграции нас не встретили. Я всегда любил Западную Европу, с самого детства часто ездил за границу, хотя меня всегда отталкивала западная буржуазность. Я ходил по Берлину с очень острым чувством контраста разных миров. Я не испытывал подавленности от изгнания, но у меня все время была тоска по России. Германия в то время была очень несчастной. Берлин был наполнен инвалидами войны. Марка катастрофически падала. Немцы говорили: «Deutschland ist verloren»[1]. Мне пришлось в моей жизни видеть крушение целых миров и нарождение новых миров. Я видел необычайные трансформации людей, первые делались последними, последние делались первыми. Первое тяжелое впечатление у меня было связано со столкновениями с эмиграцией. Большая часть эмиграции встретила группу высланных подозрительно и недоброжелательно. Были даже такие, которые позволяли себе говорить, что это не высланные, а подосланные для разложения эмиграции. Вскоре после моего приезда в Берлин произошла встреча некоторых высланных с некоторыми представителями эмиграции, принадлежавшими к так называемому белому движению. Во главе этой группы белой эмиграции стоял П. Струве, с которым меня связывали старые отношения. Со Струве я разошелся радикально, и, в конце концов, мы перестали встречаться и прекратили всякое общение. Мы встретились мирно уже почти перед его смертью. Встреча у меня на квартире с белой эмиграцией кончилась разгромом. Я очень рассердился и даже кричал, что было не очень любезно со стороны хозяина квартиры. Я относился совершенно отрицательно к свержению большевизма путем интервенции. В белое движение я не верил и не имел к нему симпатии. Это движение представлялось мне безвозвратно ушедшим в прошлое, лишенным всякого значения и даже вредным. Я уповал лишь на внутреннее преодоление большевизма. Русский народ сам освободит себя. Я был убежден, что мы вступаем в совершенно новую историческую эпоху. Тип «белого» эмигранта вызывал во мне скорее отталкивание. В нем была каменная нераскаянность, отсутствие сознания своей вины и, наоборот, гордое сознание своего пребывания в правде. Я почувствовал, что эмиграция правого уклона терпеть не может свободы и ненавидит большевиков совсем не за то, что они истребили свободу. Свобода мысли в эмигрантской среде признавалась не более, чем в большевистской России. На меня мучительно действовала злобность настроений эмиграции. Было что-то маниакальное в этой неспособности типичного эмигранта говорить о чем-либо, кроме большевиков, в этой склонности повсюду видеть агентов большевизма. Это настоящий психопатологический комплекс, и от этого не излечились и поныне. Я высказывал мысль (в 22 году), что западные государства должны формально признать советскую власть, что таким образом прекратится изоляция советской России и она будет внедрена в мировую жизнь, что может смягчить самые дурные стороны большевизма. Эта мысль приводила в ужас даже представителей левой эмиграции. Первое время за границей я решил избегать общения с русской эмиграцией, держался больше общения с группой высланных. Только по переезде в Париж у меня началось общение с более широкими кругами эмиграции, но, главным образом, с левыми, которые были для меня более выносимы. Уже скоро по приезде в Берлин в группе высланных, среди которых было немало интеллектуальных сил, возник целый ряд начинаний. Была проявлена большая активность. В первую же зиму в Берлине я принужден был изображать из себя активного общественного деятеля и возглавлял разные начинания. Это вскоре меня очень утомило, и на следующий год я ушел в более свойственную мне творческую мысль.

Присутствие в группе высланных людей науки — профессоров дало возможность основать в Берлине Русский научный институт. Я активно участвовал в создании этого института, был деканом отделения института. Читал курс по истории русской мысли, при очень большой аудитории, и по этике. Немецкое правительство очень интересовалось этим начинанием и очень помогло его осуществлению. Вообще нужно сказать, что немцы очень носились с высланными, устраивали в нашу честь собрания, обеды, на которых присутствовали министры. Правительство тогда состояло из католического центра и социал-демократов. С некоторыми министрами социал-демократами я познакомился, но они произвели на меня довольно серое впечатление. Даже сравнить нельзя, насколько немцы были более внимательны к русским intellectuels, чем французы. Русский научный институт, несмотря на мое активное к нему отношение в первый год пребывания в Берлине, в сущности, был довольно чуждым мне академическим учреждением. Гораздо большее значение, и притом надолго, имело для меня образование в Берлине русской Религиозно-философской академии. Это уже была моя личная инициатива. По приезде за границу у меня явилась мысль создать что-то вроде продолжения московской Вольной академии духовной культуры и Религиозно-философских обществ, хотя это и не должно было быть простым повторением старых учреждений. Для Религиозно-философской академии было достаточно сил среди русских за границей, главным образом среди высланных. Наименование «академия» было слишком громким и не соответствующим моему вкусу. Я никогда не считал Религиозно-философскую академию академией. Но другого наименования мы не придумали. Религиозно-философская академия могла образоваться благодаря активной помощи американского Союза христианских молодых людей (УМСА), которая продолжается и доныне. Решение образовать Религиозно-философскую академию было принято на квартире секретаря УМСА — П. Ф. Андерсена, прекрасного человека, очень много сделавшего для русских. Благодаря Андерсену, Лаури и другим стала возможна культурная деятельность УМСА, которая издавала русских писателей, изгнанных из своей родины. Она будет оценена Россией, когда там раздастся свободное слово. Из русских, кроме меня, был С. Л. Франк, с которым в Берлине у меня было близкое сотрудничество. У П. Андерсена произошла встреча со швейцарцем Г. Г. Кульманом, тогда тоже секретарем УМСА, впоследствии деятелем Лиги Наций. Г. Г. Кульман поразил меня и С. Франка родственностью пережитой эволюции, близостью взглядов по многим вопросам. Это был человек высокой культуры. С ним многое впоследствии было связано. Американская УМСА способствовала образованию Русского христианского студенческого движения (наименование не точное, так как оно не состоит из студентов). И Религиозно-философская академия тоже связалась с христианским движением молодежи. Мы активно участвовали в христианских кружках, в первом съезде этого движения в Пшерове (в Чехословакии). Деятельность Религиозно-философской академии открылась моим публичным докладом на тему о религиозном смысле русской революции, на котором были высказаны некоторые мысли, чуждые эмиграции. Народу было очень много на моем докладе. В это время Берлин был русским центром. Был на докладе приехавший из Парижа митрополит Евлогий, которого я видел первый раз. Кроме лекций, Религиозно-философская академия устраивала каждый месяц публичные доклады с прениями. Тут я иногда мучительно чувствовал свои разногласия с эмиграцией. Деятельность в русской среде за границей мне была мучительна всегда, я совсем не подходил к атмосфере, я обманывал все ожидания, меня принимали не за того, кем я действительно был. Я более всего дорожил независимостью и свободой мыслителя и ни для какого лагеря не подходил, никогда не подходил. Атмосфера была насыщена не только реакцией против большевистской революции, но она была реакционной вообще, по самым первоначальным эмоциям, реакционной особенно в религиозной сфере. Я же был совсем другим человеком по своим истокам и по своей натуре. Мне всегда трудно было дышать в этой атмосфере. Мучительно было также страшное понижение умственных интересов, уровня культуры, элементарность, отсутствие всякой проблематики у большей части молодежи. Хотя встречались отдельные люди другого склада, более интересные.

Интересовались или свержением большевизма и белым движением, или дущным обрядовым благочестием. Меня очень тянуло к западным людям, к выходу из замкнутой русской среды.

В Берлине я познакомился с некоторыми немецкими мыслителями. Прежде всего, с Максом Шелером, с которым встречался и в Берлине, и в Париже при его приездах. Меня интересовали встречи с М. Шелером потому, что по книгам он мне казался во многом мне близким. Я нашел в книгах М. Шелера некоторые мысли, которые я давно уже высказывал, хотя и по-иному выраженные. Первая встреча с М. Шелером меня разочаровала. Прежде всего, оказалось, что он уже отошел не только от католичества, но и от христианства. Разговор его был интересный, богатый мыслями, в нем самом была благожелательность, было даже что-то детское. Но меня поразил его ничем не прикрытый эгоцентризм. Он всякий разговор сводил на себя, на свои книги, на свою роль. Он наивно, непосредственно выражал этот эгоцентризм. Это был очень талантливый человек, самый интересный немецкий философ последней эпохи. Но я не чувствовал в нем центральной идеи жизни. В Берлине в это время я встретился и с Кейзерлингом, с которым возникли потом более близкие отношения. Кейзерлинг произвел на меня впечатление человека блестящего, но тоже эгоцентрического. Это один из самых блестяще одаренных людей Европы. Он отлично говорил по-русски, как и на многих языках. Меня всегда трогало отношение Кейзерлинга ко мне, он всегда относился ко мне с большим вниманием и сердечностью. Он помог напечатанию на немецком языке моей книги «Смысл истории» и написал к ней предисловие. Он писал обо мне статьи, в которых очень высоко оценивал мою мысль. Он часто, до самого последнего времени, писал мне письма. Между тем, все находят, что у него тяжелый характер и боятся общения с ним. Такое сочувственное отношение Кейзерлинга ко мне иногда меня удивляло, потому что у нас, в сущности, очень разные миросозерцания. Мне чужд его непреодолимый дуализм духовного и теллургического начала, при котором теллургическое начало, определяющее политику, не подчинено никаким моральным началам, мне чужда его скорее индусская, чем христианская, духовность. Однажды я встретился в Берлине и со Шпенглером, но встреча эта произвела на меня мало впечатления. Внешность его мне показалась очень буржуазной. Лица же Шелера и Кейзерлинга очень выразительны. В Берлине я готовил книгу по философии религии. Брал очень много книг из Берлинской государственной библиотеки и перечитал целую литературу. В 23 году в Берлине я написал свой этюд «Новое средневековье», которому суждено было иметь большой успех. «Новое средневековье» было переведено на четырнадцать языков, о нем очень много писали. Это маленькая книжка, в которой я пытался осмыслить нашу эпоху и ее катастрофический характер, сделала меня европейски известным. Сам я не придавал такого значения этой книжке, но в ней я, действительно, многое предвидел и предсказал. У меня есть острое чувство судеб истории, и для меня это противоречие, потому что я мучительно не люблю истории. Я не любил, когда многие иностранцы рассматривали меня главным образом как автора «Нового средневековья». Я написал книги более значительные и для меня, и по существу, но менее доступные для широкого чтения. В последнюю зиму 23—24 года в Берлине немецкая атмосфера стала тяжелой и катастрофической. У нас на квартире происходили по старой традиции собрания, на которых обсуждались разные духовные вопросы. Бывало много молодежи, и некоторые из этой молодежи мне были неприятны. Интересно отметить, что тогда, в Берлине, еще не чувствовалось абсолютного разрыва между русским зарубежьем и советской Россией. Я этим дорожил. Были возможны литературные собрания, на которых присутствовали писатели эмигрантские и писатели советские. Тогда еще существовала третья категория — высланных. В Париже уже почувствовался большой разрыв.

§

Двухлетняя жизнь в Берлине была введением в мою жизнь на Западе. Германия находится на границе русского Востока и европейского Запада. Я вполне вошел в жизнь Запада, в мировую ширь лишь в Париже, и у меня началось интенсивное общение с западными кругами. Я приехал на Запад со своими русскими идеями. Но эти русские идеи были вместе с тем идеями универсальными. Я всегда был универсалистом по своему жизнепониманию и вместе с тем всегда ощущал этот универсализм как русский. Я был человеком западной культуры. Можно даже про меня сказать, что западная культура мне имманентна и что я имманентен ей. Кейзерлинг написал обо мне, что я первый русский мыслитель, которого можно назвать вполне европейским, для которого судьба Европы есть и его судьба. И я действительно менее других русских чувствовал себя иностранцем в Западной Европе, более других участвовал в жизни самого Запада. Вместе с тем на Западе меня ценили более, чем в русской среде. На Западе на всех языках обо мне много писали, много меня хвалили, были внимательны к моей мысли. Немецкие критики сопоставляли мое значение с Ницше. И вместе с тем я чувствовал, что в моем мышлении есть что-то вполне русское и что многое в нем чуждо и мало понятно западным людям. Что же русское, выношенное в глубине России, принес я на Запад? Этот вопрос я много раз задавал себе. Я много участвовал в собраниях intellectuels Запада, много раз спорил, читал доклады в их среде. Я изучал западное мышление не только по книгам, но и по общению с живыми людьми. Особенно много в этом отношении мне дали декады в Pontigny, о которых я буду еще говорить. В Pontigny бывал не только интеллектуальный цвет Франции, но также англичане, немцы, итальянцы. Французское мышление, французскую постановку вопросов я мог также наблюдать по собраниям в «Union pour la vérité». И вот к какому заключению я пришел о различии между русским отношением к обсуждению вопросов и западноевропейским, особенно французским. Западные культурные люди рассматривают каждую проблему прежде всего в ее отражениях в культуре и истории, то есть уже во вторичном. В поставленной проблеме не трепещет жизнь, нет творческого огня в отношении к ней. Было такое впечатление, что существует лишь мир человеческой мысли о каких-либо предметах, лишь психология чужих переживаний. Когда на одной из декад в Pontigny была поставлена проблема одиночества, то рассматривалось одиночество у Петрарки, у Руссо, у Ницше. Русские же мыслят иначе. Говорю о характерно русском мышлении. Русские рассматривают проблемы по существу, а не в культурном отражении. Я по крайней мере всегда говорил о первичном, а не о вторичном, не об отраженном, говорил как стоящий перед загадкой мира, перед самой жизнью; говорил экзистенциально, как субъект существования. Даже когда французы говорили об экзистенциальной философии, то говорили об экзистенциальной философии у Кирхегардта, у Гейдеггера или Ясперса. Но это значит, что сам говоривший не представлял собой экзистенциальной философии. Говорили всегда *о чем-то*, но не обнаруживали себя как это *что-то*. Западные люди помешаны на культуре (по немецкой терминологии), на цивилизации (по терминологии французской), они раздавлены ею. Их мышление очень отяжелено и, в сущности, ослаблено традицией мысли, раздроблено историей. Мало уже верят в возможность решения проблем по существу, возможно лишь изучение разрешения этих проблем в истории мысли. Это есть культурный скепсис, отсутствие свежести души. Люди же догматического склада держатся какой-либо одной системы и всё выражают в её терминах. Таковы, например, томисты. Французы, замкнутые в своей культуре, сказали бы, что они находятся в стадии высокой культуры (цивилизации), русские же еще не вышли из стадии «природы», то есть варварства. Первичное и есть «варварство». Но уже не французы, а я сам должен сказать, что в России духи природы еще не окончательно скованы человеческой цивилизацией. Поэтому в русской природе, в русских домах, в русских людях я часто чувствовал жуткость, таинственность, чего я не чувствую в Западной Европе, где элементарные духи скованы и прикрыты цивилизацией. Западная душа гораздо более рационализирована, упорядочена, организована разумом цивилизации, чем русская душа, в которой всегда остается иррациональный, неорганизованный и не упорядоченный элемент. Поэтому русская душевная жизнь более выражена, и выражена в своих крайних элементах, чем душевная жизнь западного человека, более закрытая и придавленная нормами цивилизации. Западные люди должны быть поражены этим, читая русскую литературу, не только Достоевского и Л. Толстого, но и Тургенева, Чехова. Русские гораздо более социабельны (не социальны в нормирующем смысле), более склонны и более способны к общению, чем люди западной цивилизации. У русских нет условности в общении. У них есть потребность видеть не только друзей, но и хороших знакомых, делиться с ними мыслями и переживаниями, спорить. Русские очень склонны соединяться в кружки и группы, спорить в них о мировых вопросах. Русские — народ не столько семейственный, сколько коммюнотарный. Между тем как французы не ходят просто и легко друг к другу, делают изредка бессмысленные réceptions[2], на которых все стоят и разговаривают о последней книге или политических событиях дня. Когда у французов бывает человек, которого они называют cher ami[3], и он уходит, то ему говорят «à bientôt, cher ami[4]», надеясь, что он придет не раньше чем через год. Один очень почтенный и известный французский писатель сказал на одном интернациональном собрании, на котором я читал доклад: «Из всех народов французы более всего затруднены в своих отношениях к ближнему, в общении с ним, это результат французского индивидуализма. Французу свойственно чувство рассеяния». Эта фраза была сказана по поводу моего доклада, в котором я высказал мысль, что в основание человеческого общения должна быть положена евангельская категория ближнего. У французов меня поражала их замкнутость, закупоренность в своем типе культуры, отсутствие интереса к чужим культурам и способности их понять. Уже по ту сторону Рейна для них начинается варварский мир, который, по их мнению, не является наследником греко-римской цивилизации. Французы верят в универсальность своей культуры, они совсем не признают множественности культурных типов. Во мне всегда это вызывало протест, хотя я очень люблю французскую культуру, самую утонченную в западном мире, и во мне самом есть французская кровь. Большая же часть русских с трудом проникает во французскую культуру. Все, что я говорю о Западе, в меньшей степени применимо к Германии, которая есть мир промежуточный. Различие, которое я пытаюсь установить между русским и западноевропейским типом и о котором я не раз писал, напоминает различие, которое Фробениус устанавливает между Германией и Западом (Францией и Англией). Запад, говорит он, основан на фактах и хочет их рационализировать, Германия же основана на реальности, которая глубже фактов, и Германия стоит перед иррациональностью судьбы. Терминология условна, но Фробениус говорит о той же теме, что и я. Он имеет в виду Германию, я же Россию. Очень походит многое из того, что он говорит о способах усвоения немцами западного рационализма, западной техники и индустриализации, на то, что я не раз писал о способах усвоения всего этого русским народом. Но для нас и Германия есть Запад, и в Германии торжествует рационализм. Для Индии и Китая Германия есть Запад. Границы Востока и Запада условны. С какими же русскими мыслями приехал я на Запад? Думаю, что, прежде всего, я принес эсхатологическое чувство судеб истории, которое западным людям и западным христианам было чуждо и, может быть, лишь сейчас пробуждается в них. Я принес с собой мысли, рожденные в катастрофе русской революции, в конечности и запредельности русского коммунизма, поставившего проблему, не решенную христианством. Принес с собой сознание кризиса исторического христианства. Принес сознание конфликта личности и мировой гармонии, индивидуального и общего, неразрешимого в пределах истории. Принес также русскую критику рационализма, изначальную русскую экзистенциальность мышления. Наряду с горьким и довольно пессимистическим чувством истории во мне осталось упование на наступление новой творческой эпохи в христианстве. Я многому с юности учился у западной мысли, более всего у германской философии, многому продолжаю учиться за годы своего изгнанничества в Западной Европе. Но во мне всегда оставалось неистребимо мое индивидуально-личное и мое русское. И это несмотря на мое отвращение ко всем формам национализма, на мой коренной универсализм. Я принес с собой также своеобразный русский анархизм на религиозной почве, отрицание религиозного смысла принципа власти и верховной ценности государства. Русским я считаю также понимание христианства как религии Богочеловечества. С этим связана и богочеловеческая антропология.

§

В 24 году я переехал из побежденного Берлина в победивший Париж. Через 16 лет мне суждено было узнать Париж побежденный. Много было оснований для перенесения центра деятельности туда. Берлин переставал быть русским центром, и им становился Париж. Я любил Париж по прежним воспоминаниям. Но странное у меня было впечатление от Парижа по переезде. Париж был гораздо оживленнее, богаче и, уж конечно, прекраснее, чем Берлин, город, лишенный всякого стиля. Но у меня было непреодолимое и горькое чувство, что это умирающий мир, мир великой, но отошедшей культуры. От жизни и деятельности в Париже это чувство начало притупляться, но не исчезло. Парижу суждено было вступить в катастрофический момент, и неизвестно, как он его переживет. Религиозно-философская академия была перенесена в Париж, и тут ее деятельность расширилась. В 26 году начал издаваться под моей редакцией журнал «Путь», орган русской религиозной мысли, который существовал 14 лет. Он издается от Религиозно-философской академии. Инициатива журнала принадлежала Г. Г. Кульману, который вообще много сделал для русских, особенно для религиозного движения среди русских. Осуществиться журнал мог только благодаря доктору Мотту, человеку сильного характера, замечательному христианскому деятелю, возглавлявшему Христианский союз молодых людей и Христианскую студенческую федерацию, большому другу русских и православия. Журнал «Путь» объединил все наличные интеллектуальные силы за исключением течений явно обскурантских и злостно реакционных. Журнал не был *моего* направления, это было бы неосуществимо по самому заданию журнала, и для этого не существовало группы вполне единомыслящих со мной людей. Я никогда не принадлежал к мыслителям, умеющим группировать единомышленников и последователей. Я все-таки одиночка, хотя и часто действующий социально. Как редактор, я был довольно терпим, печатал нередко статьи, с которыми не был согласен, хотя не считаю себя особенно терпимым человеком. «Путь» не был боевым органом, он лишь давал место для творческих проявлений мысли на почве православия. Иногда мне журнал казался скучноватым. Наиболее боевыми были мои собственные статьи, и они иногда производили впечатление скандала, например, статьи против Карловацкого епископата, против разрыва с Московской церковью, против осуждения митрополитом Сергием учения о Софии отца С. Булгакова, против Богословского Института в связи с историей с Г. П. Федотовым. Должен еще отметить статью в защиту русской церкви, напечатанную в «Последних новостях». В течение 20 лет я вел борьбу за свободу, за свободу духа, свободу совести, свободу мысли, не пропускал ни одного случая, чтобы не протестовать против гасителей духа, насильников над мыслью и совестью. Я все время боролся против реакционных религиозных и политических настроений, боролся в журнале «Путь», боролся в Религиозно-философской академии, боролся в христианском движении молодежи. Мне, в конце концов, удалось сгруппировать вокруг всех этих начинаний более «левые» христианские элементы. Я все время наносил удары «правым», пока не разорвал окончательно с организациями, в которых они играли роль. Повторяю, я очень мучительно переживал эмигрантскую среду, отсутствие в ней умственных интересов, нежелание знать русскую мысль, отвращение к свободе, клерикализм, поклонение авторитету. У меня все время было горькое чувство отчужденности при продолжении активности. Во мне все время нарастал протест, бунт против среды, в которой приходилось действовать. На мой счет, по обыкновению, очень ошибались. Сначала меня воспринимали как очень терпимого и широкого человека. Это значило, что меня находили слишком терпимым к большевизму, не одержимым маниакальной ненавистью к русской революции, слишком широким в смысле привлечения «левых» течений. Умеренно «правые» течения (с крайними «правыми» течениями я совсем не соприкасался), то, что можно было бы назвать эмигрантским центром, особенно в молодежи, сначала, очевидно, предполагали, что я по своим эмоциям и оценкам их человек, в то время как я никогда им не был. По основным своим эмоциям и оценкам — я скорее «левый», революционный человек, хотя и в особом, духовном смысле. Я человек новых времен. Во мне есть та взволнованность души, та проблематичность ума, те конфликты и антиномии, которые обнаружились во вторую половину XIX века и в начале XX. После Достоевского, Ницше, Ибсена, Кирхегардта народились новые души. В них нет спокойствия, подчиненности объективному порядку, которые поражают не только в человеке старого христианского типа, но и в человеке античном. Меня всегда это поражало при чтении древних. Таким людям, как я, трудно быть пастухами. В течение некоторого времени я себя пересиливал, работая в чуждой и враждебной мне среде. В подсознательном у меня накоплялся протест. И меня, наконец, прорвало. Меня начали воспринимать как очень нетерпимого человека. Моя вспыльчивость и раздражительность начали проявляться в идейных спорах. Я не мог выносить засилья правого эмигрантского общественного мнения. У всех было впечатление, что у меня произошло радикальное «полевение». Но это лишь значило, что выявились мои изначальные, глубокие эмоции и оценки в результате моей реакции на эмигрантскую среду и на западную буржуазность. О Русском христианском движении молодежи должен быть особый разговор. Это был тяжелый для меня опыт.

§

Христианское движение молодежи было явлением новым для России. Я не знал его в прошлом. Меня заинтересовало это явление, как сфера возможного влияния. Я с самого начала этого движения принимал в нем активное участие. Еще в Берлине я участвовал в кружках движения в качестве духовного руководителя. Долгие годы я делал усилия повлиять на это движение, бывал очень активен на съездах движения, был членом совета движения и почетным его членом. Все время я вел борьбу с духовно реакционными тенденциями движения. Я старался повысить умственные интересы русской христианской молодежи, пробудить интерес хотя бы к истории русской религиозной мысли, привить вкус к свободе, обратить внимание на социальные последствия христианства. Мои усилия оказались почти бесплодными. В сущности, я был непопулярен среди молодежи движения, меня опасались. Связь была, главным образом, через секретаря движения Ф. Т. Пьянова. Со мной считались и церемонились вследствие моей известности, особенно известности за границей, среди христиан Запада, поддержавших русское движение. Но меня воспринимали как человека другого мира, чуждой духовно-душевной структуры. Самое главное, меня считали не настоящим православным, не традиционным человеком. Меня считали модернистом, вольнодумцем, еретиком. На съездах движения, на которых вначале было что-то милое и хорошее, я всегда мучился, всегда хотел поскорее уехать. Я все время делал насилие над собой. Я человек мало склонный и способный к приспособлению. Между тем, мне приходилось действовать в среде духовно чуждой, враждебной к философской мысли, свободе, духовному творчеству, социальной справедливости, всему, что я ценил и чему служил. Мой голос в этой среде был гласом вопиющего в пустыне. Меня в лучшем случае почтительно и с недоумением слушали, но не предполагали руководствоваться моими идеями. В первом составе этого движения, который я считаю лучшим и среди которого были хорошо ко мне относившиеся, многие получили свою первоначальную духовную формацию от епископов, живших в Сербии, от митрополита Антония и архиепископа Феофана. Но митрополит Антоний и архиепископ Феофан были для меня одиозными фигурами, с которыми я вел духовную борьбу. Я резко выступал на съезде движения против этого Карловацкого епископата и этим многих шокировал. Первый состав движения был более религиозным по существу, хотя и чуждого мне, исключительно литургического, религиозного типа. Более молодой состав представлял ухудшение и, в конце концов, в движении стали преобладать правые политические элементы. Победили в этом движении группировки фашистского характера. Я перестал ездить на съезды движения, не посещал кружков и собраний движения и, в конце концов, порвал с ним совершенно. Мое имя даже стало одиозным в новом поколении движения. «Бердяевщиной» стали называть ненавистные модернистские, еретические, свободолюбиво-левые уклоны.

Кружки движения начали вырабатывать идеологию православного государства, идеологию для меня отвратительную.

В эти же годы в среде русской молодежи, более обращенной к политике, образовались новые течения, отличные от течений старой эмиграции, получившие наименование пореволюционных. Таковы были, прежде всего, евразийцы, утвержденцы, впоследствии младороссы. С евразийцами у меня были личные отношения, и они ко мне относились хорошо, искали во мне поддержку от нападений старой эмиграции. Я частично сочувствовал пореволюционным течениям и вот в чем. Пореволюционная молодежь, в противоположность старой эмиграции, признала революцию и пыталась утверждать не дореволюционное, а пореволюционное. Они примирились с тем, что произошел социальный переворот и хотели строить новую Россию на новой социальной почве. Это была моя мысль, и я, вероятно, в этом отношении оказал некоторое влияние. Евразийцы иногда даже признавали меня своим учителем, что я считаю неверным. Более верно, когда меня называли учителем представители новых течений французской молодежи «Esprit» и «Ordre Nouveau»[5], так как они стояли на почве персонализма. Меня очень многое радикально отделяло от евразийцев. Как и все новое поколение, они не любили свободы. Они были восточниками, враждебными западной культуре. Православие они принимали прежде всего как «бытовое исповедничество» и видели в нем национальное и государственное начало. Евразийцы — этатисты. Все это было мне совершенно чуждо и враждебно. В конце концов, часть евразийцев перешла в коммунизм. Утвержденцы были свободнее, не имели выработанной догматики, но имели мало распространения. У младороссов, которые потом усилились, мне был неприемлем их монархический легитимизм. В конце концов, с пореволюционными течениями у меня не было единомыслия, и его представители это почувствовали. Я остался одиноким, как и всегда. Меня считали левым и почти коммунистом. Но мне чужды все течения и группировки, мне чужд «мир». Я остаюсь индивидуальным мыслителем и всегда возвращаюсь к себе, в свою индивидуальную мысль. Я мыслю о времени, о своей эпохе, о ее проблемах и о ее зле, но я несвоевременный мыслитель. Я нахожусь в совершенном разрыве со своей эпохой. Я воспеваю свободу, когда моя эпоха ее ненавидит; я не люблю государства и имею религиозно-анархическую тенденцию, когда эпоха обоготворяет государство, я крайний персоналист, когда эпоха коллективистична и отрицает достоинство и ценность личности, я не люблю войны и военных, когда эпоха живет пафосом войны, я люблю философскую мысль, когда эпоха к ней равнодушна, я ценю аристократическую культуру, когда эпоха ее низвергает, наконец, я исповедую эсхатологическое христианство, когда эпоха признает лишь христианство традиционно-бытовое. И я чувствую себя обращенным к векам грядущим. Меня часто удивляло, что моя мысль все-таки имела довольно большой успех на Западе и высоко оценивалась. Это связано со сложностью западной культуры. Но в моем соприкосновении и общении с западным христианским миром я также почувствовал себя одиноким. Западные христиане, католики и протестанты, были также охвачены религиозной реакцией, хотя, в отличие от русских православных, в форме высоко культурной, они двигались потребностью возврата назад, искали твердого авторитета и традиции. Я с горечью увидел, что русские религиозные искания, чуждые современным русским поколениям, чужды и мало понятны и западным христианам. Проблематику русской религиозной философии очень трудно было сделать понятной западному христианскому миру. Мы по-разному осмысливаем опыт гуманизма. Моя постановка проблемы человека совсем иная, чем у католиков-томистов или протестантов-бартианцев. Я заметил, что чувство чуждости, связанное с активностью, иногда доставляло мне своеобразное наслаждение. Должен, впрочем, сказать, что среди молодежи всех национальностей встречались души, идущие мне навстречу. Меня посещали и писали мне письма молодые люди новой христианской настроенности. В них готовится новый христианский универсум. Беседы с некоторыми из этих людей доставляли мне радость.

§

Наиболее интересно и поучительно было для меня соприкосновение и общение с людьми Западной Европы. И прежде всего это были встречи с западными христианами. Были годы, когда в Париже происходил ряд интерконфессиональных собраний. Инициатива этих собраний принадлежала мне. В течение нескольких лет на русской почве, в русском доме на Boulevard Montparnasse происходили встречи православных с французскими католиками и протестантами. Интересно, что французские католики и протестанты впервые встретились и разговаривали лицом к лицу на религиозные темы на русской почве. Также впервые встретились на русской почве и спорили католики-модернисты и католики-томисты. С русским православием не связано было никакой борьбы и не было никаких тяжелых исторических воспоминаний. Первый год на этих собраниях чувствовался большой подъем и интерес. Народу приходило даже слишком много. Была опасность, что собрания станут модными. Для каждой из сторон раскрывался ей малознакомый, чуждый, но все тот же христианский мир. Все сознавали, что мы представляем собой христианский оазис в безрелигиозной пустыне, в мире, христианству враждебном. На этих собраниях выяснилось основное единство во Христе и вместе различие типов религиозной мысли и характеров духовности. Активно участвовали такие видные представители католического мира, как отец Жиле, впоследствии генерал доминиканского ордена, отец Лабертоньер, представитель радикального течения католического модернизма, и особенно активен был Жак Маритен, о котором речь впереди. Бывали и все видные протестанты — пастор Бегнер, глава протестантских церквей Франции, профессор Лесерер, ортодоксальный кальвинист, единственный, кажется, ортодоксальный кальвинист, который и по своей внешности, и по своему мышлению производил впечатление человека, уцелевшего от 16 века; Вильфред Моно, представитель религиозно и социально радикального течения в протестантизме. Я был инициатором этих собраний и был на них, по обыкновению, очень активен. Но внутренно я чувствовал некоторую неловкость. Все говорили как бы от своих профессий, от церквей, с которыми чувствовали себя слитыми. Католики и протестанты интересовались выяснением религиозного типа православия и характером религиозной мысли, раскрывающейся на почве православия. Для меня было ясно, что на почве русского православия было меньше единства, чем не только на католической, но и на протестантской почве. От Православной церкви по-настоящему мог говорить лишь отец С. Булгаков. Он говорил как богослов, а не как философ. Но ведь и он не представлял преобладающего мнения внутри Православной церкви. Его софиологическое богословствование не одобрялось церковными кругами. Наиболее двусмысленно было мое положение. Я никогда не мог говорить от какого-либо коллектива, от какой-либо партии или течения, не мог говорить и от

244

церкви, от церкви особенно не мог говорить. Я мог выражать лишь свою мысль, лишь свое миросозерцание, свою религиозную философию, на которых отпечатлелись резко индивидуальные черты. Между тем как западные христиане, особенно в первое время наших встреч, воспринимали мою мысль как типически православную мысль, почти что как голос церкви. Это недоразумение меня очень стесняло, и я старался его рассеять. Во встречах и общении русских православных кругов с западными христианскими кругами, по-моему, происходила настоящая мистификация, и в ней, без всякого желания с моей стороны, я сыграл большую роль. Я был первый русский христианский философ, получивший большую известность на Западе, большую, чем В. Соловьев. Мои книги были переведены на много языков, и только мои книги были переведены. Их много читали, и по ним начали судить о русском православии. Я, к удивлению своему, стал особенно популярен в Англии. Английские и англо-католические круги, сочувствуя русскому православию, часто, в сущности, сочувствовали мне. Но это нужно расширить. О типе русского православия начали судить по русской религиозной мысли XIX и XX веков, которая была своеобразным русским модернизмом и которой не одобряли консервативные церковные круги. Консервативные правые круги в эмиграции, заинтересованные в поддержании сношений с англиканами и американскими протестантами, не стремились рассеять недоразумение. Моя популярность на Западе вообще сдерживала выражение вражды ко мне со стороны консервативных церковных кругов. В общем, создавалась атмосфера тяжелая, в которой было мало правдивости и прямоты. Особенно двусмысленно было отношение Богословского института. С профессорами Богословского института я потом разошелся совсем. Мои друзья католики в конце концов поняли, что меня нельзя считать выразителем православной церковной мысли, что меня следует рассматривать как индивидуального христианского философа. Вот еще что нужно отметить. В эпоху наших интерконфессиональных собраний в христианской настроенности и мысли Запада начали преобладать скорее консервативные течения. Повсюду замечалась тяга к авторитету и традиции. Но самые консервативные течения на почве католичества и протестантизма отличались от консервативных течений на почве православия. Все западные католики и протестанты уважали мысль и культуру, им не был свойствен обскурантизм, столь свойственный многим русским православным. Самые консервативные англикане производят впечатление либералов и левых, с русской точки зрения, все уважают свободу. Но перед лицом западных христианских течений эпохи я все же чувствовал себя очень «левым», «модернистом», ставящим перед христианским сознанием новые проблемы, исповедующим христианство как религию свободы и творчества, а не авторитета и традиции. Я это очень остро чувствовал на международных христианских съездах. На них преобладали протестанты, но эти протестанты были много консервативнее, традиционнее, авторитарнее, чем я, представляющий православие. И, в конце концов, я себя чувствовал одиноким и страдал от непонимания и недоразумений. По характеру этих съездов я не мог себя вполне выразить в самом глубоком для меня. В моей деятельности было экзотерическое и эзотерическое. Экзотерически выражал я себя лишь в некоторых книгах и интимных беседах. Слова «модернист» и «левый» годны лишь для внешнего употребления, и я их употребляю нарочно, потому что наименования эти мне ненавистны. Эзотерически я исповедую эсхатологическое и мистическое христианство. По своему характеру я делал экзотерическим то, что вызывает наибольшее отталкивание. И католическая, и протестантская мысль были захвачены реакцией против гуманизма, против всех веков нового времени. Эта реакция особенно сильна была в бартианстве, но она была и в томизме, хотя и в усложненной форме. Мою же мысль я начал называть религиозным гуманизмом, гуманизмом тео-андрическим. Меня более всего поражало, что западному христианству совершенно чужда русская идея богочеловечества. Русской мысли ближе была немецкая христианская теософия, чем ортодоксальная католическая и протестантская мысль. Но в отношении к социальной проекции христианства католическая и протестантская мысль полевела и приблизилась к тем или иным формам христианского социализма, во всяком случае, пришла к социальному христианству. Наибольшее сочувствие на Западе вызывала моя христианская социология, мое требование, чтобы христианский мир осуществлял социальную правду. За это мне прощали «гностические», как любили говорить, уклоны моей религиозной философии, мои недостаточно ортодоксальные мысли о свободе и творчестве человека. Особенно в Англии ценили мои мысли, связанные с христианским решением социального вопроса. После трех лет наши интерконфессиональные собрания начали выдыхаться, но возникли другие, более углубленные, формы общения.

После того, как я почувствовал, что ослабляется интенсивность наших интерконфессиональных собраний с католиками и протестантами, я взял на себя инициативу другого рода собраний, у нас на дому. Это оказалось осуществимым лишь благодаря Жаку Маритену. Я познакомился с Ж. Маритеном в самом начале своего пребывания в Париже, в 25 году. Знакомство состоялось через вдову Леона Блуа. Я очень интересовался Л. Блуа и давно уже написал о нем статью, которая впервые обратила на него внимание в России. Лидия тоже очень интересовалась Л. Блуа. Очень скоро по приезде в Париж мы познакомились, благодаря письму, написанному ей Л., с вдовой Л. Блуа, датчанкой и протестанткой по происхождению, ставшей фанатической католичкой, фанатически преданной памяти своего мужа, женщиной в своем роде замечательной. M-me Блуа была другом Маритена. Сам Л. Блуа был крестным отцом Маритена, протестанта по рождению, католика converti. Я кое-что читал Маритена, и для меня он был главным представителем томизма во Франции. Говорили, что он имеет большое влияние на католическую молодежь. M-me Блуа предложила пойти вместе к Маритену. Интересно, что сам Маритен был в прошлом анархистом и материалистом. Став католиком, он начал защищать очень ортодоксальное католичество, приобрел известность как враг и свирепый критик модернизма. У меня было предубеждение против томизма, против католической ортодоксии, против гонения на модернистов. Но Маритен меня очаровал. Уже самая внешность Маритена мне очень понравилась. В нем было что-то очень мягкое в противоположность его подчас жесткой манере писать, когда речь шла о врагах католичества и томизма. То, что он написал о Декарте, Лютере и Руссо, было очень несправедливо. У нас скоро установились с Маритеном самые дружеские отношения. Я его очень полюбил, что при моей сухости случается не часто. Думаю, что меня он тоже любит. Отношения у нас странные потому, что он мне прощает мои, враждебные ему, совсем не ортодоксальные мысли, которые не прощает другим. Может быть, это отчасти объясняется тем, что я человек другого мира, не католик и не француз. Философски мы всегда спорили с Маритеном, у нас разные философские истоки и разные типы философского миросозерцания. Он весь проникнут Аристотелем и Фомой Аквинатом. Германская философия ему совершенно чужда. Меня всегда поражало, что, будучи философом, он так плохо знает немецкий язык. Я совсем не школьный, я вольный мыслитель. Но истоки моего философствования — Кант и германская философия. Маритен — философ схоластический, я философ экзистенциальный. Сговориться при этом трудно. И все же общение между нами было плодотворно. Маритен — мистик, и разговор с ним на духовные темы очень интересен. Он человек очень чуткий и восприимчивый к новым течениям времени. Но странно, это как будто совсем не затрагивает его философии. Его чуткость и восприимчивость относятся к сфере искусства, с которым он очень связан, к мистике, к философии культуры и к вопросам социальным. Маритен первый ввел томизм в культуру. За долгие годы нашего общения Маритен очень изменился, но он всегда остается томистом, он приспособляет новые проблемы к томизму и томизм к новым проблемам; он, в сущности, модернист в томистском обличии. Когда я познакомился с Маритеном, он был «правым». Но в конце пережитой эволюции он стал «левым» и даже вождем «левых» течений во французском католичестве. Правые, враждебные ему, католики не раз писали, что он подвергся моему вредному влиянию. Это неверно в отношении к философии, но, может быть, от части верно в отношении к вопросам социальным и политическим. Маритен редкий француз, в котором я не замечал никаких признаков национализма. Он сделал большие усилия выйти за пределы замкнутой латинской культуры, раскрыться для других миров. Он очень любил русских, предпочитал их французам. В самом Маритене были черты сходства с русским интеллигентом. И дом Маритена не походил на обычный французский дом. У них бывало много народа, часто происходили доклады с прениями. В первые годы некоторые собрания у Маритена оставляли у меня тяжелое впечатление. Бывали томистские доклады, от которых я задыхался, не хватало воздуха. Но сам Маритен был очарователен. Он совсем не оратор и не спорщик, он писатель, и хороший писатель. В спорах он не находчив, ему не приходит в голову сразу возражение, оно приходит лишь на следующий день. Для участия в собеседовании он должен записывать и читает по записке. В этом большое различие между нами. У меня мышление протекает очень быстро, я сразу ориентируюсь, и возражения мне приходят в голову даже раньше, чем собеседник успел кончить. Это связано с тем, что мое мышление не выводное. Кроме того, у меня активный и боевой темперамент. У Маритена бывает иногда эстетически привлекательная беспомощность и косноязычность, но ее совсем не бывает у него как писателя. С годами его томизм стал менее исключителен и фанатичен. Еще на наших интерконфессиональных собраниях он бывал неприятен и жесток с отцом Лабертоньером, который очень пострадал от ортодоксов-томистов и терпеть не мог томизма. Я любил беседовать с отцом Лабертоньером, часто соглашался с ним более, чем с Маритеном, и очень ценил его. Но ненависть к Фоме Аквинату принимала у него почти маниакальные формы, он его не считал христианином. Мне очень не нравилось, как говорил на наших собраниях с отцом Лабертоньером доминиканец отец Жиле, изображавший из себя князя церкви.

Мне пришло в голову устроить собеседования более интимного характера на темы не столько богословские и церковные, сколько на темы мистические, связанные с духовной жизнью. Я предложил Маритену устроить такие беседы у меня. Он охотно согласился и взял на себя организовать французскую часть этих собраний, но поставил условием, чтобы не было протестантов. Эти интимные беседы, посвященные изучению мистики, прошли очень успешно и вызвали большой интерес. К нам приходили на эти собрания и новые люди, которых не бывало на прежних интерконфессиональных собраниях. Прежде всего нужно назвать Шарля Дю Боса и Габриэля Марселя. Бывали и Масеиньен, специалист по мусульманской мистике, и Жильсон, выдающийся специалист по средневековой философии. Беседы велись в очень дружеской атмосфере, несмотря на разногласия. Мой доклад о мистике, в котором я много говорил о Я. Бёме и Ангелусе Силезиусе, вызвал смущение. Присутствовавший католический священник, профессор Католического института, сказал своей соседке: «Вот как нарождаются ереси». Мне казалось, что я иногда огорчал Маритена. Некоторые мои высказывания были испытанием для его чувства ко мне. Дю Бос, который иногда председательствовал, вкладывал в беседу свойственную ему утонченность. Он сравнительно недавно обнаружил себя, как католик. Он был, прежде всего, человеком литературы, и духовные темы он ставил через литературу и в литературе. Габриель Марсель был новый converti. Он был философ и вместе с тем драматург, но философия его была совершенно другого типа, чем у Маритена, он представитель экзистенциальной философии во Франции. В вопросах, соприкасающихся с богословием и догматами, он еще чувствовал себя беспомощным. Впоследствии я оценил его, как собеседника, на чисто философских собраниях. Постоянно бывали у нас на собраниях всегда печальный граф де Панж, Фюмэ, Дерменгем, бывал Мунье, впоследствии редактор «Esprit», бывали и некоторые духовные лица. Это был цвет французского католичества того времени. У меня осталось, с одной стороны, отрадное воспоминание об этих собраниях, и меня огорчало, что эти собрания после трех лет прекратились. Когда я потом встречал участников собраний, то они выражали огорчение, что собраний уже нет. Но, с другой стороны, и в них, в интимном общении с теми, которые были мне во многом близки, я чувствовал все то же одиночество, все ту же невозможность сказать людям самое главное так, чтобы они восприняли. У меня в жизни было мало претензий на то, чтобы со мной соглашались и за мной следовали, но мне очень хотелось, чтобы меня поняли, чтобы мою тему заметили и признали ее значение. Но и этого трудно было достигнуть. И вот что обыкновенно происходило. Люди поворачивались ко мне с симпатией и интересом, пытаясь установить общность со мной. Потом они вдруг замечали, что во мне есть что-то чуждое им, что я человек другого мира. Я не сразу себя вполне обнаруживал или обнаруживал себя в крайней форме лишь в борьбе с врагами. Поэтому в моем общении с людьми и целыми течениями всегда было что-то для меня мучительное, всегда была какая-то горечь. Я не умел дать почувствовать свою центральную тему. Люди часто замечали, что я как будто бы в них не нуждаюсь и, может быть, ни в ком не нуждаюсь, хотя всегда готов обогатить свое знание. Но при этом у меня была потребность в общении с людьми, была мечта о близости с людьми. Я был человеком одиноким, но совсем не стремившимся к уединению.

Я бывал на многих международных съездах, особенно на съездах, устраиваемых студенческой Христианской федерацией. Повсюду читал доклады. Нередко меня приглашали в разные страны читать доклады без съездов. Читать доклады мне было очень легко, и я мог почти импровизировать. Я побывал во многих странах Европы и наблюдал настроения и склад мышления разных народов. Я читал доклады в Англии, Германии, Австрии, Швейцарии, Голландии, Бельгии, Венгрии, Чехословакии, Польше, Латвии, Эстонии. Некоторые из этих стран уже не существуют на карте Европы. Путешествие и особенно отъезд из дому мне всегда были трудны и я нервничал, несмотря на то, что с детства я часто ездил за границу. На вокзале я бывал почти болен, равно как и на таможнях, хотя на границах я никогда не имел неприятностей и у меня даже почти никогда не смотрели багажа. Но вместе с тем путешествие всегда обостряло мое чувство жизни, переезд за границу был, по моему чувству, как бы трансцендированием. Заграничное ведь и значит трансцендентное. Я не любил уезжать, но любил приезжать в новые места. Новое место давало мне чувство меньшей зависимости от обыденной действительности и открывало больший простор для мечты. Наблюдая разные национальности Европы, я встречал симпатичных людей во всех странах. Но меня поражал, отталкивал и возмущал царивший повсюду в Европе национализм, склонность всех национальностей к самовозвеличению и придаванию себе центрального значения. Я слышал от венгерцев и эстонцев о великой и исключительной миссии Венгрии и Эстонии. Обратной стороной национального самовозвеличения и бахвальства была ненависть к другим национальностям, особенно к соседям. Состояние Европы было очень нездоровым. Версальский мир готовил новую катастрофу. Но причины оргии национализма лежат глубже. Национальность подменила Бога. У меня есть настоящее отвращение к национализму, который не только аморален, но всегда глуп и смешон, так же как и индивидуальный эгоцентризм. Моя настроенность походила на настроенность Вл. Соловьева, когда он писал «Национальный вопрос в России», и в этой настроенности я расходился с преобладающим в эмиграции общественным мнением, да и с преобладающим мнением всего мира. Мне свойствен органический универсализм, и он связан с моим персонализмом. Этот универсализм вполне соединим с патриотизмом и народностью. Страстная любовь к России и русскому народу у меня только нарастала. Я отрицательно отношусь к слову интернационализм, как и ко всякому слову, начинающемуся с «интер», например, интерконфессионализм. Интернационализм отвлечен, не конкретен, отрицает ступени индивидуализации. Но из духа протеста против засилия национализма, который грозит гибелью Европе, я готов был защищать даже интернационализм. В нем была извращенная правда универсализма. Кстати сказать, в нынешний час истории националистические союзы почти повсюду превратились в предателей своей родины, в правый интернационал. Я принадлежу к сравнительно редким людям, для которых всякий иностранец такой же человек, как и мой соотечественник, все люди равны, и в своем отношении к ним я не делаю никакого различия по национальностям. Я могу иметь свои симпатии и несимпатии к национальным типам, но это не определяет моего отношения к отдельным людям. Отталкивает меня лишь национальное самомнение и национальная исключительность и более всего отталкивает в русских. Остро отрицательную реакцию во мне вызывает антисемитизм. Русский национализм был для меня максимально неприемлем. Но сам я горячо люблю Россию, хотя и странною любовью, и верю в великую, универсалистическую миссию русского народа. Я не националист, но русский патриот. Я также противник самомнения и самоутверждения европеизма и защищаю русский восток. Меня тем более поражал национализм в Европе, что я был убежден в универсалистическом характере нашей эпохи. Это одно из основных противоречий нашей эпохи. Я сравнительно редко встречал людей, сознание которых стояло бы на высоте эпохи и исторических событий. Обычно сознание сдавлено провинциализмом пространства. Совсем особое явление представляет собой провинциализм французский. Французы убеждены в том, что они являются носителями универсальных начал греко-римской цивилизации, гуманизма, разума, свободы, равенства и братства. Так случилось, что Франция оказалась носительницей и хранительницей этих начал, но это начала для всего человечества, все народы могут ими проникнуться, если выйдут из состояния варварства. Поэтому французскому национализму свойственно крайнее самомнение и самозамкнутость, слабая способность проникать в чужие культурные миры, но он не агрессивный и не насильнический. Немецкий национализм совсем иного типа. Немцам гораздо менее свойственна уверенность в себе, у них нет ксенофобии, они не считают свои национальные начала универсальными и годными для всех, но национализм их агрессивный и завоевательный, проникнутый волей к господству.

Русские православные круги в Париже с профессурой Богословского института во главе в течение ряда лет имели встречи с англиканскими кругами. Каждый год происходили англо-русские съезды в Англии. Это было сближение Православной церкви с церковью Англиканской, представленной так называемыми англо-католиками, наиболее близкими к православию. Я бывал несколько раз на этих съездах и читал доклады. Но активной роли в англо-русском сближении я не играл. Это было дело по преимуществу церковное, я же никогда не считал себя церковным деятелем и не хотел им быть. Большую роль в англо-русском сближении играл момент литургический и, естественно, преобладали священники. Англо-католики сочувствовали главным образом моим социальным взглядам. Многие англо-католические священники были членами рабочей партии. Моей религиозной философией они интересовались, но богословы их более сочувствовали Маритену и томизму. Живя долгие годы в изгнании на Западе, я начал замечать, что делаюсь более западным мыслителем, чем чисто русским. Я был переведен на четырнадцать языков, получал сочувственные письма со всех концов мира. У меня есть почитатели в Чили, Мексике, Бразилии, Австралии, не говоря уже о странах Европы. Западные критики меня ценили гораздо более, чем критики русские, которые никогда не имели ко мне особенной любви и внимания. И тем не менее моя универсальная по своему духу мысль, наиболее ценимая на Западе, заключает в себе русскую проблематику, она родилась в русской душе. За 25 лет моей жизни на Западе я часто обращал свой взор на Россию, и именно взор на Россию из Запада. Это давало острое чувство сопоставления разных миров. Но именно в этом взгляде было для меня что-то мучительное и с трудом объяснимое другим. Я все сильнее и сильнее сознаю, что происходящее во мне с трудом передаваемо другим. Познание жизни, самое глубокое и самое истинное познание, имеет невыразимо эмоциональную природу. Лишь глубоко эмоциональная мысль познает тайну жизни. И эта эмоциональность мысли совсем не есть ее психологическое искажение.

§

Из форм общения с французскими и иностранными кругами наиболее интересными для меня были декады в Pontigny. Именно в Pontigny я наиболее узнал тип французской культуры и французской жизни. Я наблюдал французов в общении с иностранцами. Pontigny — это имение, принадлежащее Дежардену, одному из самых замечательных французов этого времени. Он умер в 40 году, когда ему было 80 лет. Главный дом в Pontigny переделан из старинного монастыря, основанного святым Бернардом. Там сохранились готические залы. Мы обедали в

готической столовой. Готической была и огромная библиотека Дежардена. Но к старому аббатству были сделаны
современные пристройки, без которых нельзя было бы
там жить. Каждый год, уже более 25 лет, в течение
августа месяца, в Pontigny устраивались три декады, на
которые съезжался интеллектуальный цвет Франции. Но
декады носили международный характер, и на них бывали
intellectuels всех стран: англичане, немцы, итальянцы,
испанцы, американцы, швейцарцы, голландцы, шведы,
японцы. В самые последние годы, по понятным причинам,
почти не бывало немцев, хотя раньше бывали М. Шелер,
Курциус и другие. Обыкновенно на одной из декад ставилась
тема философская, на другой литературная, на третьей
социально-политическая. Я бывал довольно часто в Pontigny, особенно в последние годы. Меня всегда очень приглашали для активного участия в декадах, для чтения
докладов, и меня там любили. Я встречал в Pontigny
наиболее видных представителей литературной и интеллектуальной Франции: Дю Боса, А. Жида, Ж. Шлёмберже,
Роже Мартен де Гара, Моруа, Бруншвига, Валя, А. Фи-
липпа, Фернандеса и др. Часто бывал Гродгаузен. Бывали
Мартин Бубер, Боналоти, отлученный от церкви католический священник. Из русских был обыкновенно я один,
а в прежние годы Д. Святополк-Мирский.

Припоминаю следующие темы декад: романтизм, нетерпимость и тоталитарное государство, аскетизм, призвание писателей и вообще intellectuels, одиночество. Атмосфера Pontigny была очень приятная, культурный уровень очень высокий. Кормили чудесно. По вечерам были
игры или музыка и пение. Бывало много элегантных
и красивых дам. Ездили на автомобилях осматривать
окрестности. Это было культурное буржуазное общество, но
среди него бывали некоторые сочувствовавшие коммунизму. Кроме собраний с докладами и прениями, интересно
было личное общение, были новые встречи и знакомства.
Было общее впечатление жизни в довольстве и благо-
получии, интеллектуальном и материальном. Хозяйка
m-me Дежарден мне была симпатична. Это очень умная
и любезная женщина, с несколько мужественной внеш-
ностью, внушавшая к себе большое доверие. Я обыкновенно за столом сидел с ней рядом, и я с ней много
разговаривал. Сам Дежарден был очень колоритный человек. Некоторые находили, что он походит на русского
мужика. Но в нем было и что-то утонченно французское.
Я узнал его уже стариком, говорят, раньше в нем было

больше блеска. Это был человек очень широкой культуры, специалист по греческой литературе. Он прекрасно говорил. Как спорщик не лишен был язвительности и иногда говорил резкие вещи. Он много работал для установления мира в Европе, для сближения интеллигенции всех стран, для торжества духа терпимости и свободы. Но, по собственному его признанию, он натурально был нетерпим и с трудом терпел взгляды себе противоположные. Он был душой Pontigny. Несмотря на свою умственную одаренность и большую культуру, он написал очень мало. Что-то мешало ему писать. Он был прежде всего культурно-общественный деятель, который имел обширную переписку с intellectuels всего мира, между прочим и с Л. Толстым. Он был основателем не только декад в Понтиньи, но и «Union pour la véerité». Мое отношение к Понтиньи было сложное. Я любил там бывать, чувствовал себя там приятно, отдыхал, несмотря на мои постоянные выступления. Атмосфера была легкая. Были интересные люди, интересные разговоры, хотя и не о самом главном. Можно было ближе узнать западный мир. Я получал толчки для своей мысли, хотя в большинстве случаев по отрицательной реакции. Я очень активно участвовал в собраниях, иногда читал по несколько докладов, мог проявить свои качества спорщика. Меня очень ценили как участника споров. В Понтиньи я особенно чувствовал, как легко мне импровизировать доклады на французском языке, мне почти не нужно было готовиться, в четверть часа я в голове составлял план доклада. Но я всегда чувствовал разницу между моим и французским мышлением и отношением к темам. Я приносил с собой свое личное и русское катастрофическое чувство жизни и истории, отношение к каждой теме по существу, а не через культурное отражение. В конце концов я всегда пытался раскрыть религиозный смысл темы, о которой шла речь. Французы же слишком оставались в литературе и литературных отражениях, слишком были закованы в культуре, и притом в своей французской культуре. Германскую культуру уже понимали плохо. Было слишком много интеллектуального и культурного благополучия. У меня всегда было чувство, что этот высоко культурный и свободолюбивый мир висит над бездной и будет свержен в эту бездну катастрофой войны или революции. И он уже отошел в прошлое. Я наблюдал, что французы по сравнению с нами, русскими, умеют наслаждаться жизнью, извлекать из нее максимум приятного, получать удовольствие от вкушения блюд интеллектуальных и — блюд материальных. Но это мало подготовляло их к перенесению жизни в катастрофах. Я сказал как-то m-me de M., очаровательной женщине, красивой, умной, культурной, доброй и очень дружественной ко мне, но избалованной привилегированным положением и довольством, что нужно приучаться жить в катастрофе. С Бруншвигом, главным философом, игравшим роль в кругах Понтиньи, у нас были неприятные философские столкновения и споры, хотя личные отношения были хорошие. Мы представляли разные миросозерцания. В Pontigny бывали и католики, особенно в последние годы. Но преобладал культурный идеализм. Гродгаузен, полуголландец и полурусский, приват-доцент Берлинского университета, проводящий большую часть жизни в Париже, представлял рафинированный скепсис. Человек очень умный, с огромными знаниями, он был интересен в спорах, но вносил разложение. Фернандес, литературный критик, блестяще и многообразно одаренный, и актер и спортсмен, часто руководил собраниями декад. Но он вносил элемент недостаточно серьезный и был лучше в играх по вечерам, чем на дневных собраниях. Он одно время стал почти коммунистом, а потом перешел к противоположным течениям. Бывали и люди, очень близкие к коммунизму, коммунизм был одно время популярен в культурных салонах, но никто не представлял себе, что он несет с собой для них в жизненной практике. Меня это раздражало.

Одно время главным руководителем собраний в Понтиньи был Шарль Дю Бос. В последние годы он очень болел и не мог бывать в Понтиньи. Дю Бос умер осенью 39 года. Я познакомился с ним в 24 году у Л. Шестова, где встречал и еще некоторых французов. С Дю Босом у нас установились очень дружественные отношения. Я знаю, что он ко мне относился очень хорошо. Но дружеское общение у французов совсем иное значит, чем у русских. У французов нет особенной потребности во встречах со своими «друзьями». Дю Бос был очень оригинальный человек, не похожий на среднефранцузский тип. Он не был человеком нашего времени, он был человеком романтического века. У него был романтический культ дружбы. Когда ему нужно было сделать надписи на своей книге для друзей, то оказалось, что у него около 200 друзей, которым нужно было подписывать. Он не был замкнут во французской культуре, он также обладал английской и немецкой культурой, в совершенстве владел этими языками. Когда я с ним познакомился, он не заявлял себя еще католиком. С известного момента он обнаружил себя католиком. В своем «Journal» он пишет, что, в сущности, всегда был католиком, но забыл об этом и в один прекрасный день вспомнил. В нем была большая чистота и благородство, настоящий духовный аристократизм и своеобразный эстетический фанатизм. Он соглашался говорить лишь о первоклассных писателях. Это был очень искренний и правдивый человек. Но меня больше всего поражало, до чего он целиком живет в литературе и искусстве. Все проблемы ставились для него в литературном преломлении. Чудовищное преувеличение литературы во Франции есть черта декаданса. Когда молодой француз говорил о пережитом им кризисе, то обыкновенно это означало, что он перешел от одних писателей к другим, например, от Пруста и Жида к Барресу и Клоделю. Россия — страна великой литературы, но ничего подобного у нас не было. Дю Бос в этом отношении был очень типичен. Но вместе с тем он был более блестящий conferencier и causeur[6], чем писатель. Это был изумительный по утонченности и изощренности causeur, сравниться с ним может только В. Иванов. Он высказывал иногда изумительные по тонкости мысли и замечания. Но в этих мыслях я не замечал синтетической цельности, централизованности, отсутствие чего вообще характерно для французов последнего времени. Самое лицо Дю Боса, немного напоминавшее Ницше, было очень интересное, одухотворенное и благородное. В последние годы он очень страдал от болей и видел в этом религиозный смысл. У Дю Боса бывали журфиксы, на которых собирался литературный и интеллектуальный мир, часто бывали иностранцы. Но эти журфиксы, как и вообще французские журфиксы, мне не нравились. Драматическим был для Дю Боса его идейный разрыв со старым другом А. Жидом. Он написал против Жида целую книгу, которая отразила борьбу религиозной истины с дружбой. Он жил культом великих творцов культуры, особенно любил Гете, английских поэтов, Ницше, любил очень Чехова. Это был фанатик великой культуры и ее творцов. К нашей катастрофической эпохе он совсем не был приспособлен.

С А. Жидом я познакомился в связи с моей статьей «Правда и ложь коммунизма», напечатанной в первом номере «Esprit». Жиду, который в то время начал пленяться коммунизмом, моя статья очень понравилась, он говорит об этом в свем *Journal*. Он очень хотел встретиться со мной. Наша беседа посвящена была главным образом русскому коммунизму и отношениям между коммунизмом и христианством. Жид произвел на меня впечатление человека вполне искреннего в своем приближении к коммунизму. Как у всех лучших французских intellectuels, у него было отталкивание и даже отвращение к окружающему буржуазно-капиталистическому миру, он хотел новой жизни, хотел омолодиться. По вопросам социальным Жид мало читал, мало еще знал коммунистическую литературу и имел мало опыта. В этом отношении я имел явное преимущество перед ним, я сам был марксистом, хорошо знал марксизм и пережил опыт коммунистической революции. Поэтому в нашем разговоре я был более активен, я говорил больше, чем Жид, и, вероятно, произвел на него впечатление человека наступательного. Жид, один из самых прославленных французских писателей, — человек застенчивый и робкий. Он совсем не способен к спору. В его разговоре нет ничего блестящего. Я это особенно почувствовал на декаде в Понтиньи, где его участие ограничивалось незначительными замечаниями. Я ценил Жида как писателя, он один из немногих французских писателей, в творчестве которых большую роль играли религиозные темы. У него было большое религиозное и моральное беспокойство. Но потребность в самооправдании занимала в нем слишком много места. Это пуританин, желающий насладиться жизнью. Его *Journal* — замечательный человеческий документ. Но это книга во многих отношениях тяжелая и унылая. Жид всю жизнь не мог победить в себе протестантской закваски. Тема жизни Жида мне чужда. Я совсем не пуританин и не стремлюсь насладиться жизнью. Моя драма совсем не в том, что я должен преодолеть препятствия для использования жизни в этом мире, а в том, что я должен преодолеть препятствия для освобождения от этого мира, для перехода в свободу иного мира. Вообще проблематика, занимавшая французских писателей и мыслителей, мне казалась иной, чем занимавшая меня проблематика. Моя статья о коммунизме заинтересовала Жида. Моя же книга «Истоки и смысл русского коммунизма», которая никогда не была напечатана по-русски, но была напечатана по-французски, по-английски, по-немецки и по-испански, очень заинтересовала Л. Блюма, и он отнесся к ней с большим сочувствием, несмотря на разницу наших миросозерцаний. Он захотел со мной познакомиться. Он произвел на меня впечатление человека очень культурного, умного, очень человечного, очень приятного в разговоре. Думаю, что по личным свойствам он один из лучших людей среди политических деятелей Франции. Я сочувствовал его социальным реформам. Но он не произвел на меня впечатления ни революционера, ни государственного деятеля с сильной волей. Наши разговоры с ним не имели большого углубления, как, впрочем, и большая часть разговоров с французами.

Кроме круга Pontigny я еще хорошо узнал круг «Union pour la vérité». Эти два круга соприкасались. «Union pour la vérité» тоже было создано Дежарденом. Одно время я часто посещал собрания по субботам на rue Visconti. Собрания были обыкновенно посвящены обсуждению вновь появившейся интересной книги, главным образом по философии культуры и философии политики. Для каждой темы приглашались специалисты, обыкновенно профессора. Введение делали авторы рассматриваемых книг. Одно собрание было посвящено моей книге «Судьба человека в современном мире». «Union pour la vérité» стояло под знаком свободного искания истины и имело репутацию «левого» общества. Одно время обсуждался вопрос о коммунизме и участвовали коммунисты, как Низан, потом вышедший из коммунистической партии, и коммунизантные писатели, как Мальро и Ж. Р. Блок. Меня приглашали, как специалиста по марксизму, быть оппонентом. На этих собраниях народу бывало так много, что нельзя было дышать. В общем атмосфера была вполне корректная. «Union pour la vérité» не допускало разыгрываться страстям, не любило борьбы. На этих собраниях я мог изучить характер французского мышления и французских споров. В большинстве случаев это была анкета специалистов по разным вопросам. За мыслью никогда не чувствовалось воли, решающего выбора. Это был рационализм, но рационализм, который перестал быть страстью, каким был в прошлом. Ошибочно думать, что рационализм в свой боевой и цветущий период был исключительным господством разума, он был эмоцией и страстью. Это кончилось. Обсуждались темы, имевшие очень жизненное значение для данного времени, для данного сезона. Но обсуждались так, как будто мысль не имеет прямого отношения к жизненной борьбе. Часто чувствовался страх, страх войны, страх революции, страх реакции и бессилие бороться против того, что вызывает страх. Во Франции интеллектуальная жизнь была отрезана от жизни политической, связанной с депутатами и министрами. Почти никогда депутаты не принимали участия в собраниях в Понтиньи и «Union pour la vérité». Чисто интеллектуальная среда варилась в своем соку. Среда профессионалов, делавших политику, была замкнута в себе, поглощена политической игрой и оторвана от народной жизни. Все это мир, сейчас катастрофически кончившийся, исчезнувший. И вряд ли он мог продолжать существовать в таком виде. Старая и высокая французская культура склонялась к упадку. Источники жизни в ней ослабели. Но во французской мысли, несмотря на скептицизм, на полную свободу искания истины, было довольно большое единство и даже надоедающее однообразие. Почти все верили в верховенство разума, все были гуманистами, все защищали универсальность принципов демократии, идущих от французской революции. Мысль немецкая или русская казалась темной, иррациональной, опасной для будущего цивилизации, восточным варварством. Никто не допускал возможности другого типа культуры, кроме их собственного. Я обыкновенно вторгался как представитель иного мира, хотя я, может быть, более других русских усвоил себе характер французского мышления. Мой интерес к собраниям «Union pour la vérité» исчерпался, но я многое от них узнал.

§

Были еще другие общения с французами, кружки «Esprit», философские собрания у Габриеля Марселя. Журнал «Esprit» и кружки вокруг него представляли направление, наиболее близкое моим идеям. Что это течение среди французской молодежи многим было обязано мне, это не раз заявляли его представители. Я был на первом собрании, на котором был основан журнал «Esprit». Оно происходило на квартире И., левого католика, впоследствии депутата и члена социалистической партии. Это было начинание молодежи. В журнале почти исключительно писала молодежь и лишь изредка появлялись статьи старшего поколения, Маритена, мои и других. Меня приятно поразило на учредительном собрании, что молодежь требовала, чтобы в журнале защищали человека и человечность. Я подумал, что, может быть, кончается реакция против человека и человечности, которая вызывала во мне настоящий бунт. «Esprit» не должен был быть исключительно католическим журналом, журнал объединял левых католиков, протестантов и даже людей спиритуального направления, не принадлежавших к определенной конфессии. Главный .создатель и редактор «Esprit», Мунье, человек очень активный, был католик в социальном отношении очень левый. Ядро движения «Esprit» было все-таки католическое. Но журнал мало занимался вопросами чисто религиозными и философскими, он был, по преимуществу, посвящен вопросам социальным и политическим, отчасти вопросам искусства. В первом номере была напечатана моя статья «Правда и ложь коммунизма», которая в значительной степени определила отношение к коммунизму. Журнал был занят выработкой социальной программы, духовно обоснованной. Он был немного скучноват. Но это было течение среди молодежи, которому я наиболее сочувствовал. Молодежь «Esprit» имела симпатию к персоналистической философии, которой я был самым радикальным представителем, защищая социальную проекцию персонализма, близкого к социализму не марксистского, а прудоновского типа. Эту точку зрения назвали коммюнотарным персонализмом. Но кроме журнала были организованы группы «Esprit». Группы разделились по занятию разными вопросами. Была философская группа, была группа, занимавшаяся марксизмом, была группа, посвященная выработке программы с разных сторон. В первые годы я довольно активно участвовал в этих группах. Бывало много народа. Движение «Esprit» заслуживало всяческого сочувствия. Но оно ограничивалось интеллигенцией, и его социальное излучение было слабое, не было широкого влияния. Все, что происходило во Франции и Европе, двигалось в направлении, обратном пожеланиям «Esprit», и влекло к катастрофам. Злая воля была сильнее доброй воли. Можно было думать, что злость делала людей талантливыми. Эту большую силу злой воли, этот прогресс в зле я видел на протяжении всей своей жизни. В годы перед катастрофой второй войны во Франции были интересные течения молодежи, в которых было больше правды, чем в фанатических движениях других стран. Но в них чувствовалось бессилие. Я знал, что среди французской молодежи этого времени было много сочувствующих мне. Я имел некоторое влияние. И среди католиков многие читали с большим сочувствием мою книгу «Esprit et liberté», чем томистские книги. Но я отлично понимал, что социальные, политические и культурные последствия подобного рода влияний могут быть лишь очень медленными. Я чувствовал и значительное различие между мной и более близкой мне французской молодежью. Я мыслил более радикально, мое миросозерцание было более конфликтное и антиномическое, мое христианство было более эсхатологическое. Но во все эти годы мыслящая и идейная французская молодежь считала себя революционной и была враждебна буржуазно-капиталистическому миру. Более правая молодежь, например, «Combat», тоже любила называть себя революционной. Слово это стало модным. Я заметил, что влияние иностранного, русского мыслителя некоторым не нравилось. Французы этого не любят. Должен повторить то, что я не раз уже говорил. Во мне ценили не то, что я сам считал главным и наиболее моим. Я влиял не самыми существенными своими идеями. Мои мысли о несотворенной свободе, о Божьей нужде в человеческом творчестве, об объективации, о верховенстве личности и ее трагическом конфликте с миропорядком и обществом отпугивали и плохо понимались. И люди, мне симпатизировавшие, старались замалчивать эти мысли, чтобы не усиливать разногласий со мной. Я вообще замечал, что друзья иногда меньше обращали внимания на главное в моей мысли, чем враги. Наибольшее проникновение в мою мысль я заметил в статье одного немецкого католического священника, враждебного направлению моих идей. Иногда мучило, что выражали сочувствие некоторым моим мыслям люди, направлению которых я очень не сочувствовал. Ко мне мало применимы традиционные категории «правости» и «левости».

Необходимо вспомнить также о философских собраниях у Габриеля Марселя. Это, кажется, единственные философские собрания в Париже, которые удались и долго продержались. На этих собраниях, происходивших в частном доме, бывало много народу. Бывали не только французы, но и иностранцы, немцы, русские, испанцы. Бывало много философской молодежи. Это было, вероятно, единственное место во Франции, где обсуждались проблемы феноменологии и экзистенциальной философии. Постоянно произносились имена Гуссерля, Шелера, Гейдеггера, Ясперса. Не было замкнутости во французской культуре. Было высказываемо много тонких мыслей. Но темы были случайные. Мысль не была централизована вокруг самого главного. Споры велись без определенного порядка. И тут, как и везде, я видел, что французская мысль занята деталями, что в ней было больше тонкости, чем глубины. Я пытался своим вторжением свести споры к последним, конечным вопросам, я не мог мыслить иначе, но это не определяло течение мысли собраний, это оставалось моей личной особенностью. В русской среде, менее утонченно культурной, обсуждение было более существенным, более отнесенным к самому главному и всеразрешающему. Сам Габриель Марсель сначала относился ко мне очень сочувственно, но потом изменил свое отношение, он политически довольно правый и считал меня анархистом. На его философских собраниях не раз затрагивался вопрос экзистенциальной философии. Сам Марсель считался философом экзистенциального типа. Он лучше других французов знал немецкую философию. Он особенно ценил Ясперса и написал о нем большую статью. Я очень ценил Ясперса, но я не считал его экзистенциальным философом в том смысле, в каком были экзистенциальными философами Ницше и Кирхегардт. Не считаю и французов, причисленных к типу экзистенциальной философии, действительными ее представителями. Экзистенциальная философия прежде всего определяется экзистенциальностью самого познающего субъекта. Философ экзистенциального типа не объективирует в процессе познания, не противополагает объект субъекту. Его философия есть экспрессивность самого субъекта, погруженного в тайну существования. Невозможно экзистенциальное познание объекта. Объект означает исчезновение экзистенциальности. Это говорит и сам Ясперс. Нужно противополагать трансцендирование, как истинный выход из субъективной замкнутости, объективации, которая не есть подлинный выход. Но в разговорах об экзистенциальной философии на философских собраниях я всегда видел объективацию экзистенциальности. Это была не экзистенциальная философия, а *об* экзистенциальной философии. Во Франции в эти годы было некоторое философское движение. Были интересные философы, как, например, Ле-Сен, Лавель, Валь. Была реакция против длительного засилия позитивизма и обнаружилась тенденция к метафизике. Такова, например, вся коллекция «Philosophie de l'esprit» в издании Montaigne, в которой была напечатана и моя книга «Cinq meditations sur l'existence»[7]. Она редактировалась Лавелем и Ле-Сеном. Но все же сказывается длительный период упадка философского творчества, когда философия была сведена к истории философии, к философии наук и социологии. Не хватало смелости метафизической мысли, которая была сильнее у немцев. Я лично знал почти всех французских философов моего времени. Разговор с ними бывал иногда поучителен, но он редко захватывал, так как проходил мимо самого главного. Всю мою жизнь я тосковал по разговору о самом главном, о последнем, преодолевающем дистанцию и условность, означающем экзистенциальное событие. Такие разговоры случались очень, очень редко. Я носил в себе подобный разговор, но не умел пробить средостение, принудить к нему другого. И сам я нередко становился условным, очень соблюдающим дистанцию и бывал самому себе противен. Настоящей близости и общения с французами не могло быть.

Из приобретенных на Западе друзей должен вспомнить об очаровательном Либе, швейцарском теологе и вместе с тем социалисте. Он был совершенно помешан на русских и России, имел чудесную русскую библиотеку, просил называть его Федором Ивановичем, хотя он был Фриц. Общение с ним было сердечное, без условностей, в нем была русская хаотичность. Он человек с большими знаниями и умственными интересами. Беседа с ним была интересна. Его отношение к русской мысли было трогательно, он раздирался между К. Бартом и русской религиозной философией. Он был другом нашего дома. Вспоминаю о нем с любовью. Вспоминаю также о пасторе Порре. О нем также вспоминаю с любовью.

§

Трудность общенья с русскими совсем иная, чем трудность общения с французами. Русские самый общительный в мире народ, как я уже говорил. У русских нет условностей, нет дистанции, есть потребность часто видеть людей, с которыми у них даже нет особенно близких отношений, выворачивать душу, ввергаться в чужую жизнь и ввергать в свою жизнь, вести бесконечные споры об идейных вопросах. Русские плохо усваивают себе западные правила, что нужно уславливаться о свидании по телефону или через pneumatique[8]. Я бы не сказал, что у русских есть особенная склонность к индивидуальной дружбе. Вернее сказать, что русские народ коммюнотарный. Поразительно, что, в какие бы углы мира русские ни попали, как это случилось в эмиграции, они объединяются, группируются, образуют русские организации, устраивают собрания. Русские не признают категорий непереходимых границ, отчетливых и резко выраженных форм общежития, дифференциаций по разным культурным областям и специальностям. Всякий истинно русский человек интересуется вопросом о смысле жизни и ищет общения с другими в искании смысла. Но наряду с большими качествами, которые делают более легким общение в русской среде, есть и большие недостатки. В русской среде, в русском обществе и собрании я часто ощущал подпольные токи, которых в такой форме я не замечал в западной среде. Русские очень легко задевают личность другого человека, говорят вещи обидные, бывают неделикатны, имеют мало уважения к тайне всякой личности. Русские самолюбивы, задевают самолюбие другого и сами бывают задеты. При обсуждении идей легко переходят на личную почву и говорят не столько о ваших идеях, сколько о вас и ваших недостатках. У русских гораздо меньше уважения к самой мысли, чем у людей западных. Они легко переходят от рассмотрения вашей мысли к нравственному требованию от вас, требованию подвига святости или революционного героизма, в зависимости от направления. Совершенно другие свойства я вижу у французов, которых знал лучше других западных людей. У них очень затруднено общение в русском смысле слова. Соприкосновение душ почти невозможно. Всегда остается дистанция. Французы не коммюнотарны, не ходят друг к другу для бесконечных разговоров и споров. Слово индивидуализм, по существу, двусмысленное, может быть более всего применимо именно к французам. Французские усадьбы обведены высокой и совершенно закрытой оградой с надписью «Chien méchant»[9]. В общении есть большая условность, условная вежливость и любезность. Французы любят говорить комплименты и очень трудно различить их настоящие чувства. У них совсем нет русской душевности. Преобладают интеллектуальность и чувственность, слабы сердечность и душевность. Это видно по французскому роману последнего времени, в котором нет чувства, а есть главным образом sensualité[10]. Но есть и качества, отсутствующие у русских. Есть уважение к личности другого, нежелание вторгаться в ее внутреннюю жизнь и быть неделикатным. Дистанция определяется охранением индивидуальности своей и индивидуальности другого. Есть уважение к мысли. От анализа вашей мысли не переходят к анализу вашей личности, как часто у русских. Французы скромнее, менее самоуверенны, чем русские. Это связано с их высокой культурой. Русские всегда считают себя призванными быть нравственными судьями над ближними. Русские очень легко чувствуют себя грешниками и из всех народов земли они более всех склонны к покаянию. Это характерная черта. Но обратной стороной этой добродетели является склонность к обсуждению нравственных свойств людей. В русском мышлении нравственный момент преобладает над моментом чисто интеллектуальным. Западным же людям свойствен объективирующий интеллектуализм, который очень охраняет от вторжений в чужую жизнь. Главное же качество русского общения, что в нем легче начинать говорить о главном и существенном.

Всю жизнь я мечтал о значительных встречах с людьми, о настоящем общении, о соприкосновении душ. О наиболее интимных общениях моей жизни я в своей книге сознательно не говорю. Но мое искание людей, общения душ в большинстве случаев испытывало неудачу. И я думаю, что причина этого лежит во мне самом. В самой глубине души я русский, но внешне во мне есть что-то французское. Я говорил уже, что характер у меня скрытный. Есть также душевная стыдливость. Я очень охраняю свою личность, очень соблюдаю дистанцию. Я никогда не мог выносить фамильярности. Сделав шаг к сближению с людьми, я часто потом делал два шага назад. У меня очень слабая способность к дружбе. Проблема общения всегда была для меня мучительна. Я общительный, социабельный человек, но затрудненный в общении. Мне всегда было легче говорить в обществе, чем с глазу на глаз. Меня всегда мучила закупоренность, непроницаемость душ. Но я плохо умел разбивать эту непроницаемость, расплавлять лед и преодолевать условность. Иногда хотелось поговорить по душе о самом главном, и вдруг мной овладевал пафос дистанции, побеждала моя скрытность и я делался условен, как француз. Мешала также моя стыдливость, особенно стыдливость, когда речь заходила на религиозные темы. С детства мне легче было общение с женщинами, чем с мужчинами. Дружеским отношениям мешала еще моя склонность к идейным конфликтам и разрывам. О том, терпим ли я или не терпим, складывались противоположные мнения. Я объяснял уже, что верно и то и другое мнение. Это зависит от того, на что направлено в данный момент мое сознание. Я очень мало склонен к осуждению и очень снисходителен. И я очень склонен осуждать себя, менее всего склонен думать, что я нравственно лучше других. Но во мне есть идейная нетерпимость, когда идеи представляются мне связанными с нравственной борьбой. Я непримирим к врагам свободы. И я прекрасно сознаю, что человеческая природа хитра и противоречива и что вражда к врагам свободы может превратиться в нарушение свободы другого. Идейные распри иногда мешали моему общению с людьми. Мне случалось лишать себя радости общения, радости любви, потому что идейные страсти оказывались сильнее страстей эмоциональных. Меня всегда поражало, что мир мужской и мир женский, даже когда есть подлинная любовь и интимное общение, оказываются замкнутыми и непроницаемыми друг для друга. Даже когда мужчина и женщина, казалось бы, говорят на одном языке, они вкладывают разный смысл в произносимые слова. Горький опыт убедил меня, что люди вообще плохо понимают друг друга и плохо вслушиваются в то, что говорят друг другу. Личность другого всегда остается для нас почти непроницаемой тайной. Любовь есть опыт проникновения в эту тайну, но тайна уходит в большую глубину. И, может быть, это так и нужно. Проблема общения есть проблема преодоления одиночества. Любопытно, что общение с единоверцами нисколько не преодолевает одиночества, а иногда и увеличивает его горечь. Я живу в Париже более 20 лет. Париж за это время стал русским культурным центром. И тут жили в это же время люди, с которыми я был связан в прошлом, с которыми был даже близок. Но у меня не было общения и почти не было даже встреч с этими людьми моего прошлого. Большее общение было с новыми людьми. С Мережковским я не встречаюсь долгие годы. Мережковский писал против меня грубые статьи. Со Струве тоже перестал встречаться, он тоже очень резко нападал на меня в печати. С А. Карташевым я почти не встречался, мы очень разошлись политически. Также не встречаемся с Б. Зайцевым, с П. Муратовым. С отцом Булгаковым у нас не было никакого разрыва, но мы встречались очень редко и больше на деловых собраниях. Боюсь, что если бы мы встречались чаще, то разошлись бы гораздо больше. Из старых отношений сохранилась и даже окрепла дружба с Л. Шестовым, с которым у меня бывали наиболее значительные разговоры. Но возникли новые добрые отношения. Наиболее значительной была встреча с монахиней Марией, погибшей в Германии, в концентрационном лагере. С этими людьми я действовал в социальном единомыслии. У нас в доме, по обыкновению, собирались и беседовали на темы духовного порядка и на связанные с ними темы социальные. Обыкновенно находили, что у нас хорошо и уютно. Но уют создавал не я, а мои близкие. В годы изгнания мы по вечерам читали громко. Читала обыкновенно Лидия и читала очень хорошо, потом Женя. Перечитывали почти всю русскую литературу, что нам доставляло большую радость. Но перечитали также греческую трагедию, Шекспира, Сервантеса, Гете, Диккенса, Бальзака, Стендаля, Пруста и других. В громком чтении я с особенной остротой почувствовал своеобразие и особенность русской литературы, отражающей русскую стихию. Когда сравниваешь русского человека с западным, то поражает его недетерминированность, нецелесообразность, отсутствие границ, раскрытость в бесконечность, мечтательность. Это можно видеть в каждом герое чеховского рассказа. Западный человек пригвожден к определенному месту и профессии, имеет затверделую формацию души. В XIX веке в русском человеке была какая-то нелепость, но были и неограниченные возможности.

Много раз в моей жизни у меня бывала странная переписка с людьми, главным образом с женщинами, часто с такими, которых я так никогда и не встретил. В парижский период мне в течение десяти лет писала одна фантастическая женщина, настоящего имени которой я так и не узнал и которую встречал всего раза три. Это была женщина очень умная, талантливая и оригинальная, но близкая к безумию. Другая переписка из-за границы приняла тяжелый характер. Это особый мир общения.

Я заметил неискренность в отношении ко мне со стороны некоторых русских. Люди выражали больше единомыслия со мной и больше любви ко мне, чем это в действительности было. Очень многие избегали споров со мной в случае несогласия. Отчасти это может объясняться тем, что в спорах я мог быть резок и вспыльчив, но не только этим. Наиболее печальна была история с Вл. И., человеком больших умственных дарований, разговор с которым бывал интересен. В. И. постоянно у нас бывал, был другом дома, объяснялся мне в любви, целовал в плечо, называл себя моим последователем. И потом вдруг написал против меня отвратительную по тону статью в очень враждебной мне газете. Он полетел по наклонной плоскости, и в нем обнаружился настоящий зубр. Многое объясняется тут крайней неуравновешенностью, тяжелой болезнью души. Это очень несчастный человек, который не может реализовать своих дарований. В прошлом я его очень защищал и многое ему прощал. Но и другие долго старались поддерживать внешнее единомыслие со мной, в сущности, расходясь со мной в основных оценках жизни. Обыкновенно меня начинали упрекать в том, что я очень «полевел». Этот термин я считаю условным и лишенным определенного содержания. Быть «левым» в отношении к господствующему общественному мнению эмиграции есть элементарное приличие, так безобразно это господствующее мнение. Но хочется что-то объяснить по существу. Я буду называть «левым» такое мнение, которое утверждает верховную ценность человека, всякого человека, потенциальной личности, и подчиняет человеку, так называемые коллективные, сверхличные реальности (государство, нацию, экономическое могущество и прочее). Я буду называть «правым» такое мнение, которое подчиняет и, в сущности, порабощает человека, живое существо, способное страдать и радоваться, коллективным реальностям государства и его могуществу, нации и национальному богатству, внешней авторитарной церковности и прочему. «Левым» я называю человечность и организацию общества на принципе человечности. «Правым» я называю отрицание или умаление человечности и организацию общества на принципе бесчеловечных коллективных реальностей, получивших силу традиции. Человек должен быть теоцентричен и организовать себя на божественном начале, в этом его образ; общество же должно быть антропоцентрично и организовываться на начале человечности. Теоцентризм в обществе породил отрицавшую свободу теократию. Та же ложь повторяется в тоталитарных государствах. Эти мои мысли несвоевременны, идут против эпохи, которая стоит под знаменем отрицания человечности и даже упоена бесчеловечностью. Я и не хочу быть своевременным, считаю постыдным быть своевременным. Дух времени, обоготворенный Гегелем, в сущности, всегда заключает в себе обманное и злое начало, потому что время в известном смысле есть обман и зло. Время в человеке, а не человек во времени.

Я говорил уже о мучительном чувстве от зарубежного православия, которое у меня никогда не проходило за годы пребывания на Западе. Когда произошел конфликт между Московской Патриаршей церковью и зарубежной церковью, возглавленной митрополитом Евлогием, я решительно присоединился к Московской Патриаршей церкви и написал свирепую статью «Вопль русской церкви». Это создало для меня целый ряд конфликтов. Торжествовало понимание христианства, которое я считал искаженным и приспособленным к дурным человеческим интересам. Я был в непрерывном мучительном конфликте. Этот конфликт достиг для меня особенной остроты в истории с Г. П. Федотовым, которого хотели удалить из Богословского института за статьи в «Новой России», в которых видели «левый» уклон. Православие официальное утверждало себя, как «правое». Меня давно уже ранил прозаизм, некрасивость, рабье обличье официальной церковности. По поводу истории с Г. П. Федотовым я написал в «Пути» резкую статью «Существует ли в православии свобода совести?», которая поссорила меня с профессорами Богословского института и создала затруднения для «Пути». Это был один из эпизодов в ряду многих других. Я всегда воинствующе выступал в защиту свободы духа и был в этом непримирим. Мне казалось смешным, когда запуганные общественным мнением эмиграции находили мои выступления очень смелыми. Этим самым, как бы предполагалось, что для меня имеет хоть малейшее значение общественное мнение эмиграции, да и вообще какое-либо общественное мнение. Но я всю мою жизнь ставил в ничто и презирал всякое общественное мнение, и борьба против него не предполагала с моей стороны никакого усилия. Я всегда вдохновлялся словами доктора Штокмана в ибсеновском «Враге народа»: «Самый могущественный человек тот, кто стоит на жизненном пути одиноко».

У меня всегда была большая чуткость ко всем направлениям и системам мысли, особенно к тоталитарным, способность вживаться в них. Я с большой чуткостью мог вжиться в толстовство, буддизм, кантианство, марксизм, ницшеанство, штейнерианство, томизм, германскую мистику, религиозную ортодоксию, экзистенциальную философию, но я ни с чем не мог слиться и оставался самим собой.

§

Когда я оказался в изгнании на Западе, то застал интеллектуальную Европу, в преобладающих ее течениях, в состоянии реакции против романтизма и против XIX века вообще. Классицизм, объективизм, вражда к эмоциональной жизни, организованность и порядок, подчинение человека авторитарным началам вдохновляло intellectuels Западной Европы. Боялись более всего анархии в душах и анархии в обществе. Это связано было с тем, что общество приходило в жидкое состояние. В этом отношении характерны были томизм в католичестве, бартианство в протестантизме, тяга к классицизму в искусстве, искание повсюду объективного порядка, отталкивание от субъективности, создающей беспорядок. Ответственным за всякого рода беспорядок был сделан XIX век, который был проклят. Реакция против романтизма особенно обнаружилась во Франции, и она началась уже довольно давно. Романтизм был признан источником революции. Против романтизма воинствующе выступил Ш. Моррас, хотя сам был романтиком монархизма и классического века. Характерна была книга П. Лассера о французском романтизме, несправедливая и неприятная. Таковы все книги Сейлльера, который видит повсюду романтизм и называет романтизмом все, что ему не нравится. Против романтизма выступили томисты. Руссо был признан источником европейского романтизма. От него пошли все несчастья. Но нет ничего более неопределенного, чем слово романтизм. Определить романтизм очень трудно. Я старался вникнуть в характер реакции против романтизма, которая мне была антипатична. И я пришел к тому заключению, что реакция против романтизма есть, в сущности, реакция против человеческого, против экзальтации человека и человечности. Романтизм экзальтировал душевную жизнь человека, он утверждал, раскрывал и развивал эмоциональную природу человека. Я не очень любил Руссо. Книги его мне всегда казались скучными, мысль его казалась лишенной остроты и силы. Не думаю также, чтобы он был главным источником европейского романтизма. Но Руссо имел большую заслугу в истории европейского человека, как и романтизм вообще, — он много сделал для разворачивания душевной жизни человека, для возникновения новой чувствительности. Правда «природы» в человеке получила возможность восставать против неправды в цивилизации и обществе. После Руссо, после романтического движения XIX века, появились новые души, с более сложной и более свободно развернутой душевной жизнью. Человек вышел из покорности объективированному порядку и обнаружились богатства его субъективного мира. Этому соответствовало необыкновенное развитие романа в XIX веке и расцвет музыки. И возврат к объективированному порядку, предшествовавшему романтизму, означает страшное насилие над человеческой душой. Романтизм в судьбах европейского человека означает разрыв между объективным и субъективным. Через это неизбежно было пройти. По-настоящему, новый мир может быть создан лишь из глубины субъективного. Иной путь есть лишь насильническая реакция, создание призрачного объективного порядка. Для меня это связано с темой о свободе. Я всегда готов сейчас защищать романтизм, но я не считаю себя романтиком в точном и типическом смысле слова. Еще о разрыве XX века с XIX веком. Отрицание предшествующего века и предшествующего поколения вообще очень характерно для человека, для человеческого общества, для пожирающей природы времени. Время очень неверно, неблагодарно и неблагородно. Но попробуем говорить «объективно». Самое начало XX века принадлежит еще к XIX веку. Но вот возникает время после первой мировой войны. Возникают новые течения, противополагающие себя XIX веку. И вот поразительно, до чего эти течения живут мыслью ненавистного XIX века и не порождают никакой своей оригинальной мысли. Это очень бездарное время. Какими идеями живет реакция против XIX века? Она живет идеями Ж. де Местра, Гегеля, Сен-Симона и О. Конта, Маркса, Р. Вагнера, Ницше, Кирхегардта, Карлейля, Гобино, Дарвина. Этатизм, коммунизм, расизм, воля к могуществу, естественный подбор видов, антииндивидуализм, иерархическая организация общества — все это идеи, высказанные и развитые мыслителями XIX века. XX век исказил и вульгаризировал эти идеи, как, впрочем, всегда и бывает. Особенно печальна оказалась посмертная судьба Ницше. XIX век, как, впрочем, и всякий век, был сложнее, чем думают современные революционеры и реакционеры. Также и XVIII век был не только веком рационалистического просвещения и энциклопедистов, но и веком теософических и мистических течений, Сен-Мартена, Сведенборга и других. В XIX веке, во многом ограниченном и полном иллюзий, была выношена идея человечности. И против нее-то все и направлено. Для настроений XX века огромное значение имели люди профетического склада в XIX веке — Достоевский и Кирхегардт, по-другому Ницше. На Западе, в изгнании, которое я особенно остро почувствовал после второй войны 40 года, я перечитывал Герцена и вдумывался в его судьбу на Западе. Я пережил большие катастрофы, чем Герцен. События его времени кажутся маленькими по сравнению с современными. Герцен был разочарован в Западе после революции 48 года, он оттолкнулся от мещанства Запада. Я тоже имею основания быть разочарованным, и еще больше оснований. Я ранен не менее К. Леонтьева уродством демократического века и тоскую по красоте, которой было больше в столь несправедливом прошлом. Но разочарование носит более глубокий характер, и утешение должно быть более глубоким, чем у Герцена. Разочарование связано с судьбами не только Европы, но и всего человечества и всего этого мира. И утешение может быть связано не с верой в русского мужика, как у Герцена, а с благой вестью о наступлении Царства Божьего, с верой в существование иного мира, иного порядка бытия, который должен означать радикальное преображение этого мира. Россия и русский народ могут сыграть в этом большую роль в силу нашего эсхатологического характера. Но это дело свободы, а не необходимости. Герцен ушел из рабства николаевской России в свободу западного мира и не нашел там настоящей свободы. Мы также ушли или были изгнаны из России, в которой воцарилось рабство духа и была истреблена свобода. И некоторую свободу мы на Западе вкусили. Но и это царство очень несовершенной свободы кончается, ее нет уже на Западе, мир все более порабощается духом Великого Инквизитора. Нельзя примириться с рабством человека и народа. Все это не должно быть страшно лишь для христиан, но для христиан, которые более не хотят опираться на царство кесаря.

§

В последние годы произошло небольшое изменение в нашем материальном положении, я получил наследство, хотя и скромное, и стал владельцем павильона с садом в Кламаре. В первый раз в жизни, уже в изгнании, я имел собственность и жил в собственном доме, хотя и продолжал нуждаться, всегда не хватало. Я, правда, давно получил по наследству от отца железные рудники в Польше, на земле его, упраздненного польским правительством майората. Я никогда не мог реализовать этой собственности, не получал от нее ни одного гроша и имел лишь расходы. Наследство, сделавшее нас обладателями павильона, я получил от нашего умершего друга, Флоренс В., англичанки по происхождению, замужем за очень богатым французом. Она была своеобразный и интересный человек, очень красива, с сильным характером, глубоко религиозная в типе библейско-протестантском. Ее мучила потребность осуществления евангельского христианства в жизни. Лидия была с ней очень дружна. У нас в доме в течение ряда лет был кружок по изучению Библии, в котором она играла главную роль. Ее память обо мне очень облегчила нашу жизнь. У меня всегда было странное отношение к материальным средствам. В изгнании я никогда не бедствовал, но часто нуждался и иногда не знал, чем буду существовать через несколько месяцев. Но всегда находился выход. У меня никогда не было материальной устроенности. Но мне свойственна была психология довольного богатого барина, который нуждался и попал в затруднительное материальное положение. Может быть, поэтому меня считали человеком состоятельным, даже когда я нуждался. Я очень дорожу своим кабинетом с окнами в сад, своей библиотекой. Но собственность меня интересует исключительно как независимость, которая, впрочем, у меня была очень относительной. Мне очень свойственно чувство тленности и эфемерности всех вещей в этом мире. Вот опять то, что мне приходится переживать, очень начинает напоминать первые годы советской России. В богатой, обильной, свободной Франции карточки, хвосты, пустые магазины, исчезновение продуктов, связанность жизни, неопределенность завтрашнего дня. Однажды лакей одного дружеского мне княжеского дома сказал: «Зашаталась наша планета!» Я давно чувствовал, что зашаталась. Но это легче и осмысленнее переживать у себя дома, чем на чужбине. Я никогда еще, кажется, не жил так внешне спокойно, уединенно, в отрешенности и погруженности в метафизические вопросы, как теперь, в самые катастрофические минуты европейской истории. Но неизвестно, что будет завтра.

Я не принадлежу к людям, особенно обращенным к прошлому. Но и я знаю обаяние красоты прошлого. В чем его тайна? Память о прошлом есть творческая, преображающая память, она делает отбор, она не воспроизводит пассивно прошлого. Красота прошлого не есть красота эмпирического бывшего, это есть красота настоящего, преображенного прошлого, вошедшего в настоящее. Прошлое, вероятно, этой красоты не знало. Красота развалин не есть красота прошлого, это красота настоящего, в прошлом развалин не было, это были недавно построенные замки, дворцы, храмы и акведуки со всеми свойствами новизны. И так все. Все старинное, прекрасное в своей старинности есть настоящее, в прошлом не было этой старинности. Прошлое совсем было не старо, а молодо, это настоящее старо в одном своем аспекте. Время есть величайшая метафизическая тайна и сплошной парадокс. Потому-то так трудно писать о прошлом, потому-то правдивость в отношении к прошлому есть величайшая метафизическая тайна. Вспоминая прошлое, я сознательно совершаю творческий акт осмысливания и преображения. На этом основана моя книга. Это, прежде всего, книга осмысливания. Красота же прошлого не на моей памяти, которую я очень активно чувствую, совсем не есть моя пассивность, она также есть моя творческая активность. Подлинная жизнь есть творчество, и это единственная жизнь, которую я люблю. Я не могу пассивно воспринимать красоту: в творческом восприятии, в воспоминании, в воображении я ее творю. Без творческого подъема нельзя было бы вынести царства мещанства, в которое погружен мир.

Глава XI

МОЯ ОКОНЧАТЕЛЬНАЯ ФИЛОСОФИЯ. ИСПОВЕДАНИЕ ВЕРЫ. МИР ЭСХАТОЛОГИИ. ВРЕМЯ И ВЕЧНОСТЬ

Годы моей жизни в Париже — Кламаре были для меня эпохой усиленного философского творчества. Я написал ряд философских книг, которые считаю для себя наиболее значительными. Я написал: «Философию свободного духа» (по-французски лучше названа: «Esprit et liberté»), «О назначении человека. Опыт парадоксальной этики», «Я и мир объектов. Опыт философии одиночества и общения», «Дух и реальность. Основы богочеловеческой духовности», «О рабстве и свободе человека. Опыт персоналистической философии», мою новую книгу «Опыт эсхатологической метафизики. Творчество и объективация», «Экзистенциальная диалектика божественного и человеческого». Из книг другого типа: «Судьба человека в современном мире», которая гораздо лучше формулирует мою философию истории современности, чем «Новое средневековье», и «Источники и смысл русского коммунизма», для которой должен был много перечитать по русской истории XIX века, и «Русская идея». Эти книги лучше выражают мое философское миросозерцание, чем прежние книги, из которых я по-настоящему ценю лишь «Смысл творчества» и «Смысл истории». Из философских книг этого периода особенное значение я придаю книге «О назначении человека» и «О рабстве и свободе человека», в которой некоторые основные мои мысли выражены с наибольшей остротой. Последняя книга очень крайняя, и это соответствует крайности моей мысли и острой конфликтности моего духовного типа. Наиболее выражает мою метафизику книга «Опыт эсхатологической метафизики». Но, в сущности, никакая из написанных мною книг меня не удовлетворяет, никакая не выражает вполне. Я говорил уже, что не принадлежу к авторам, которые являются собственными почитателями. Мысль необходимо изрекать, человек должен совершать этот акт, но в известном смысле остается верным, что «мысль изреченная есть ложь». Так хочется себя выразить, и так трудно это сделать. Мне очень легко писать, и мысль моя естественно принимает словесную форму. Но всегда есть трагическое несоответствие между творческим горением, первичными интуициями и объективными продуктами мысли. Я себя не вполне узнаю. Но тем не менее в книгах, написанных за последние пятнадцать лет, удалось гораздо более отчетливо, терминологически более ясно и последовательно выразить свою философскую мысль. И за этим выражением были скрыты некоторые новые для меня интуиции. Мое философское миросозерцание чрезвычайно централизовано, и в нем все части связаны между собой, вернее, в нем нет частей, но вместе с тем оно интуитивно по происхождению и афористично по форме. Я не могу мыслить иначе. Я вообще ничего не выбираю, не имею нескольких возможностей. Вместе с тем нужно сказать, что мое миросозерцание многопланно, и, может быть, от этой многопланности меня обвиняют в противоречиях. В моей философии есть противоречия, которые вызываются самим ее существом и которые не могут и не должны быть устранены.

Углубление моего философского познания привело меня к идее *объективации,* которую я считаю для себя основной и которую обыкновенно плохо понимают. Я не верю в твердость и прочность так называемого «объективного» мира, мира природы и истории. Объективной реальности не существует, это лишь иллюзия сознания, существует лишь объективация реальности, порожденная известной направленностью духа. Объективированный мир не есть подлинный реальный мир, это есть лишь состояние подлинного реального мира, которое может быть изменено. Объект есть порождение субъекта. Лишь субъект экзистенциален, лишь в субъекте познается реальность. Это совсем не есть субъективный идеализм, как склонны будут утверждать по шаблонным классификациям. По классификации Дильтея — натурализм, идеализм объективный и идеализм свободы — моя мысль принадлежит к типу идеализма свободы. Мир подлинно существует в не объективированном субъекте. Уже категория бытия, которая играет такую роль в истории философии, начиная с Греции, есть продукт объективации мысли. Употребляя терминологию Канта, можно сказать, что бытие есть трансцендентальная иллюзия. Перво-жизнь иная, чем это бытие (эссенция, «усия»). Перво-жизнь есть творческий акт, свобода, носительницей перво-жизни является личность, субъект, дух, а не «природа», не объект. Объективность есть порабощение духа, есть порождение разорванности, разобщенности и вражды субъектов, личностей, духов-существ. Поэтому познание зависит от ступеней духовной общности. Это очень важная мысль по социологии познания, на которую мало обращали внимания. Наука познает объективированный мир и дает человеку возможность овладеть «природой». Зло объективации, то есть необходимости, отчужденности, безличности, не в науке лежит и не наукой порождено. «Объективная» наука не только нужна человеку, но и отражает Логос в падшем мире. Объектность, порождение объективации, есть падшесть. Человек познает как извне данную ему реальность то, что порождено им самим, порабощенностью субъекта. «Объект» для меня совсем не означает то, что я познаю, предмет познания, а известного рода соотношение в экзистенциальной сфере. За годы окончательной выработки моего философского миросозерцания у меня очень выросла оценка науки и критической философской мысли и увеличилась антипатия к лже-мистическим настроениям в сферах, к которым мистика не применима. Я сейчас более высоко оцениваю значение положительной науки, чем в годы моей марксистской молодости. Я особенно ценю историческую науку. Но сам я не положительный ученый, а экзистенциальный философ, историософ, моралист. С историософией связан профетизм, который вызывает к себе ироническое отношение. Я согласен назвать себя метафизиком, но избегаю называть себя онтологом, так как понятие бытия считаю проблематическим. Бытие есть понятие, а не существование. Реальность бытия есть реальность предиката и означает, что что-то существует, а не то, что существует. Моя философия не принадлежит к онтологическому типу, к типу философии Парменида, Платона, Аристотеля, Плотина, Фомы Аквината, Спинозы, Лейбница, Гегеля, Шеллинга, Вл. Соловьева, хотя это не мешает мне высоко ценить всех этих философов. Наиболее враждебен я всякой натуралистической метафизике, которая объективирует и гипостазирует процессы мысли, выбрасывая их во вне и принимая их за «объективные реальности», которые применяет к духу категории субстанции, натурализует дух. Моя философия есть философия духа. Дух же для меня есть свобода, творческий акт, личность, общение любви. Я утверждаю примат свободы над бытием. Бытие вторично, есть уже детерминация, необходимость, есть уже объект. Может быть, некоторые мысли Дунса Скота, более всего Я. Беме и Канта, отчасти Мен де Бирана и, конечно, Достоевского как метафизика я считаю предшествующими своей мысли, своей философии свободы. Православные, католики, протестанты, чувствующие себя ортодоксальными, очень нападали на мою идею несотворенной свободы, видели в ней нехристианский дуализм, гностицизм, ограничение всемогущества Божества. Но я всегда имел впечатление, что меня не понимают. Объясняется это, вероятно, не только недостатком внимания, но и моей склонностью мыслить антиномически, парадоксально и иррационально, вернее, приводить мысль к иррациональному. Все богословско-метафизические учения, которые противополагаются моему «дуализму», в сущности, суть формы рационализма, уничтожающего тайну, и не верно описывают духовный опыт, не хотят знать трагизма, противоречия, иррациональности. Традиционные богословско-метафизические учения неотвратимо должны приводить к идее предопределения, которая наиболее мне антипатична. Я не исповедую двубожия и совсем не являюсь манихейцем. Ведь манихейство не понимает свободы, столь дорогой мне. За пределами противоположения между Богом и несотворенной свободой, описывающего наш духовный опыт по сю сторону, лежит трансцендентная божественная тайна, в которой все противоречия снимаются, там неизъяснимый и невыразимый божественный свет. Это сфера апофатического богопознания. Когда я пришел к своей окончательной философии, для меня приобрели особенное значение идеи несотворенной свободы и объективации. Несотворенная свобода объясняет не только возникновение зла, непонятное для традиционных философских учений, но и возникновение творческой новизны, небывшего. Несотворенная свобода есть предельное понятие, вернее, не понятие, а символ, так как о несотворенной свободе, ввиду ее совершенной иррациональности, нельзя составить рационального понятия. Объективация есть гносеологическая интерпретация падшести мира, состояния порабощенности, необходимости и разобщенности, в которой находится мир. Объективированный мир подлежит рациональному познанию в понятиях, но сама объективация имеет иррациональный источник. Я, кажется, первый сделал опыт гносеологического объяснения грехопадения. Наряду с идеей несотворенной свободы и объективации я углубил свой персонализм, идею центрального и верховного значения личности. В конфликте личности со всем безличным или притязающим быть сверхличным, в конфликте с «миром» и с обществом я решительно стал на сторону личности. Это связано со старой, традиционной проблемой универсалий, со спором реалистов и номиналистов. У Макса Штирнера в его «Единственном и его собственности» есть доля истины. Но этому нужно дать мистико-метафизический смысл. Я решительно, не только философски, но морально, жизненно против реализма понятий, и в этом смысле я антиплатоник, хотя в других отношениях я очень ценю Платона. Но я не номиналист, для последовательного номинализма не существует неразложимого единства личности, ее вечного образа. Уже скорее я концептуалист, если употреблять традиционную терминологию; я не отрицаю универсального, но думаю, что универсальное находится в индивидуальном, а не над ним. Главное же, я считаю ошибочной самую постановку проблемы реализма и номинализма. Но реализм понятий, который признает примат общего над индивидуальным и подчиняет личность общим quasi-реальностям, я считаю источником рабства человека. Восстание против власти «общего», которое есть порождение объективации, мне представляется праведным, святым, глубоко христианским восстанием. Христианство есть персонализм. С этим связана главная духовная борьба моей жизни. Я представитель личности, восставшей против власти объективированного «общего». В этом пафос моей жизни. Нужно радикально различать общее и универсальное. Моя попытка построить философию вне логической, онтологической и этической власти «общего» над личным плохо понимается и вызывает недоумение. Может быть, причина тут в моей слабой способности развивать свои мысли и дискурсивно их доказывать. Но я уверен, что все основы философии требуют пересмотра в этом указанном мной направлении. Это имеет важные социальные последствия, но еще более последствия религиозные и моральные. Такой тип философии совершенно ошибочно было бы смешивать с философией прагматизма или с философией жизни. Персоналистическая революция, которой по-настоящему еще не было в мире, означает свержение власти объективации, разрушение природной необходимости, освобождение субъектов-личностей, прорыв к иному миру, к духовному миру. По сравнению с этой революцией ничтожны все революции, происходившие в мире. Моя окончательная философия есть философия личная, связанная с моим личным опытом. Тут субъект философского познания экзистенциален. В этом смысле моя философия более экзистенциальна, чем философия Гейдеггера или Ясперса.

Я могу сказать, что у меня был опыт изначальной свободы, и, в связи с ней, и творческой новизны, и зла, был острый опыт о личности и ее конфликте с миром общего, миром объективации, опыт выхода из власти общего, был опыт человечности и сострадания, был опыт о человеке, который есть единственный предмет философии. Я пытался создать миф о человеке. В опыте о человеке огромное значение имел Ницше. Он пережил патетически, страстно, мучительно и с необычайным талантом выразил тему: как возможна высота, героизм, экстаз, если нет Бога, если Бога убили. Но убитым оказался не только Бог, убитым оказался и человек, и возник жуткий образ сверхчеловека. Явление Ницше есть экзистенциальная диалектика о судьбе человека. Для меня это имело огромное значение. В Ницше я чувствовал эсхатологическую тему.

§

Мне очень свойственно эсхатологическое чувство, чувство приближающейся катастрофы и конца света. Это связано, вероятно, не только с моим духовным типом, но и с моей психо-физиологической организацией, с моей крайней нервностью, со склонностью к беспокойству, с сознанием непрочности мира, непрочности всех вещей, непрочности жизни, с моим нетерпением, которое есть и моя слабость. Мое понимание христианства всегда было эсхатологическим, и всякое другое понимание мне всегда казалось искажением и приспособлением. Это совпадает со взглядами многих научных историков христианства. С конца XIX века, начиная с Вейсса из школы Ричля, возобладало эсхатологическое истолкование благой вести о Царстве Божьем. Луази в качестве историка защищал эсхатологическое понимание христианства. Но мой эсхатологизм имел метафизический, а не исторический источник. Близок мне был А. Швейцер, а также отчасти Блумгардт и Рогац. Эсхатологизм связан был для меня с тем, что все мне казалось хрупким, люди угрожаемыми смертью, все в истории преходящим и висящим над бездной. Я и в личной жизни склонен был ждать катастроф и еще более в исторической жизни народов. И я давно предсказывал исторические катастрофы. До первой мировой войны, когда о ней никто еще и не думал, я утверждал наступление катастрофической эпохи. Я ясно видел, что в мире происходит не только дехристианизация, но и дегуманизация, потрясение образа человека. Понятным мне это представлялось лишь в перспективе эсхатологического христианства. У меня вообще слабо сознание длительного процесса во времени, процесса развития. Все мне представляется не переходным, а конечным. Это во мне очень глубокое личное чувство. Историю я вижу в эсхатологической перспективе. Я всегда философствовал так, как будто наступает конец мира и нет перспективы времени. В этом я очень русский мыслитель и дитя Достоевского. При этом нужно сказать, что у меня никогда не было особенной любви к Апокалипсису и не было никакой склонности к его толкованию. В апокалиптической литературе, начиная с книги Эноха, меня очень отталкивала мстительная эсхатология, резкое разделение людей на добрых и злых и жестокая расправа над злыми и неверными. Этот элемент мстительной эсхатологии очень силен в книге Эноха, он есть и в христианском Апокалипсисе, он есть у блаженного Августина, у Кальвина и многих других. Элемент садизма занимает большое место в истории религии, он силен и в истории христианства. Его можно найти в псалмах и он вошел в систему ортодоксального богословия. Только Ориген был вполне свободен от садического элемента, и за это он был осужден представителями ортодоксального садизма. Утверждение человечности христианства вызывает настоящую ненависть у тех многочисленных христиан, которые считают жестокость основным признаком ортодоксальности. Я иду дальше, я склонен думать, что в языке самих Евангелий есть человеческая ограниченность, есть преломленность божественного света в человеческой тьме, в жестоковыйности человека. Жестокий эсхатологический элемент исходит и не от самого Иисуса Христа, он приписан Иисусу Христу теми, у кого он соответствует их природе. Судебная теория выкупа есть человеческое привнесение. Я исповедую религию духа и твердо на этом стою. В историческом откровении дух затемнен человеческой ограниченностью и на откровение налагается печать социоморфизма. Христианство есть откровение иного, духовного мира и оно несоединимо с законом этого мира. Поэтому эсхатологическое христианство революционно в отношении к христианству историческому, которое приспособилось к миру и часто рабствовало у мира. Христианство аскетическое было обратной стороной христианства, приспособленного к миру. Эсхатологизм, к которому я пришел, совсем особенный и требует больших разъяснений. Он мало общего имеет с монашески-аскетической эсхатологией и во многом ей противоположен.

Монашеский аскетизм был соглашательством с миром и его эсхатологизм пассивно-послушный. Я же исповедую активно-творческий эсхатологизм, который призывает к преображению мира. Я наиболее выразил это в книгах «Дух и реальность» и «О рабстве и свободе человека». Я пришел к особого рода эсхатологической гносеологии. Эсхатология обозначает символическую объективацию трагедии сознания. Конец есть конец объективации, переход в субъективность царства свободы. Но самое эсхатологическое чувство тесно связано с вопросом о смерти.

Я говорил уже, что никогда не мог примириться ни с чем тленным и преходящим, всегда жаждал вечного и только вечное казалось мне ценным. Я мучительно переживал расставание во времени, расстояние в пространстве. Вопрос о бессмертии и вечной жизни был для меня основным религиозным вопросом. И я никогда не понимал людей, которые осмысливают свою перспективу жизни вне решений этого вопроса. Нет ничего более жалкого, чем утешение, связанное с прогрессом человечества и блаженством грядущих поколений. Утешения мировой гармонии, которые предлагают личности, всегда вызывали во мне возмущение. В этом я ближе всего к Достоевскому и готов стать не только на сторону Ивана Карамазова, но и подпольного человека. Ничто «общее» не может утешить «индивидуальное» существо в его несчастной судьбе. Самый прогресс приемлем в том лишь случае, если он совершается не только для грядущих поколений, но и для меня. У меня никогда не было особенного страха перед собственной смертью, и я мало о ней думал. Я не принадлежу к людям, одержимым страхом смерти, как это было, например, у Л. Толстого. Очень мучителен был для меня лишь вопрос о смерти других, близких. Но победа над смертью представлялась мне основной проблемой жизни. Смерть я считал событием более глубоким, более основным для жизни, более метафизическим, чем рождение. Я вспоминаю противоположение Розанова религии рождения и религии смерти и подаю свой голос против Розанова. Исповедовать религию смерти (такой он считал христианство) значит исповедовать религию жизни, вечной, победившей смерть, жизни. Если представить себе совершенную вечную жизнь, божественную жизнь, но тебя там не будет и любимого тобой человека не будет, ты в ней исчезнешь, то эта совершенная жизнь лишается всякого смысла. Смысл должен быть соизмерим с моей судьбой. Объективированный смысл лишен для меня всякого смысла.

Смысл может быть лишь в субъективности, в объектности есть лишь издевательство над смыслом. Поразительно, что люди с такой легкостью подчиняются преподносимому им смыслу, не имеющему, в сущности, никакого отношения к их неповторимой индивидуальной судьбе. Мировая гармония, торжество мирового разума, прогресс, благо и процветание всякого рода коллективов — государств, наций, обществ, — сколько идолов, которым подчиняют человека или он сам себя подчиняет! О, как я ненавижу это рабство! Проблема вечной судьбы стоит перед всяким человеком, всяким живущим, и всякая объективация ее есть ложь. Если нет Бога, то есть если нет высшей сферы свободы, вечной и подлинной жизни, нет избавления от необходимости мира, то нельзя дорожить миром и тленной жизнью в нем. Думая о себе, я прихожу к тому заключению, что мной движет восстание против объективации, объективации смысла, объективации жизни и смерти, объективации религий и ценностей. Предельную же ложь и зло я вижу в объективации и понимании ада, как входящего в божественный порядок.

Христос победил смерть. Победа эта совершилась в субъекте, то есть в подлинной перво-жизни и перво-реальности. Объективация этой победы есть экзотерическое приспособление к среднему уровню сознания. Всякая объективация есть применение наших категорий и понятий к божественным тайнам. Объективация носит социологический характер и носит на себе печать социоморфизма. К Богу неприменимы наши категории. И их так усердно и так принудительно применяли, что стало стыдно употреблять священное слово Бог. О, Бог совсем, совсем не то, что о нем думают. Но меня совсем не удовлетворяет очищенное спиритуалистическое учение о бессмертии души, как и идеалистическое учение о бессмертии универсального идеального начала. Эти учения отрицают трагедию смерти и не направлены на конкретную целостную личность. Только христианское понимание направлено на всего человека, на образ личности. У греков бессмертны были боги, человек же был смертен. Достоинство бессмертия было признано сначала за героями, полу-богами, сверхчеловеками. Но это значило, что бессмертие признавалось лишь за сверхчеловеческим, божественным, а не за человеческим. Интересно, что Ницше опять возвращается к греческому сознанию, у него бессмертен не человек, человек обречен на исчезновение, у него бессмертен новый бог, сверхчеловек, да и то не по-настоящему. А Заратустра более всего любил вечность. Диалектика Ницше направлена против человека, хотя он патетически переживал судьбу человека. Возможно ли бессмертие, вечная жизнь для человека, для человеческого в человеке? В платонизме тоже нет бессмертия человеческого, в «Федоне» бессмертна не столько индивидуальная душа, сколько душа универсальная. То же в германском идеализме. Только христианство по-настоящему утверждает бессмертие всего человека, всего человеческого в нем, за исключением привнесенной грехом и злом тленности. Есть единственность христианства в его последовательном персонализме. Душа человека дороже царств мира, судьба личности первее всего. Этого персонализма нет, например, в теософических учениях, которые разлагают личность на космические элементы и слагают их уже в другую личность. Но христианство не отрицает трагедии смерти, оно признает, что человек проходит через разрыв целостной личности. Это совсем не есть эволюционно-оптимистический взгляд на смерть. Я отрицаю одноплановое перевоплощение, то есть перевоплощение душ в этом земном плане, так как вижу в этом противоречие с идеей целостной личности. Но я признаю многоплановое перевоплощение, перевоплощение в другом духовном плане, как и предсуществование в духовном плане. Окончательная судьба человека не может быть решена лишь этой кратковременной жизнью на земле. В традиционной христианской эсхатологии есть ужасная сторона. Тут я подхожу к теме, которая меня мучит гораздо более, чем тема о смерти. Проблема вечной гибели и вечного ада — самая мучительная из проблем, которые могут возникнуть перед человеческим сознанием. И вот что представлялось мне самым важным. Если допустить существование вечности адских мук, то вся моя духовная и нравственная жизнь лишается всякого смысла и всякой ценности, ибо протекает под знаком террора. Под знаком террора не может быть раскрыта правда. Меня всегда поражали люди, которые рассчитывали попасть в число избранников и причисляют себя к праведным судьям. Я себя к таким избранникам не причислял и скорее рассчитывал попасть в число судимых грешников. Самые существенные мысли на эту тему я изложил в заключительной главе моей книги «О назначении человека», и я это причисляю, может быть, к самому важному из всего, что я написал. Ее очень оценил Н. Лосский. Я не хочу просто повторять этих мыслей. Скажу только, что эти мысли родились у меня из пережитого опыта. Наибольшее противление у меня вызывает всякая объективация ада и всякая попытка построить онтологию ада, что и делают традиционные богословские учения. Я вижу в этом догматизирование древних садических инстинктов человека. У человека есть подлинный опыт адских мук, но это лишь путь человека и лишь пребывание в дурном времени, бессилие войти в вечность, которая может быть лишь божественной. Существование вечного ада означало бы самое сильное опровержение существования Бога, самый сильный аргумент безбожия. Зло и страдание, ад в этом времени и этом мире обличает недостаточность и неокончательность этого мира и неизбежность существования иного мира и Бога. Отсутствие страдания в этом мире вело бы к довольству этим миром, как окончательным. Но страдание есть лишь путь человека к иному, к трансцендированию. Достоевский считал страдание даже единственной причиной возникновения сознания. И сознание связано со страданием. Ницше видел героизм в победе над страданием, победе, не ждущей награды. Таков путь человека. Таков горький путь познания. По непосредственному своему чувству, предшествующему всякой мысли, я не сомневался в бессмертии. Смерть была для меня скорее исчезновением «не-я», чем исчезновением «я», была мучительным разрывом, расставанием, прохождением через момент уединения («Боже, Боже, почто Ты меня оставил!»). Но этим не решалась проблема личной судьбы. Все это связано для меня с основной философской проблемой времени, о которой я более всего писал в книге «Я и мир объектов». Проблема времени, парадокс времени лежит в основе эсхатологической философии истории. Я твердо верю, что суд Божий не походит на суд человеческий. Это суд самого подсудимого, ужас от собственной тьмы вследствие видения света и после этого преображение светом.

§

Я всегда имел особенный интерес к проблемам философии истории. Меня даже часто называют историософом. И этим я в традиции русской мысли, которая всегда была историософической. Я проникнут темой истории, я читал много книг по истории, но я всегда испытывал нравственное страдание при чтении исторических книг, до того история представлялась мне преступной. В истории все не удается и вместе с тем история имеет смысл. Но смысл истории лежит за ее пределами и предполагает ее конец.

История имеет смысл потому, что она кончится. История, не имеющая конца, была бы бессмысленна. Бесконечный прогресс бессмыслен. Поэтому настоящая философия истории есть философия истории эсхатологическая, есть понимание исторического процесса в свете конца. И в ней есть элемент профетический. Есть личная эсхатология, личный апокалипсис и есть историческая эсхатология, исторический апокалипсис. Я всегда думал, что обе эсхатологии неразрывно между собой связаны. Историческая судьба и исторический конец входят в мою судьбу и мой конец. В этом я вижу глубочайшую метафизическую проблему. Существует трагический конфликт истории, исторического процесса, и личности, личной судьбы. Чувство этого конфликта — основное мое чувство. Я принадлежу к людям, которые взбунтовались против исторического процесса, потому что он убивает личность, не замечает личности и не для личности происходит. История должна кончиться, потому что в ее пределах неразрешима проблема личности. Такова одна сторона историософической темы. Но есть другая сторона. Я переживаю не только трагический конфликт личности и истории, я переживаю также историю, как мою личную судьбу, я беру внутрь себя весь мир, все человечество, всю культуру. Вся мировая история произошла и со мной, я микрокосм. Поэтому у меня есть двойственное чувство истории — история мне чужда и враждебна и история есть моя история, история со мной. И я думаю, что тут есть эсхатологическая двойственность. История есть экстериоризация, объективация духа, и история есть момент внутренней судьбы духа. Экстериоризация духа есть внутренняя судьба духа. Дух как бы отчуждается от самого себя. Конец истории есть конец этой экстериоризации и объективации, возврат внутрь. Но мы объективируем самый конец истории и представляем его себе в историческом времени. Это и есть парадокс времени, который создает величайшую трудность в толковании апокалипсиса. В историческом времени нельзя мыслить конец истории, он может быть лишь по ту сторону исторического времени. Конец истории не есть историческое событие. Конец времени не есть событие во времени. Конец мира произойдет не в будущем, которое есть часть нашего разорванного времени. Конец мира есть конец времени. Времени больше не будет. Время есть знак падшести мира. Конец мира есть преодоление времени космического и исторического, времени объективированного, он происходит во времени экзистенциальном. И конец всегда близок, мы переживаем его потрясение. Мы наиболее прорываемся к концу в катастрофические минуты нашей жизни и жизни исторической, в войнах и революциях, в творческом экстазе, но и в близости к смерти. Между нашей личной и нашей исторической жизнью и концом не существует исторического времени, нет математического измерения. Это совершенно другой порядок существования. Мы тут имеем дело с проблемой того же порядка, что и в антиномиях Канта. Конец мира и истории не может произойти в будущем, то есть в нашем времени. И вместе с тем конец мира и истории не может быть лишь потусторонним, совершенно по ту сторону истории, он разом и по ту сторону и по эту сторону, он есть противоречие для нашей мысли, которое снимается, но не самой мыслью. Мысль, не взятая в целостность духа, имеет тенденцию объективировать и экстериоризировать, и это и порождает противоречие, создает парадокс. Объективация конца есть непреодолимое противоречие. Оно преодолевается, когда конец вбирается в экзистенциальную субъективность. Поэтому ложно также онтологическое противоположение «этого» мира и «иного» мира, земной и «загробной» жизни. «Иной» мир есть наше вхождение в иной модус, в иное качество существования. «Иной мир» есть просветление и преображение нашего существования, победа над падшестью нашего времени. Когда учат о необходимости прогресса, о законе прогресса, то совершают ложную объективацию творческих актов человека. В этой объективации свобода исчезает в необходимости. Закона необходимого исторического прогресса нет, это противоречит свободе человека и предполагает ложную объективную телеологию. Необходимый прогресс мыслится в объективированном времени. Творческая же свобода человека находится в плане экзистенциальном. Но также ошибочно учить о необходимом регрессе в истории. Оптимизм и пессимизм одинаково формы детерминизма, одинаково противоречат свободе. История есть и не прогресс по восходящей линии и не регресс, а трагическая борьба, в ней вырастает и добро и зло, в ней обнажаются противоположности. И именно потому она идет к концу. Именно потому история из времени исторического должна перейти во время экзистенциальное. Победа над падшим временем есть победа памяти, как энергии, исходящей из вечности во время. Но память тоже обладает способностью окостеневать и объективироваться. И тогда память, вместо силы преображающей, делается силой инерции. Наше существование слагается из противоречий. Я всегда был человеком, сильнее всего чувствующим противоречие. Эсхатология противоречива, и эсхатологическая мысль выходит из сферы, в которой царит закон тождества. Самая напряженная мысль аффективна, проникнута трансцендентным чувством и не подчиняется принципу тождества. Мысль о времени мне представляется глубоко противоречивой. Будущее легко может стать прошлым, прошлое будущим. Время всегда было для меня настоящей болезнью. Я слишком спешил преодолеть время и этим подчинял ему себя. Я безумно спешил к концу, не к концу — смерти, а к концу — вечности, к трансцендированию времени. Я всегда стремился к иному, к чуждому «этому». И чуждое мне представлялось не чужим, а своим.

Прогрессисты и культурники не любят эсхатологического сознания на том основании, что оно ведет к пассивности и к отрицанию великих исторических задач. Но это применимо лишь к тому эсхатологическому сознанию, которое нашло себе выражение или в аскетическом монашестве, или в «Повести об антихристе» Вл. Соловьева, и у К. Леонтьева. И нужно сказать, что апокалиптические настроения в большинстве случаев принимали форму упадочной пассивности и отрицания творческих задач. Мне совершенно чужда эта настроенность, которой поддался под конец жизни Вл. Соловьев, и я считал нужным с ней бороться. Люди очень легко объявляют наступление конца мира на том основании, что переживает агонию и кончается историческая эпоха, с которой они связаны своими чувствами, привязанностями и интересами. В основании такого рода идеологии лежит бессилие, подавленность и страх. Но от состояния подавленности и страха ничего положительного произойти не может. Мне близок не Вл. Соловьев и не К. Леонтьев, а Н. Федоров, и его сознание, связанное с активностью человека и с победой над смертью, мне представляется самым высоким в истории христианства. Философию Н. Федорова я считаю совершенно неудовлетворительной и несущей на себе печать натурализма. Но его моральное сознание необычайно высоко. Гениально у Н. Федорова то, что он, может быть, первый сделал опыт активного понимания Апокалипсиса и признал, что конец мира зависит и от активности человека. Апокалиптические пророчества условны, а не фатальны, и человечество, вступив на путь христианского «общего дела», может избежать разрушения мира, Страшного суда и вечного осуждения. Н. Федоров проникнут пафосом всеобщего спасения и в этом стоит много выше мстительных христиан, видящих в этой мстительности свою ортодоксальность. Уже в своей книге «Смысл творчества», совсем по-иному, чем Н. Федоров, и независимо от него, я высказал мысли о творчески-активном понимании Апокалипсиса. Второе пришествие Христа в силе и славе зависит от творческого акта человека. Человек призван уготовить второе пришествие, должен активно идти ему навстречу. Пассивное ожидание в ужасе и подавленности наступления страшного конца не может уготовлять второго пришествия, — оно уготовляет лишь Страшный суд. Понимание Бога и Богочеловека-Христа, как судьи и карателя, есть лишь выражение человеческого состояния, человеческой тьмы и ограниченности, а не истины о Боге и Богочеловеке-Христе. Переход в подлинно творческое состояние освобождает от этого унижающего человека состояния. Нельзя понимать Апокалипсис как фатум. Конец истории, конец мира не фатален. Конец есть дело бого-человеческое, которое не может совершаться без человеческой свободы, есть «общее дело», к которому призван человек. Поэтому я защищаю творчески-активный эсхатологизм. Переход от исторического христианства, которое отходит в прошлое, к христианству эсхатологическому, которому только и принадлежит будущее, должен означать не возрастание пассивности, а возрастание активности, не возрастание страха, а возрастание дерзновения. Пассивные и подавленные апокалиптические настроения принадлежат старому историческому христианству, а не новому, эсхатологическому. Но в данный час истории христианство находится в антракте между двумя эпохами, и этим, вероятно, объясняется, что оно не играет той активной роли, какую должно было бы играть. Историческое христианство охладилось, стало невыносимо прозаично, приспособлено к обыденности, к мещанскому быту. И остается ждать, чтобы возгорелся огонь с неба. Но он возгорится не без нашего человеческого огня.

Нужно творчески-активно понимать эсхатологию. Я иду так далеко, что утверждаю существование лишь эсхатологической морали. Во всяком моральном акте, акте любви, милосердия, жертвы наступает конец этого мира, в котором царят ненависть, жестокость, корысть. Во всяком творческом акте наступает конец этого мира, в котором царят необходимость, инерция, скованность, и возникает мир новый, мир «иной». Человек постоянно совершает акты эсхатологического характера, кончает этот мир, выходит из него, входит в иной мир. Он кончает этот мир и в мгновения созерцания, кончает его в творческом познании. Этот творческий конец всегда означает победу над экстериоризацией, внеположностью, объективацией. Бог есть сила освобождающая, просветляющая и преображающая, а не карающая, распределяющая возмездия и насилующая. Но кара, возмездие и порабощение есть имманентное порождение человеческой и мировой тьмы. И потому конец двойствен. Фатум Страшного суда и гибели есть конец пути, отпавшего от Бога и Христа, конец для тьмы и рабства. Но иной, Божий конец есть дело свободы, а не фатума. Фатально лишь зло. И Апокалипсис описывает эту фатальность зла. Конец же, к которому ведет творческая свобода, остается как бы прикровенным, сокровенным. Мир сейчас влечется к гибели, таков закон этого мира, но это не означает фатальной гибели человека и подлинно Божьего мира, для которого всегда остается путь свободы и благодати. Но возрастание эсхатологического чувства и сознания говорит о том, что серединное человеческое царство, царство культуры по преимуществу, начинает разлагаться и кончается. И это у многих вызывает безнадежную печаль. Существует страшный суд над культурой, страшный суд над историей, изживание имманентных путей человеческого, только человеческого. И обнаруживается переход к пути бого-человеческому или бого-звериному. Идолатрия и демонолатрия, в которые впадает человек, вызывают к жизни демонические силы, овладевающие человеком, но их нельзя мыслить наивно реалистически. Зверь подымается из бездны. Это сильный апокалиптический образ. То будет последний образ государства, господства, власти человека над человеком, которая всегда обнаруживает власть зверя. Зверю, выходящему из бездны, можно лишь противопоставить образ Царства Божьего. Но Царство Божье придет и от человеческой свободы, от творческой активности человека. И образ зверя будет вновь ввергнут в бездну. Он будет раскован на время, а не на вечность. Но зверь этот не индивидуальное существо, а существо коллективное. Эсхатологическое сознание означает также переход от истории к метаистории. История происходит в своем историческом времени, вставленном во время космическое. Метаистория же вкоренена во времени экзистенциальном и лишь прорывается во время историческое. В истории могут начаться события, которые будут все более и более принимать характер метаисторический, и это будет как бы время исторических чудес. Два выхода открываются в вечность: индивидуальный выход через мгновение и исторический выход через конец истории и мира. Достигнутая в мгновении вечность остается навеки, «вечное» и есть навеки остающееся, но мы сами выпадаем из мгновения вечности и вновь вступаем во время. Ад есть посмертное выпадение из вечности и вступление в смертоносное время, но оно лишь временное, а не вечное. Об этом я постоянно медитирую. И я верю последней, окончательной верой в последнюю, окончательную победу Бога над силами ада, в Божественную Тайну, в Бога, как Тайну, возвышающуюся над всеми категориями, взятыми из этого мира. Окончательная победа Бога над силами ада не может быть разделением на два царства, Божье и диавольское, спасенных и обреченных на вечную муку, оно может быть лишь единым царством. Судебное разделение мира и человечества посюстороннее, а не потустороннее. Христианская эсхатология была приспособлена к категориям этого мира, ко времени этого мира и истории, она не вышла в иной эон. Такова моя вера. В последние годы я много читал по библейской критике, по научной истории еврейства и христианства. Эта очистительная критика ставит очень серьезную и глубокую религиозно-метафизическую проблему. Моя вера не может быть прикована к сомнительным фактам исторического времени, колеблющимся от ветра. На этой зыбкой почве многие потеряли всякую веру. Метаисторическое откровение просвечивает в истории, но оно не есть историческое откровение. В историческом откровении много слишком человеческого. Я очень ценил и ценю многие мотивы русской религиозной мысли: преодоление судебного понимания христианства, истолкование христианства как религии Богочеловечества, как религии свободы, любви, милосердия и особой человечности, более, чем в западной мысли выраженное эсхатологическое сознание, чуждость инфернальной идее предопределения, искание всеобщего спасения, искание Царства Божьего и правды Его.

§

Я не сомневался в существовании Бога, не в этом мое мучение. Человеку не удалось убить Бога. Но я часто ощущал уход Бога из мира, богооставленность мира и человека, мою собственную богооставленность. Богооставленность же человеческих обществ и цивилизаций есть основной опыт эпохи, в которую мне пришлось жить. Мы живем в эпоху торжества фатума. Я много размышлял о способах борьбы против воинствующего безбожия, о противодействии его соблазнам. У меня выработалось глубокое убеждение в том, что обычные традиционные методы апологетики лишь поддерживают безбожие и дают аргументы атеизму. Трудно защищать не веру в Бога, трудно защищать традиционное учение о Промысле Божьем в мире. Это учение никак не может быть согласовано с существованием зла и его необычайными победами в мировой жизни, с непомерными страданиями человека. В сущности, это учение о Промысле оборачивается оправданием зла. Нужно совершенно отказаться от той рационалистической идеи, что Бог есть мироправитель, что Он царствует в этом природном мире, в мире феноменов, если употреблять гносеологическую терминологию. В этом мире необходимости, разобщенности и порабощенности, в этом падшем мире, не освободившемся от власти рока, царствует не Бог, а князь мира сего. Бог царствует в царстве свободы, а не в царстве необходимости, в духе, а не в детерминированной природе. Идею Промысла невозможно понимать натуралистически и физически, ее можно понять лишь духовно и нравственно, она переживается лишь в личной судьбе. И тогда падает главный аргумент атеизма, который, в сущности, направлен против натуралистической, объективированной теологии и телеологии. Так же неприемлемо натуралистическое, объективированное понимание откровения. Откровение совершается в духе, и оно духовно. В плане объективированной природы и истории оно лишь символизируется. Мой духовный опыт имманентен, в нем самом нет объективации, отчуждения. Бог во мне глубже меня самого (блаженный Августин). Но мой духовный опыт есть трансцендирование к трансцендентному. Бог трансцендентен, но есть имманентный, не отчужденно-объективированный опыт трансцендентности Бога. Для меня сохраняет значение различение между эзотерическим и экзотерическим в религии. Восприятие откровения, которое всегда двучленно, — ступенно, оно зависит от структуры сознания. Я вижу в самом Евангелии различие между эзотерическим и экзотерическим. Меня мучило одно противоречие Евангелия и противоречие основное, относящееся к самому духу учения Христа, а не к чему-то второстепенному. Все учение Христа проникнуто любовью, милосердием, всепрощением, бесконечной человечностью, которой раньше мир не знал.

Христианство есть религия любви и свободы. Евангелие есть благая весть о наступлении Царства Божьего. Христос защищает мытарей и грешников и обличает самоправедность фарисеев, ревнителей закона. Он не бросает камня в грешницу. Он ставит человека выше субботы. Он призывает к себе всех труждающихся и обремененных, чтобы облегчить их бремя. Меня это бесконечно трогало и тогда, когда я не считал себя христианином. Христос пришел не судить, а спасти и спасти всех. Но сравните дух Нагорной проповеди, да и весь дух Евангелия с притчами. В притчах обычно хозяин производит резкое разделение людей и всех, не исполнивших его воли, посылает в геенну огненную, где будет плач и скрежет зубовный. В притчах есть жестокость и беспощадность, и многочисленные ортодоксальные любители ада могут на них опираться. Средний гуманный человек XIX века не поступил бы так жестоко с девами, не наполнившими своих светильников маслом, с не приумножившим талантов, как хозяин в притчах. Но ведь хозяин — Бог. Меня всегда это отталкивало. Это есть вопрос о том, можно ли понимать христианство как религию страха и запугивания. Но люди сейчас слишком испуганы ужасом мира, чтобы исповедовать религию страха и ужаса. Нужно помнить, что притчи обращены к простому народу той эпохи, к среднему человеку, которому мало понятна бескорыстная любовь к Богу и божественному, они сказывались в ограниченных рамках пространства и времени. Притчи — экзотеричны, в них учение Христа, голос свыше, преломлены в темном еще человеческом сознании. Другого языка человеческая масса еще не понимает, понимают лишь немногие. Во многих местах Евангелия образ Христа и Его учение видны лишь через тусклое стекло. Но видение через тусклое стекло есть видение экзотерическое. Образ Христа был выше того образа, который раскрылся в Евангелиях уже преломленным в тусклом стекле, приниженным воспринимающей человеческой стихией. Средний человек не мог воспринять откровения Бога без элемента устрашения, без угроз наказанием. Страх с древних времен есть основной человеческий аффект, он движет историей.

Чистая духовность и чистая человечность мало доступны людям. Чистая человечность кажется среднему человеку чуждой, далекой и недоступной. Чистая человечность — божественна, желанна Богу. Сущность христианства и величайшая его новизна была в раскрытии человечности Бога, в боговочеловечении, в преодолении пропасти между

Богом и человеком. Эта истина о богочеловечности скрыта за условными и символическими формами догмата. Все, что в христианстве и даже в Евангелиях противоположно этой вечной божественной человечности, есть экзотерическое, для внешнего употребления, педагогическое, приспособленное к падшей человеческой природе. Но педагогика, годная для одной эпохи, может оказаться негодной и вредной для другой. Человечество вступило в возраст, когда в религии элемент устрашающий и грозящий жестокими карами оказывается лишь на руку воинствующему безбожию. Если идея ада раньше удерживала в церкви, то сейчас она лишь отталкивает от церкви, как идея садическая, и мешает вернуться в нее. Судебная религия больше не годна для человека, человек слишком истерзан миром. Судебность целиком переходит к царству кесаря, и кесарь отлично умеет устрашать ею людей. Для моего религиозного чувства и сознания неприемлемы и те элементы самого Евангелия, которые носят судебный, карательный характер и устрашают адом. Я каждый день молюсь о страдающих адскими муками и тем самым предполагаю, что эти муки не вечны, это очень существенно для моей религиозной жизни. Главный аргумент в защиту Бога все же раскрывается в самом человеке, в его пути. Были в человеческом мире пророки, апостолы, мученики, герои, были люди мистических созерцаний, были бескорыстно искавшие истину и служившие правде, были творившие подлинную красоту и сами прекрасные, были люди великого подъема, сильные духом. Наконец, было явлено высшее иерархическое положение в мире, единственно высокое иерархическое положение — быть распятым за Правду. Все это не доказывает, но показывает существование высшего, божественного мира, обнаруживает Бога. Меня очень утомила игра интеллектуальными понятиями богословия и метафизики, и я верю лишь духовно-опытному доказательству существования Бога и божественного мира. У меня есть настоящее отвращение к богословско-догматическим распрям. Я испытываю боль, читая историю Вселенских соборов. Мне скажут, что моя вера есть философия, а не религия. Я философ и не вижу ничего унизительного для себя в том, чтобы называть философией то, что я пишу. Мне даже думается, что философская форма говорит о стыдливости. В богословии часто бывало бесстыдство. И все-таки написанное в этой главе выходит за пределы философии и есть исповедание веры. Моя философия определяется этой верой, рождается из духовного опыта. Все определяется для меня этим внутренним духовным опытом. Практический же вывод из моей веры оборачивается обвинением против моей эпохи: будьте человечны в одну из самых бесчеловечных эпох мировой истории, храните образ человека, он есть образ Божий. Низкое мнение о людях, которое очень питается нашей эпохой, не может пошатнуть моего высокого мнения об идее человека, о Божьей идее о человеке. Я переживаю жизнь как мистерию Духа. Вся жизнь мира, вся жизнь историческая есть лишь момент этой мистерии Духа, лишь проекция во вне, объективация этой мистерии. Я глубоко чувствую себя принадлежащим к мистической Церкви Христовой. И это сильнее моих распрей с церковью экстериоризированной, в мире историческом и социальном. Цель жизни — в возврате к мистерии Духа, в которой Бог рождается в человеке и человек рождается в Боге. Возврат должен совершаться с творческим обогащением. Но в вечности нет различия между движением вперед и возвратом. Только заверительное откровение Святого Духа и может быть окончательным откровением Троичного Божества. Женя верно сказала, что современные люди духовных исканий проходят через внутреннюю духовную пытку, как раньше проходили через пытку внешнюю. Это я очень переживаю. Тоска Достоевского, Ницше, Кирхегардта, Бодлера, Л. Блуа и им подобных предшествует новой эпохе Духа, эпохе эсхатологической. Но очень, очень трудно положение предшественников эпохи Духа.

Глава XII

О САМОПОЗНАНИИ И ЕГО ПРЕДЕЛАХ. ЗАКЛЮЧЕНИЕ О СЕБЕ

В «я» акт познания и предмет познания — одно и то же. Это хорошо понимал Фихте. Моя личность не есть готовая реальность, я созидаю свою личность, созидаю ее и тогда, когда познаю себя; «я» есть, прежде всего, акт. Уже греки видели в познании самого себя начало философии. И на протяжении всей истории философской мысли обращались к самопознанию как пути к познанию мира. Но что это было за самопознание? Было ли это самопознание вот этого конкретного человека, единственного и неповторимого человека, было ли это его познание и познание о нем? Думаю, что это было не познание о нем, а познание о человеке вообще. Самопознающий субъект был разумом, общим разумом, предметом его познания был человек вообще, субъект вообще. Общее познавало общее, универсальное познавало универсальное. Сам познающий себя человек стушевывался, в нем оставались лишь общие черты, исчезало необщее выражение лица. Греческая философия, несмотря на лозунг «познай самого себя», стремилась к познанию единого-универсального и неизменного и отвращалась от множественного и подвижного мира. Греческая философия открыла разум, который стоит под знаком общего-универсального, и это открытие использовала вся европейская философия. Лишь изредка происходил прорыв к действительному самопознанию, например, в «Исповеди» блаженного Августина, у Паскаля, у Амиеля, у Достоевского, у Кирхегардта, у людей XIX и XX века, экзальтировавших субъект-личность на счет подавлявшей ее объективации. Лишь литература исповедей, дневников, автобиографий и воспоминаний прорывается через эту объективность к экзистенциальной субъективности. Роман, раскрывшийся вполне лишь в XIX веке, был настоящим путем самопознания человека, и этим он приобретает философское значение. Более всего это, конечно, нужно сказать о Достоевском, творчество которого есть настоящая антропология и метафизика. Но когда познающий субъект направляется на самого себя, как на предмет познания, то возникают трудности, на которые много раз указывали и которые преувеличивали. Тут субъект слишком заинтересован в своем предмете, относится к нему страстно и пристрастно, склонен к самовозвеличению, к идеализации того самого «я», которое так часто бывает ненавистно. И для этой моей книги ставится для меня вопрос о правдивости и искренности, о непереходимых границах самопознания. В отношении ко мне самому, как познаваемому, исчезает объективация, отчуждение, поглощение индивидуального общим, и это великое преимущество, которое дает надежду, что познание будет экзистенциальным. Я сам, познающий — экзистенциален, и эта экзистенциальность есть вместе с тем не объективируемый предмет моего познания. Но объективация возникает всякий раз, когда я начинаю себя идеализировать или когда обнаруживаю смирение паче гордости, когда бываю не до конца, не до последней глубины, правдив и искренен. На этих путях я начинаю творить свой образ, возвеличенный или приниженный, объективированный во вне. Я начинаю себя стилизовать, и мне самому начинает нравиться мой стилизованный образ. Я создаю о себе миф. Иногда я вызываю в себе отвращение, le moi est haissable[1]. Но этот вызывающий отвращение собственный образ я тоже объективирую и стилизую. Во мне лично совсем нет актера, я никакой роли не хочу и не могу играть. Я очень хотел быть искренним и правдивым в этой книге, которую считаю опытом вполне личной, экзистенциальной философии. Но я совсем не уверен, что это мне всегда удавалось. Перечитывая книгу, я почувствовал, что она мне не удалась такой, какой я ее задумал. Она оказалась смешанной по своему типу, не выдержанной по стилю. Я, наверное, нередко идеализировал себя, объективируя свой образ для других, даже тогда, когда как будто говорил о себе плохое и унижал себя. Впрочем, мне не свойствен пафос самоуничижения, которое я считаю такой же объективацией, выбрасыванием во вне для других, как и самовозвеличение. Последняя искренность и правдивость лежит в чистой субъективности, а не в объективности. Ницше говорит в «По ту сторону добра и зла»: «Что мы можем описать? Увы! Это всегда лишь то, что начинает увядать и портиться». Есть мучительное несоответствие между моей мыслью и ее словесным выражением. Время и память нас обманывают, и мы этого даже не замечаем. Сент-Бёв говорит по поводу мемуаров Шатобриана:

«Il a substitué plus ou moins les sentiments qu'il se donnait dans le moment où il écrivait, à ceux qu'il avait réellement aux moments qu'il raconte»[2]. И с этим почти невозможна борьба. Человек есть существо бессознательно хитрое и недостаточно прямое, существо запутанное и не легко поддающееся пониманию. Я не молчащий, я говорящий. Но часто, часто вспоминаю гениальный стих, лучше всего выражающий мучительную тему:

> Молчи, скрывайся и таи
> И чувства и мечты свои!
> Пускай в душевной глубине
> И всходят и зайдут оне.
> . . . .
> Как сердцу высказать себя?
> Другому как понять тебя?
> Поймет ли он, чем ты живешь?
> Мысль изреченная есть ложь.
> . . . .
> Лишь жить в самом себе умей:
> Есть целый мир в душе твоей
> Таинственно-волшебных дум...[3]

В конце XIX и начале XX века считали огромным достижением в познании человека, в понимании писателей и разгадки написанных ими книг, когда открыли, что человек может скрывать себя в своей мысли и писать обратное тому, что он в действительности есть. Это открытие очень преувеличили и признали почти законом, что в своей мысли и своем творчестве человек всегда скрывает себя и что нужно думать о нем обратное тому, что он сам о себе говорит. Ницше, Кирхегардт со своей системой псевдонимов, роман психологического анализа и особенно школа психоанализа давали пищу такому пониманию: человек не то, за что он себя выдает. Очень злоупотреблял этим Л. Шестов и часто делал это мастерски. О человеке были сделаны большие разоблачения, было открыто подсознательное в нем, попытались увидеть его снизу, а не сверху. Христианское учение о греховности человеческой природы, которое очень легко делалось совершенно отвлеченным, конкретизировалось и приобретало наукообразный характер. Теории Маркса, Ницше, Фрейда, Гейдеггера, современный роман, ужасы войны и революции, вспышки древней жестокости и господство новой лживости — все сокрушает возвышенные учения о человеке. И все же я думаю, что наиболее правы Паскаль и Достоевский, которые не имели никаких иллюзий, но открывали человека как существо двойственное, низкое и высокое. Я имел много разочарований в людях, я видел много низости, лживости, злобы, жестокости, измен, много разочарований я испытал в человеческом общении и сам был виновником этого разочарования. Я не знаю ничего мучительнее этих изменений людей, вследствие приспособления к господству и силе, этих измен. И все же во мне сохранилась вера в человека, в Божий замысел о человеке. Вера в человека есть одно из выражений веры в Бога и божественное. Всякая вера, вера в истину, в смысл, в ценность, в высоту есть лишь вера в Бога. Про себя могу сказать с большой искренностью, что я не очень благоприятный и не очень благодарный предмет для модного психоаналитического метода исследования (это нужно понимать гораздо шире Фрейда и современной психопатологии). Несмотря на скрытность моего характера, я ни сознательно, ни бессознательно не задавался целью скрывать себя в своей мысли и писать обратное тому, что я есть в своей глубине. В этой книге я, конечно, многое оставляю скрытым и даже не пытаюсь раскрыть. И это вполне сознательно, это сознательно поставленные мной границы самопознания. Я не пишу ни для исповедующего меня священника, ни для психоанализирующего меня врача или пишу для них как для обыкновенных людей. Я не задаюсь целью обнаружить себя в сыром виде, обнажить себя, я задаюсь целью совершить акт экзистенциального философского познания о себе, осмыслить свой духовный путь. Плохо лишь то, что я не выдерживаю стиля, пишу смешанно и слишком свободно.

А. Жид написал две книги, в которых он говорит о себе и обнажает себя: художественную автобиографию *Si le grain ne meurt*[4] и сравнительно недавно *Journal*. Известно, что проблема искренности для Жида основная, он хочет быть почти маниаком искренности, его point d'honneur[5] говорить о себе все самое плохое, некрасивое, отталкивающее. Удается ли это ему? Думаю, что не вполне. Искренность, доведенная до крайности, может оборачиваться рисовкой некрасивыми, уродливыми признаниями. Это искренность не непосредственная, а рефлектирующая, раздвоенная, не «наивная», а «сентиментальная». В подсознательных погребах каждого человека, в его низшем «я» есть безобразное, уродливое, потенциально преступное, но важно отношение к этому его высшего, глубокого «я». И все же «Journal» Жида дает много для познания человека, особенно для познания современного человека. Другой случай. Л. Толстой — один из самых правдивых писателей мировой литературы, он великий правдолюбец. Но его «Исповедь», очень интересная, совсем не есть настоящая исповедь его грехов. Он до крайности преувеличивает свои грехи, называя себя убийцей, вором, прелюбодеем и прочее, но этим он говорит отвлеченно о предельных грехах человека вообще, а не о своих конкретных, может быть, мелких грехах. Его «Исповедь» интересна не как признание подлинных, конкретных, индивидуальных грехов, а как рассказ о духовном пути искания правды. Интересна попытка Гете написать о себе, озаглавив книгу «Поэзия и правда моей жизни». В ней есть правда, но есть и поэзия, выдумка, творчество о себе. «Исповедь» Руссо, хотя обозначает целую эру в обнаружении эмоциональной жизни человека, не есть искренняя исповедь. Он говорит о себе некрасивые, дурные вещи, в этом за ним последовал Жид, но он все-таки считает себя по природе добрым, хорошим человеком, как и вообще человека, и упоен собой. Моя тема совсем иная, и проблема искренности иначе ставится в отношении к этой теме. Повторяю, это не есть книга признаний, это книга осмысливания, познания смысла жизни. Мне иногда думается, что эту книгу я мог бы назвать «Мечта и действительность», потому что этим определяется что-то основное для меня и для моей жизни, основной ее конфликт, конфликт с миром, связанный с большой силой воображения, вызыванием образа мира иного. Вместе с тем это говорит о преобладании воображения над сердцем. Я скорее преуменьшил, чем преувеличил степень моего разрыва с миром социальной обыденности. Я с детства находился в состоянии восстания против «иерархического» порядка природы и общества и никак не мог войти в этот порядок. Я никогда не хотел и не мог чему-либо на свете подчиниться. Во всяком случае, хорошей стороной этого свойства была большая независимость. Парадокс моего существования в том, что, будучи асоциален и антисоциален в одном смысле, в другом смысле я был очень социален, так как стремился к социальной правде и справедливости, к социальному освобождению, к братской общности людей.

Я принадлежу к тому типу людей и к той небольшой части поколения конца XIX и начала XX века, в которой достиг необычайной остроты и напряженности конфликт личности, неповторимой индивидуальности, с общим и родовым. Было что-то личное мое в том, как я переживал этот конфликт. И своеобразие было в том, что я не могу быть назван в обычном смысле «индивидуалистом» и что я всегда критиковал «индивидуализм». Тема эта, основная для моей жизни, есть не только тема о столкновении личности с обществом, но и о столкновении с мировой гармонией. Судьба неповторимой индивидуальности не вмещается ни в какое мировое целое. Для острой постановки этой темы огромное значение имеет Достоевский, и в этом я его человек, продолжатель Ивана Карамазова, который наполовину есть сам Достоевский. И я не Бога не принимаю, а мира Божьего не принимаю. Я недостаточно подчеркнул это в своей книге о Достоевском. В известный момент моей жизни я также очень воспринял Ибсена и именно в этой теме, он помог мне найти самого себя. В какой-то точке я более соприкасался с Л. Шестовым, чем с другими русскими мыслителями начала XX века, хотя между нами была и большая разница. Я не чувствовал себя по-настоящему и глубоко гражданином мира, гражданином общества, государства, семьи, профессии или какой-либо группировки, связанным единством судьбы. Я соглашался признать себя лишь гражданином царства свободы. В этом я не своевременный человек. Я принужден жить в эпоху, в которой торжествует сила, враждебная пафосу личности, ненавидящая индивидуальность, желающая подчинить человека безраздельной власти *общего*, коллективной реальности, государству, нации. Сейчас более чем когда-либо я чувствую себя человеком, выпавшим из-под власти общего, общеобязательного, как любят говорить Кирхегардт и Шестов. Я никогда не мог примириться с родовым миросозерцанием, которое лежит в основании «правых» и «левых» социализированных направлений, вдохновленных все равно национализмом, этатизмом, клерикализмом, семейственностью или всевластной общественностью, коллективностью, всеобъемлющим тоталитарным коммунизмом или космизмом. Родовое миросозерцание мне всегда казалось банальным, и я не знаю ничего банальнее националистического миросозерцания. Нация, государство, семья, внешняя церковность, общественность, социальный коллектив, космос — все представляется мне вторичным, второстепенным, даже призрачным и злым по сравнению с неповторимой индивидуальной судьбой человеческой личности. Я никогда не соглашался сделаться частью чего бы то ни было. Но в то же время я очень остро и часто мучительно переживал основной парадокс личности. Я стремился не к изоляции своей личности, не к ее замыканию в себе и не к самоутверждению, а к размыканию в универсум, к наполнению универсальным содержанием, к общению со всем. Я хотел быть микрокосмом, каким и является человек по своей идее. Макс Штирнер был прав, когда говорил, что весь мир есть «собственность» «единственного», то есть меня. Но это связано у него было с совершенно ложной философией. Учение М. Штирнера о «единственном и его собственности» можно признать бледным отражением и вырождением в материалистическом веке идей германской мистики. Весь мир должен быть моей собственностью, и ничто не должно быть внешним, внеположным для меня, экстериоризированным, все должно быть во мне. Солнце должно быть во мне. Но феноменальный, эмпирический мир не есть моя собственность, он экстериоризирован в отношении меня, и он меня внешне насилует, и я не микрокосм, каким должен быть, солнце светит извне. Сознание границ моей личности, обостряющее личное сознание, есть, вместе с тем, сознание моего рабства у чуждого мне мира и моего восстания против него. Экстериоризированная природа и общество не являются моей собственностью, моя собственность лишь очень частична и мала в отношении к ним, и моя индивидуальность неуловима для законов природы и законов общества, не говоря уже о законах государства. Но я согласен подчиниться и слиться лишь с той природой и тем обществом, которые будут моей собственностью, которые войдут в мой микрокосм или в меня, как микрокосм. Я выпадаю из экстериоризированного для меня «общего», притязающего быть для меня общеобязательным законом. Я человек, восставший в отношении ко всему экстериоризированному. Это совсем не есть то, что обыкновенно называют индивидуализмом, хотя внешне это может казаться крайним индивидуализмом. Индивидуалист не стремится к универсальному содержанию. Тут скрыто противоречие личности, которое я очень остро изжил и которое связано с самым существом личности. Отношение между личностью и сверхличной ценностью парадоксально. С этой основной для меня темой связано полное отсутствие у меня всякого иерархического чувства, всякой способности почитать какой-либо иерархический чин или ощущать себя иерархическим чином. Мне свойствен прирожденный аристократизм, но я думаю, что этот аристократизм как раз и отрицает иерархические чины и положение в обществе. Я всегда думал, что государство есть плебейское учреждение и что так называемая аристократическая организация общества есть плебейская организация. Иерархическое чувство связано с чувством принадлежности к какому-то целому, в котором каждый занимает свое особое место, соподчиненное другому. Это все та же идея мирового порядка и мировой гармонии, за которыми признается примат над личностью. Но я не согласен, чтобы моя ценность и ценность другого существующего определялась порядком целого, общего. Я думаю, что трудно найти человека, у которого было бы не только отсутствие, но и глубокое противление всякому иерархическому порядку. Я никогда не мог вынести, чтобы отношения людей определялись по иерархическим чинам. Во мне вызывало отвращение, когда говорили, что кто-нибудь занял положение в обществе. Я совершенно не выносил, когда меня рассматривали как хозяина дома, главу семьи, редактора журнала, председателя Религиозно-философской академии и тому подобное. Все иерархические чины этого мира всегда представлялись мне лишь маскарадом, лишь внешней одеждой, которую я охотно содрал бы. Мне всегда думалось, что подлинные качества и достоинства людей не имеют никакого отношения к их иерархическому положению в обществе и даже противоположны. Гении не занимали никакого иерархического положения в обществе и не были иерархическими чинами, как и пророки и святые. И когда Бог стал человеком, то занял самое последнее положение в обществе. Мессия должен быть распят. Мне неприятен всякий мундир, всякий орден, всякий условный знак почитания людей в обществе. И мне ничто не импонирует. Чины академические, общественные или революционные мне также мало импонируют, как и чины церковные, государственные, консервативные. В моем мироощущении есть своеобразный пессимистический анархизм. Иерархизм есть объективация, и он покоится на оптимистическом коллективизме, который свойствен был всем человеческим обществам. Мне смешно, когда коммунисты или национал-социалисты с гордостью говорят, что они создают новый мир коллективности, основанный на господстве общества над личностью, коллективно-общего над индивидуальным. Но, ради Бога, освежите свою историческую память. Ваш новый мир есть самый старый, с древних времен существующий мир. Личное сознание, личная совесть всегда была лишь у немногих избранников. Средний человек, средняя масса всегда определялась коллективностью, социальной группой, и так было с первобытных кланов. Всякая посредственность есть существо вполне коллективное, отлично социализированное. Совершенно новый и действительно не бывший мир был бы мир, созданный персоналистической революцией. Но такая революция была бы концом нашего мира.

§

И в моей собственной жизни я не чувствую иерархического порядка, не вижу осуществления плана, хотя вижу предназначение. Я ничего никогда не добивался в жизни, не стремился к осуществлению целей. Жизнь всегда мне представлялась сложившейся иррационально. У меня сохранилась большая благодарность к доктору Мотту, Г. Монбризону и С. Либерману, людям, которые поддерживали мою жизнь, когда мне особенно была необходима материальная поддержка, и преклонение перед той Высшей Силой, которая ей водительствовала, когда она была наиболее угрожаема. Но в моей жизни не было иерархической гармонии. Я думаю, что это отчасти связано с тем, что у меня не было полного доверия к реальности так называемой «действительности». Жизнь в действительности слишком часто напоминала мне сновидение и иногда кошмарное сновидение, но с прорывами дневного света. Я ведь не верю, не признаю и по своему непосредственному чувству, и по сознательному своему миропониманию, что «объективность» есть подлинная реальность, первореальность. Объективность есть объективация, то есть порождение известной направленности духа и субъекта. Но всякий иерархический порядок в мире есть объективация, то есть отпадение духа от самого себя, экстериоризация, совершаемая субъектом. Субъект и объект соотносительны. Рабство у объективности есть рабство, порожденное самим субъектом. Вспоминая свою молодость, я прихожу к тому заключению, что я был сравнительно мало внимателен к «эмпирической действительности» и мало ее знал. Молодость ко многому невнимательна и не имеет зоркости взгляда. Я был «идеалистом» не только в хорошем, но и в плохом смысле слова. Но это давало мне чувство свободы. Свобода совсем не есть познанная необходимость, как хочет Гегель и за ним марксизм, свобода уж скорее есть нежелание знать необходимость. Но «эмпирическая действительность» есть необходимость, ограничение и утеря свободы. Впоследствии у меня очень возросло внимание к эмпирической действительности и знание ее. Меня обогатил рост внимания. У меня возросло внимание в перечитывании старых книг. Но я очень почувствовал горькость внимания «действительности». Есть истинный и ложный идеализм, как есть истинный и ложный реализм. Есть реализм, который есть не что иное, как порабощенность призрачным, иллюзорным миром грезящего субъекта. Мир делается все менее и менее таинственным. Но истинное сознание в том, что тайна отодвигается в глубину. Для тех, для кого тайна совсем исчезает, мир должен представляться совсем плоским, двухмерным. Самое страшное, когда в иные минуты думается, что все плоско и конечно, нет глубины и бесконечности, нет тайны. Это и есть развержение небытия. Но эти короткие минуты побеждает чувство глубины, тайны, бесконечности. В детстве все таинственно, таинствен темный угол комнаты. Сфера таинственного потом суживается. Мир объективный, или, вернее, объективированный, делается все менее и менее таинственным, не таинственны даже бесконечные звездные миры. Но для человека, не порабощенного этой объективностью, таинственность мира не исчезает, она лишь переходит в другую сферу. Тогда самое возникновение лишенного таинственности объективного мира делается таинственным. И разгадка этой тайны лежит в субъективном мире, который совсем не сводим к психическим состояниям человека, как хотел позитивизм. Самое горькое знание, которое приобретается с возрастом, есть возрастание недовольства собой, самокритика. Моя европейская и даже мировая известность, то, что многим представляется славой и так их пленяет, оценка и почитание людей, не только не увеличила во мне самомнения, но скорее, наоборот, увеличила самокритику и недовольство собой. Для понимания сложности и хитрости человеческой души нужно прибавить: у меня это было вроде того, как богатый человек чувствует, что совсем не дорожит материальными средствами. Но я все-таки решительно не принадлежу к славолюбивым и честолюбивым людям, не в этом мой главный соблазн. Может быть, тут играет роль гордость и равнодушие (плохое) и любовь к независимости и свободе (хорошее). Это не значит, конечно, что я совершенно равнодушен к оценке своей мысли, но я не глубоко задет моей известностью и даже никогда не мог себя почувствовать человеком с очень известным и оцененным именем. Должен сказать что-то очень важное и характерное для меня. Я решительно не могу и не хочу почувствовать себя лицом солидным и почтенным. Меня шокирует и даже обижает, когда меня считают лицом почтенным. Почтенность не соответствует моему нуменальному существу. В почтенности есть что-то общеобязательное (Allgemeingültig), во мне же очень мало общеобязательного. Я скорее основываюсь на исключении, чем на правиле. Я не учитель жизни, не отец отечества, не пастырь, не руководитель молодежи, ничего, ничего подобного. Я продолжаю воспринимать себя юношей, почти мальчиком, даже в зеркале, за чертами своего постаревшего лица, я вижу лицо юноши. Это мой вечный возраст. Я остаюсь мечтателем, каким был в юности, и врагом действительности. Во мне нет старческой мудрости, и от ее недостатка я страдаю. Во мне, часто больном и физически ослабевшем, остается слишком большая впечатлительность и страстность. Я остаюсь в своем вечном возрасте юности. Старости духа нет, в духе есть вечная юность. Есть лишь старость тела и той части души, которая связана с телом. Есть старческие чудачества. Есть раздражительность в отношении к действительности. Но мысль еще более обостряется. Все обновляется для мысли. Очень увеличивается возможность сравнений, сравнений не только впечатлений от людей и событий, но и впечатлений от книг. По-прежнему я думаю, что самое главное — достигнуть состояния подъема и экстаза, выводящего за пределы обыденности, экстаза мысли, экстаза чувства. Моя всегдашняя цель не гармония и порядок, а подъем и экстаз. Мир не есть мысль, как думают философы, посвятившие свою жизнь мысли. Мир есть, прежде всего и больше всего, — страсть и диалектика страсти. Страсть сменяется охлаждением. Обыденная действительность и есть это охлаждение, когда начинают господствовать интересы и борьба за существование. Ошибочно противополагать страсти — мысль, мысль есть тоже страсть. Мысль Ницше или Достоевского так волнует потому, что это страсть. И Христос хотел низвести огонь с неба. Но страсть сопрягается с тоской. Тоска вызывается не только смертью, которая ставит нас перед вечностью, но и жизнью, которая ставит нас перед временем.

Так как жизнь есть прежде всего движение, то основная проблема жизни есть проблема изменения, изменения собственного и изменения окружающих. В связи с движением и изменением происходят переоценки. Личности нет без изменения, но личности нет и без неизменности, верного себе субъекта изменения. «Все, что изменяется, пребывает, а меняется только его состояние», — говорит

Кант в первой апологии опыта. Изменение может быть улучшением, восполнением, восхождением, но может быть и ухудщением, может быть изменой. И вся задача в том, чтобы изменение не было изменой, чтобы в нем личность оставалась верной себе. Тут мы встречаемся с одним из самых тяжких явлений человеческой жизни — с разочарованием в людях. Люди узнаются лучше всего в испытаниях, в катастрофах, опасностях, это стало истиной банальной. Так как мне пришлось жить в эпоху исторических катастроф и порожденных ими ужасов жизни, то я был свидетелем больших изменений и трансформаций людей. Я не знаю ничего более мучительного, чем трудность узнать хорошо известных людей, вследствие изменений, которые они пережили от приспособления к новым условиям после катастрофы. Я это видел в катастрофах, пережитых Россией, я это слыхал о Германии, я это вижу во Франции. Мне это трудно понять вследствие отвращения, которое я испытываю к каждой данной действительности и к тем, которые в ней господствуют. Но я был свидетелем и обратного. Были люди, которые поражали меня своей высотой в испытаниях и опасностях. Часто я не ожидал этого от них. Более всего меня поражали некоторые женщины, которые, в общем, выносливее и устойчивее мужчин. Я стал относиться к женщинам лучше, чем в молодости. Обратной стороной одиночества была для меня всегда проблема общения. Я всегда очень мечтал об общении и всегда очень плохо умел его осуществлять. И тут я опять сталкиваюсь с проблемой изменения. Иногда характер общения у меня изменялся, и оно даже совсем прекращалось, вследствие изменения во мне самом или в других людях. Это изменение во мне могло быть улучшением, обогащением, тем, что называют «развитием». Но вследствие развития личности могла происходить измена. И в этом есть что-то очень тяжелое. Я это переживаю, как забвение, забвение, происшедшее от того, что сознание сосредоточилось на другом. Обогащение личности, развитие ее в широту и высоту может порождать обеднение в человеческом общении, разрыв с людьми, с которыми раньше был связан. Меня всегда неприятно шокировало, как Гете в «Поэзии и правде моей жизни» описывает свои романы. Для него каждый пережитый им роман был обогащением, способствовал его развитию. Женщину же, которая способствовала его развитию, он забывал, сохранял, впрочем, благодарную память за то, что она развила его. Таким образом, человек превращается в орудие саморазвития, и отношение к нему не имеет ценности в себе, как не имеет этой ценности и другой человек. В этом есть что-то совершенно антиперсоналистическое.

Я совсем не говорю в своей книге о самых глубоких общениях моей жизни, с которыми связаны большие обогащения моей жизни, но вместе с тем и драматизм ее. Я имел более глубокий и обширный опыт жизни, чем многие, восклицающие о любви к жизни. Я был разом и в глубине жизни, более, чем бывают философы, и вместе с тем как бы вне ее. Но мне гораздо легче говорить об общении с моим любимым котом Мури и с моими собаками, которых нет уже. Мне не только легче говорить об этом, но, как я говорил уже, мне самое общение с миром животных легче, и тут легче может выразиться мой лиризм, всегда во мне сдавленный. Говорить же о своих интимных чувствах публично, в литературе, мне всегда казалось недостатком стыдливости, нецеломудренным. Лирическая стихия, которую я никогда не обладал способностью выразить, для меня очень связана с музыкой, более, чем со словом. С музыкой связан у меня огромный эмоциональный подъем. Странно мое отношение к музыке. Я очень мало музыкальный человек и не имею достаточных познаний в музыке. У меня плохой слух, плохая музыкальная память, от меня ускользают оттенки в исполнении. Я не могу поддерживать разговора о музыке, который поддерживают музыкальные люди и музыкальные критики. Впрочем, о последних должен сказать, что они вряд ли способны наслаждаться музыкой, так как слишком заняты разлагающей критикой музыкального произведения и его исполнения. Критики вообще не наслаждаются искусством, наслаждаются гораздо более те, которые совсем не специалисты по искусству и мало компетентны судить о нем. И вот, несмотря на мою немузыкальность, музыка глубоко потрясает мое существо, преодолевает подавленное настроение. При этом я не столько погружаюсь в стихию данной музыки, сколько испытываю творческий подъем моего существа, я как бы перехожу в иной мир. Но с этим связана и моя критика роли музыки в человеческой цивилизации. Эта роль не только положительная, но и отрицательная. Европейская буржуазия, благодаря музыке, получает возможность быстро и без всяких усилий, за 20 франков, переходить в царство небесное, а потом с такой же быстротой обратно переходить в стихию своих неприглядных, низменных земных дел. Музыка сама по себе тут, конечно, не виновата. Трагический и страдальческий Бетховен не творил для праздных часов наслаждений европейской буржуазии. Творческие подъемы гения, так часто связанного с несчастной жизнью на земле и не признанного, уходят в Царство Божье. Тем же, что остается на земле от гениальных творческих актов, пользуются менее всего этого достойные. В этом трагедия искусства, посмертная трагедия великих творцов. Я вижу смысл искусства в том, что оно переводит в иной, преображенный мир. Оно освобождает от гнетущей власти обыденности и тогда, когда художественно изображает обыденность. Я называю буржуа по духовному типу всякого, кто наслаждается и развлекается искусством как потребитель, не связывая с этим жажды преображения мира и преображения своей жизни. Должен отметить еще одну особенность своей биографии. Я всю жизнь и при всех условиях читал романы и драмы. Я не любил читать произведения современных второстепенных и третьестепенных писателей, я предпочитал по многу раз перечитывать произведения великих писателей (я неисчислимое количество раз перечитал «Войну и мир») или читать исторические и авантюрные романы. Моя оценка романа связана со способностью автора заставить меня войти в свой мир, иной, чем окружающая постылая действительность. Я всегда очень живо переживаю жизнь героев романов, которые читаю. Я люблю кинематограф, потому что он создает иллюзию, уводящую меня от действительности, но огорчаюсь, что так редко бывают хорошие фильмы. С особенной любовью перечитываю я русскую литературу XIX века и всегда получаю от нее поучение. Многое я переоценил в моем отношении к литературе. Русская литература XIX века осталась для меня неизменной и любимой, я еще более ее оценил. Но русская литература начала XX века при перечитывании вызывает во мне разочарование, в ней мало вечно пребывающего, она слишком связана с временем, с годами. То же и с писателями Запада. Диккенса я люблю более, чем раньше. Совершенно неизменно люблю Ибсена, которого перечитываю с любовью, волнением и всегда новым поучением. Всегда готов перечитывать греческую трагедию, Сервантеса, Шекспира, Гете, хотя и не все. Но не могу полюбить специально Данте. Я очень оценил Пруста, которого перечитываем вместе, ценю Кафку и ⟨...⟩ Генри Миллера. Я очень много читаю книг по истории, особенно много биографий исторических деятелей. Это для меня важно, как для историософа, и это есть пища для моих эсхатологических размышлений. Я говорил уже о значении для меня музыки, она как бы компенсирует недостаток лиризма во мне самом. Но я думаю, что лирическая стихия не отсутствует во мне, а лишь подавлена и вытеснена, прикрыта моей сухостью и ищет того, что ее побеждает.

Если бы меня спросили, отчего я более всего страдаю не в исключительные минуты, а во все минуты жизни и с чем более всего принужден бороться, то я бы ответил — с моей брезгливостью, душевной и физической, брезгливостью патологической и всеобъемлющей. Иногда я с горечью говорю себе, что у меня есть брезгливость вообще к жизни и миру. Это очень тяжело. Я борюсь с этим. Борюсь творческой мыслью и это более всего, борюсь чтением, писанием, борюсь жалостью. И опять возвращаюсь к брезгливости и содрогаюсь от нее. Она направлена и на меня самого. Я часто закрываю глаза, уши, нос. Мир наполнен для меня запахами. Я так страстно люблю дух, потому что он не вызывает брезгливости. Люблю не только дух, но и духи. Моя брезгливость есть, вероятно, одна из причин того, что я стал метафизиком. Очень важно для меня, что я всегда очень любил смех и смешное. В смехе я видел освобождающее начало, возвышающее над властью обыденности. Любил очень остроумие, и это, может быть, французская во мне черта.

§

Я думаю еще об объяснении противоречий, которые во мне замечали окружающие люди, и противоречий, которых не замечали. Это представляет интерес для понимания противоречивости человеческой природы вообще. Человеческая природа противоречива. Это понимает современная психология и особенно психопатология. Так, например, во мне совмещается духовная революционность с большой ролью привычки в моей жизни, анархизм по чувству и убеждению — с любовью к установившемуся порядку в своей жизни. Думаю, что эти противоположные свойства проистекают из другого источника. Привычка имеет для меня значение по двум основаниям. Мне необыкновенно трудно все, связанное с устроением обыденной жизни, с материальным миром, я очень неумел во всем этом и боюсь тратить мои силы на эту сторону жизни. Поэтому я всегда стремлюсь к автоматизации всего направленного на внешнюю жизнь, к доведению до минимума усилий, которые по моей неприспособленности максимальны. Это достигается путем привычки, которая всегда стремится избежать усилия. Я затрачиваю так много сил на мышление и творчество, что у меня остается очень мало сил для всего остального. Я старался выйти из затруднения путем привычки, которая, создавая иллюзию как бы освобождения от материального мира, в действительности освобождает лишь от усилий, которых требует сопротивление материального мира. Но есть еще более метафизическое основание для роли привычки в моей жизни. Я уже не раз говорил о мучительной чуждости мне мира, этого мира в этом его состоянии. Эта чуждость всегда вызывала во мне жгучее чувство тоски, сопровождающей большую часть моей жизни. Привычка есть одна из форм борьбы с чуждостью мира. Я имею в виду привычку, созданную мной, а не навязанную мне. Я пытаюсь создать вокруг себя привычный мир, ослабляющий тоску чуждости. Поэтому я очень люблю свой кабинет, свои книги. Всякое расставание, не только с людьми, но и с местом и вещами, обостряет тоску наступающей чуждости. Чуждость вызывает не страх, а тоску. В смерти, в убийстве, в ненависти есть предел чуждости. Зло может быть очень свойственно человеку, но в зле есть чуждость. Человек, одержимый злой страстью, в сущности, одержим силой, чуждой ему, но глубоко вошедшей в него и ставшей как бы его природой. Зло есть самоотчужденность человека. Все религии стремились к преодолению чуждости. Мир не окончательно мне чужд только потому, что есть Бог. Без Бога он мне был бы совершенно чужд. Привычка может быть борьбой с чуждостью в плане обыденной внешней жизни. В сумерки меня охватывает тоска чуждости. Но если в час сумерок я привык делать что-нибудь определенное, ритмизировать свою жизнь, то тоска чуждости ослабевает. Моя революционно-анархическая настроенность хотела бы совершенно опрокинуть этот чуждый мир. Объективность, объектность и чуждость значат для меня одно и то же. Но эта настроенность совмещается во мне с большой привязанностью к близким, беспокойством о них и заботой, часто нелепой. В этой привязанности побеждается чуждость. И эта связь должна остаться, когда чуждый мир будет разрушен. Иногда противоречия говорят об одном и том же свойстве. Думая о своем отношении к жизни, я прихожу к заключению, что я всегда боялся жизни. В этом у меня родство с Ибсеном. Как понять это?

Я имею основания считать себя человеком храбрым, во мне нет трусости. Но я боялся отдаться потоку жизни. И это потому, что видел конфликт между потоком жизни и моим творчеством. Поток жизни меня иногда уносил, но потом побеждала творческая мысль. Я никогда не обладал искусством жить, моя жизнь не была художественным произведением. Я никогда не разыгрывал своей жизни.

§

Я хотел заключить мыслью, для меня жизненно очень важной. Вот что я считаю существенным достижением моего духовного пути. Я окончательно преодолел в себе соблазны, связанные с историческим величием, со славой царств, с волей к могуществу. В этих соблазнах я никогда не мог стать вполне самим собой. Я сделал усилие освободить свой культ человеческого творчества от этих элементов и направить его в другую сторону. И я философски осмыслил для себя эту тему. Только осмысливая ее, я пришел к философии, которая меня вполне выражает. Путь исторического величия и могущества есть путь объективации, путь выбрасывания человека во вне и самопорабощения. Этот путь влечет к царству антихриста, которое есть царство античеловеческое. Подлинное же творчество человека должно в героическом усилии прорвать порабощающее царство объективации, кончить роковой путь ее и выйти на свободу, к преображенному миру, к миру экзистенциальной субъективности и духовности, то есть подлинности, к царству человечности, которая может быть лишь царством богочеловечности. Значение своей экзистенциальной мысли я вижу именно в этом предчувствии, в этом сознании двух путей, лежащих перед человеком, — пути объективации, экстериоризации, заковывания в призрачном могуществе и массивности и пути трансцендирования к преображенному и освобожденному миру, Божьему миру. Очень важно для меня, что я никого не хочу посылать в ад. Не только творческая мысль, но и творческая страсть, страстная воля и страстное чувство должны расковать затверделое сознание и расплавить представший этому сознанию объективный мир. Я удержался в жизни, ни на что не опираясь, кроме искания божественной истины. Мое главное достижение в том, что я основал дело своей жизни на свободе.

Я не должен представляться каноническим типом верующего. Я чувствую, что ко мне очень мало применимы такие выражения, как «он обратился», «он стал верующим» или «его вера поколебалась», «он потерял веру». Для меня никогда не существовало ортодоксального «или-или», я не мог бы быть и ортодоксальным скептиком. Все иначе у меня определяется, в более глубинном слое, где не может быть изменений, и я не знаю, сумел ли я дать это почувствовать в своей книге. Я всю жизнь искал правды, которую я изначально нашел, она была как бы a priori моего духовного пути. Существует Сущая Правда, она не походит на мир и на все, что в мире, но она должна открываться и вочеловечиваться. В последний час моей жизни я, наверное, вспомню о моих многочисленных грехах, слабостях и падениях, но, может быть, и дана будет мне благодатная возможность вспомнить, что я принадлежал к алчущим и жаждущим правды. И это единственная из заповедей блаженства, к которой и я могу иметь отношение.

ТЯЖЕЛЫЕ ГОДЫ

(Добавление 1940—46 годов)

Моя автобиография оборвалась и требует добавления, которое имеет довольно большое значение. За эти тяжелые годы (1940—46 годы) произошло много значительных внешних и внутренних событий. Многое углубилось для меня вследствие пережитых мучительных состояний. И самые пережитые мной сомнения мне представляются порождением религиозной глубины. Произошло событие такого размера, как вторая мировая война, исход которой сначала представлялся неясным и темным. Это было очень большое потрясение для всех народов и для всех людей, населяющих нашу землю. Я всегда ждал все новых и новых катастроф, не верил в мирное будущее, и для меня не было ничего неожиданного в том, что мы вступили в остро катастрофический период. Началось время сирен и бомбардировок. К бомбардировкам я был равнодушен, не испытывал никакого страха. Ночью, просыпаясь от бомбардировки довольно близкой, я поворачивался на другую сторону и засыпал. В погреб мы не сходили. Иногда смотрели на очень красивое зрелище воздушной борьбы, когда небо бывало ярко освещено. Все это было еще до появления немцев во Франции. Предстояло еще пережить два события огромной важности — немецкую оккупацию Франции и войну Германии против России. Это не были только внешние события — это был внутренний опыт, имеющий влияние на духовную жизнь. В июле 1940 года мы покинули Париж и уехали в Pilat, под Аркашоном. С нами ехал и Мури, который чуть не погиб в мучительном кошмарном пути, но проявил большой ум. Мы не хотели быть под немцами. Но это была иллюзия. В Pilat, через несколько дней после нашего приезда, оказалось гораздо больше немецких войск, чем в Париже. Pilat — чудесное место, там соединяется сосновый лес с океаном, воздух упоительный и для нас очень полезный. Но я не знаю ничего мучительнее, чем оккупация, в ней есть что-то унизительное для человеческого достоинства. Нас нисколько не утесняли, и мы жили совершенно спокойно в небольшой вилле, в лесу, три месяца. В Аркашоне жили русские друзья. Я отказался ехать в Америку, куда меня усиленно приглашали. Но я не мог спокойно видеть немецких мундиров, все во мне дрожало. И тогда еще не было войны против России. Я все время писал мою философскую автобиографию. Когда я вернулся домой, в начале сентября, то скоро почувствовал, что мое положение не безопасно. Я писал против гитлеризма, национал-социализма и фашизма, и обо мне знали, что я идейный противник. Начались аресты русских. В русской атмосфере было что-то тяжелое, были сторонники Гитлера и немцев. Все это очень обострилось, когда началась война против России. Вторжение немцев в русскую землю потрясло глубины моего существа. Моя Россия подверглась смертельной опасности, она могла быть расчленена и порабощена. Немцы заняли Украину и дошли до Кавказа. Поведение их в оккупированных частях России было зверское, они обращались с русскими как с низшей расой. Это слишком хорошо известно. Было время, когда можно было думать, что немцы победят. Я все время верил в непобедимость России. Но опасность для России переживалась очень мучительно. Естественно присущий мне патриотизм достиг предельного напряжения. Я чувствовал себя слитым с успехами Красной армии. Я делил людей на желающих победы России и желающих победы Германии. Со второй категорией людей я не соглашался встречаться, я считал их изменниками. В русской среде в Париже были элементы германофильские, которые ждали от Гитлера освобождения России от большевизма. Это вызывало во мне глубокое отвращение. Я всегда, еще со времени моей высылки из России в 1922 году, имел международную ориентацию советскую и всякую интервенцию считал преступной. Я никогда не поклонялся силе, но силу, которая была проявлена Красной армией в защите России, я считал провиденциальной. Я верил в великую миссию России. В Париже было очень тяжело. Начались аресты друзей, и некоторые друзья, депортированные в Германию в качестве политических, погибли там в очень трагической обстановке. У меня несколько раз были представители гестапо и расспрашивали меня о характере моей деятельности. Но никаких прямых обвинений против меня выставить не могли. В швейцарской газете было напечатано, что я арестован. Через несколько дней явились представители гестапо, как и всегда двое, чтобы узнать, чем вызван слух о моем аресте. Я говорю по-немецки, и это облегчало разговор. Мне сказали, что из Берлина был сделан запрос, что значит газетное сообщение об аресте столь известного и ценимого в Германии философа, как Бердяев. По словам представителя гестапо, это вызвало переполох, что, конечно, было преувеличением. Но я себе не раз задавал вопрос, почему я не был арестован, когда арестовывали с такой легкостью и без достаточных оснований. Своих взглядов я никогда не скрывал. Я очень не люблю, когда люди преувеличивают свою известность и свое значение, мне чуждо такого рода самочувствие. Но моя большая известность в Европе и Америке, в частности в самой Германии, была одной из причин, почему арестовать меня без слишком серьезных причин немцы считали невыгодным. Я шутя говорил, что тут обнаружилось почтение немцев к философии. Мне потом говорили, что в верхнем слое национал-социалистов был кто-то, кто считал себя моим почитателем как философа и не допускал моего ареста. За эти страшные годы у меня не могло быть никакой внешней активности. Я сидел в своем Кламарском доме, сравнительно редко ездил в Париж. В парижских кафе, которые стали опасным местом, я вообще никогда не бывал и в прошлом. За двадцать лет я, может быть, раза три бывал в кафе. Я ведь феодал по своему характеру, сидящий в своем замке с поднятым мостом. Ни в каких начинаниях, хотя бы отдаленно связанных с немцами, я не соглашался принимать участия. Поэтому я не мог читать публичных лекций и докладов. Я много писал, пользовался этим временем для сосредоточенного философского творчества. Но у нас в доме по воскресеньям собирались патриотически настроенные русские, иногда даже читались доклады. Наш дом был одним из центров патриотических настроений. Нередко бывали и французы. В годы оккупации были интересные собрания у Море, посвященные главным образом мистическим и духовным вопросам. Я читал два доклада — о мессианизме и о религиозной драме Ницше. Кроме собраний у Море было еще начинание mademoiselle Дави, очень ученой женщины, нашего нового друга. Это были курсы, посвященные духовным исканиям. Там я прочел несколько лекций на тему «Мессианская идея и проблема истории». Это был круг, главным образом, левых католиков, но участвовали и протестанты, и православные, и свободные искатели. M-lle Дави устраивала также съезды под Парижем в великолепной усадьбе. Первый съезд был посвящен обсуждению только что вышедшей во Франции моей книги «Дух и реальность». На этом съезде у меня были идейные столкновения с некоторыми католиками, особенно с Габриелем Марселем, который признал меня анархистом. За эти годы я познакомился с Роменом Ролланом, который был женат на русской, на вдове моего племянника. В Ромене Роллане я почувствовал значительность нравственной личности. Его симпатии к советской России и к русскому коммунизму совсем не означали симпатий к материализму. Наоборот, он был спиритуального направления. Он с большим сочувствием читал мою книгу «Дух и реальность» и очень хорошо написал обо мне в своей книге о Ш. Пеги, он видел в моей идее об объективации некоторое родство с Пеги, что лишь отчасти верно.

§

Эти годы были трудными и мучительными годами моей жизни не только внешне, но и внутренне. Это было время внутренней духовной борьбы, противоречий, сомнений, вопрошаний. Я говорил уже, что я совсем не скептик по своей натуре. И сомнения переживаются мной совсем по-особенному. Сомнения у меня скорее нравственного, чем интеллектуального характера. Не думаю, чтобы у меня бывали минуты, когда я просто отрицал существование Бога. Но были минуты, когда я отвергал Бога, были мучительные минуты, когда мне приходило в голову, что, может быть, Бог зол, а не добр, злее меня, грешного человека, и эти тяжелые мысли питались ортодоксальными богословскими доктринами, судебным учением об искуплении, учением об аде и многим другим. Я находил выход в идее несотворенной свободы, но ее не хотели признавать. Вечные религиозные вопросы ставились для меня все по-новому и по-новому. Я переживал минуты отталкивания от внешней церковности, от всякой официальной ортодоксии, что, впрочем, было не ново для меня. Иногда мне казалось, что я исповедую другую религию, чем та, которую называют христианской в общем мнении. А что, если прав не я, а те, против кого я восстаю. Тогда, говорил я себе, это и значит, что Бог зол и бесчеловечен. Он в вечности захотел зла, страдания и ада. Предвидеть для Бога то же самое, что захотеть. Но ведь восстание против Бога во мне происходило во имя Бога же, во имя более высокого понимания Бога. Это утешает. Но я все же переживал состояние богооставленности, безблагодатности. Переживание богооставленности не означает отрицание существования Бога, оно даже предполагает существование Бога. Это есть момент в экзистенциальной диалектике богообщения, но момент мучительный. Богооставленность переживают не только отдельные люди, но и целые народы, и все человечество, и все творение. И это таинственное явление совсем не объяснимо греховностью, которая ведь составляет общий фон человеческой жизни. Переживающий богооставленность совсем может быть не хуже тех, которые богооставленности не переживают и не понимают. Интересно, что в этот период внутренних борений духа совсем не затрагивались мои основные религиозно-философские взгляды, иногда они лишь обострялись. В том, что я беспомощно говорю, есть что-то глубоко интимное, с трудом выразимое. В это кровавое время бомбардировок, убийств, концентрационных лагерей, арестов, неисчислимых человеческих страданий я все время упорно размышлял о зле, о страданиях, об аде, о вечности. И размышления мои часто бывали противоречивы. В том, что я писал, я давал уже результаты своей внутренней борьбы, но самой внутренней борьбы могли и не заметить. Более всего я размышлял о смерти и бессмертии, и это вошло существенной частью в мою последнюю книгу «Диалектика божественного и человеческого». В 1942 году, осенью, мне делали серьезную операцию. Я пролежал шесть недель в клинике. Я не думал о том, что исход может быть смертельный, и не испытывал страха, как об этом свидетельствует самоотверженно ухаживавшая за мной сестра милосердия Т. С. Ламперт, наш друг. Но у меня было одно острое переживание. Анестезия была не полная, только нижняя половина тела была анестезирована. Сознание было полное, я все видел, боли не испытывал никакой. Но я был лишен возможности каких-либо движений, тело приведено в состояние полной пассивности. Я чувствовал стену неотвратимой необходимости, что я потом пережил по другим поводам. Я очень плохо выношу состояние полной пассивности. Нет ничего страшнее этой власти неотвратимой необходимости. Она тяготеет над нашей жизнью и лишь иные минуты остро означается. И все же мы свободные существа. Трагична именно власть необходимости над свободными существами. Уже в самом начале освобождения Парижа произошло в нашей жизни событие, которое было мной пережито очень мучительно, более мучительно, чем это можно себе представить. После мучительной болезни умер наш дорогой Мури. Страдания Мури перед смертью я пережил, как страдание всей твари. Через него я чувствовал себя соединенным со всей тварью, ждущей избавления. Было необыкновенно трогательно, как накануне смерти умирающий Мури пробрался с трудом в комнату Лидии, которая сама уже была тяжело больна, и вскочил к ней на кровать, он пришел попрощаться. Я очень редко и с трудом плачу, но, когда умер Мури, я горько плакал. И смерть его, такой очаровательной Божьей твари, была для меня переживанием смерти вообще, смерти тех, кого любишь. Я требовал для Мури вечной жизни, требовал для себя вечной жизни с Мури. Я долгое время совсем не мог о нем говорить. Я все время представлял себе, что он прыгает ко мне на колени. Когда мы громко читали по вечерам, то Мури любил быть с нами, он всегда являлся, хотя бы спал в другой комнате, и прыгал ко мне на колени. Теперь нет уже читавшей Лидии, нет Мури, мы остались одни с Женей, она утешает мою жизнь. В связи со смертью Мури я пережил необыкновенно конкретно проблему бессмертия. В нашем саду, под деревом, могила Мури. Проходя мимо могилы, я думал о бессмертии конкретно-образно, а не отвлеченно. Мне противна идея безличного бессмертия, в котором исчезает все неповторимо и незаменимо индивидуальное. Эта тема была мной пережита в большой глубине и значительности в связи с самым горестным и лично самым важным событием моей жизни, о котором речь впереди.

§

Внешне новая жизнь началась с освобождением Парижа. Это еще не был конец войны, но можно уже было быть уверенным в ее благополучном конце. В первое время освобождения были неприятные впечатления в связи с расправами, учиненными французами, с актами мести. Арестовывали много русских уже по обратным причинам, чем когда арестовывали немцы. Иногда аресты имели основание, иногда же никаких оснований не было. Атмосфера продолжала быть тяжелой. В годы оккупации в русской среде было отвратительное приспособление к немцам, которое должно быть характеризовано как измена. Теперь началось обратное приспособление, приспособление к почти неизвестному и плохо понятному коммунизму, к советскому посольству. Иногда это были те же лица. Мало было достоинства и свободы. У меня всегда была советская ориентация, несмотря на то, что я всегда критиковал и продолжаю критиковать коммунистическую идеологию и проповедую свободу. Ничего существенно нового не произошло в моем отношении к советской России. Советскую власть я считал единственной русской национальной властью, никакой другой нет, и только она представляет Россию в международных отношениях. Это не значит, что я все в ней одобряю. Я, в сущности, никакой власти не люблю и никогда не смогу полюбить. Я всегда не любил великих мира сего. Эмоционально у меня есть анархические симпатии. Но это не значит, что я отрицаю необходимость государственных функций в жизни народов. Во мне вызывает сильное противление то, что для русской эмиграции главный вопрос есть вопрос об отношении к советской власти. Между тем как я считаю главным вопросом вопрос об отношении к русскому народу, к советскому народу, к революции как внутреннему моменту в судьбе русского народа. Нужно пережить судьбу русского народа как свою собственную судьбу. Я не могу поставить себя вне судьбы своего народа, оставаясь на высоте каких-нибудь отвлеченных либерально-демократических принципов. Это не значит согласовать свою мысль и свое поведение с директивами советского посольства, думать и писать с постоянной оглядкой на него. Когда Союз — сначала русских, а потом советских — патриотов заявил о безоговорочном принятии советской власти и режима в советской России, то это меня возмутило. Человек не должен никакой власти безоговорочно принимать, это было бы рабьим состоянием. Человек не должен склоняться ни перед какой силой, это не достойно свободного существа. В ноябре 1944 года я прочел от Союза писателей в помещении Союза русских патриотов публичный доклад на тему «Русская и германская идея». Доклад имел большой успех, самый большой из всех моих докладов. Это совпадало с патриотическим подъемом. Потом в «Русском патриоте», когда в него вошла группа молодых писателей, я напечатал статью «Трансформация национализма и интернационализма», которая шокировала некоторые круги русской эмиграции. У меня очень изменился круг ближайших знакомых. У нас в доме начали часто бывать молодые (относительно молодые) писатели, которых раньше не бывало, бывшие младороссы, принявшие советскую ориентацию. С кругом Богословского института у меня было полное расхождение, и религиозное, и политическое. С советским посольством у меня не было никаких прямых отношений, я не чувствовал в этом никакой потребности. Но некоторые советские люди из посольства у меня были, и я с большим интересом расспрашивал о России. От встречи с одним молодым советским дипломатом у меня осталось очень хорошее впечатление. Самое приятное впечатление было от встреч с одним советским писателем, который у нас часто бывал. Это был человек очень симпатичный и талантливый. Он давал острое впечатление России. Россия была для него религией. Он в это время был капитаном Красной армии. Он защищал Москву. Коммунистическая идеология была ему чужда. Наиболее меня поражало, когда мне говорили, что весь русский народ не только читает великую русскую литературу XIX века, но и имеет настоящий культ Пушкина и Л. Толстого. Но у меня было и горькое чувство. Я очень известен в Европе и Америке, даже в Азии и Австралии, переведен на много языков, обо мне много писали. Есть только одна страна, в которой меня почти не знают, это моя родина. Это один из показателей перерыва традиции русской культуры. После пережитой революции вернулись к русской литературе, и это факт огромной важности. Но к русской мысли еще не вернулись, этому препятствует все еще господствующий диалектический материализм. Философия остается в очень неблагоприятном положении, свободы мысли нет. Мне, может быть, и позволили бы вернуться в Россию. Но что я мог бы там делать? Вопрос о возвращении на родину для меня очень болезненный. Сердце сочится кровью, когда я думаю о России, а думаю очень часто. Много думаю о трагедии русской культуры, о русских разрывах, которых в такой форме не знали народы Запада. Есть что-то мучительное в русской судьбе. И ее нужно до конца изживать.

§

В ныне кончившемся 1945 году очень возросла моя известность. Меня начали ценить гораздо больше, чем раньше. Весной 1947 года Кембриджский университет сделал меня доктором теологии honoris causa. Я участвовал в средневековой церемонии выдачи доктора, в красной мантии и особой бархатной шапочке. Я постоянно слышу, что у меня «мировое имя». Ко мне постоянно приезжают иностранцы, я получаю неисчислимое количество писем. Обширная переписка составляет мое несчастье, так как я мучительно не люблю и не умею писать писем. Иногда я прихожу в отчаяние от количества писем, на которые нужно отвечать. К моему удивлению, я стал очень почитаемым, почтенным, значит, уже солидным, почти что учителем жизни, руководящим умом. Это совершенно не соответствует моему самочувствию. Я хотел бы, чтобы мне поверили читатели этой автобиографии, что я совсем не почтенный и не солидный человек, совсем не учитель жизни, а лишь искатель истины и правды, бунтарь, экзистенциальный философ, понимая под этим напряженную экзистенциальность самого философа, но не учитель, не педагог, не руководитель. Моя возрастающая известность давала мне мало радости жизни, мало счастья, в которое я вообще мало верю. Я очень мало честолюбив. И во мне есть сильный меланхолический элемент, который, вероятно, не замечают вследствие моей сдержанности, любви к остротам и к шутливости. Все это совпало с очень несчастным периодом моей жизни. Лидия тяжело заболела параличом мускулов горла с возрастающим затруднением речи и глотания пищи. Она выносила эту мучительную болезнь изумительно. Силы ее слабели. В конце сентября 1945 года Лидия умерла. Это было одно из самых мучительных и вместе с тем внутренне значительных событий моей жизни. Смерть Лидии не была мучительной, она была духовно просветленной. Переживая ее смерть, я многому научился. Это было для меня переживание огромной важности. У Лидии была необыкновенная сила веры, такой силы веры я ни у кого не встречал. Смерть ее была высокой вследствие ее напряженной духовности. Она до конца сохранила ясность сознания и все, что говорила, вернее писала, перед смертью, было прекрасно. Почти до самого конца она писала стихи. Я хочу издать ее стихи. Она сама к этому не стремилась, у нее не было никакого честолюбия, был большой аристократизм. Она все время читала мистические книги и делала заметки о прочитанном. Она все более сознавала себя принадлежащей к грядущей религии Святого Духа, но сохраняла неразрывную связь с церковью. Перед сном я каждый день заходил в комнату Лидии, и мы вели духовно-мистические беседы. Я так любил это время дня и все время вспоминаю об утраченном. Не могу примириться со смертью близкого, любимого существа. Не могу примириться с безвозвратностью, с образовавшейся пустотой. Не могу примириться с конечностью человеческого существования, которую Гейдеггер считает последней истиной. Не может не быть требования встречи и вечной жизни вместе. Очень тронуло меня выражение всеобщей любви к Лидии после ее смерти. Я говорю об одной стороне смерти, но есть другая сторона. Смерть есть не только предельное зло, в смерти есть и свет. Есть откровение любви в смерти. Только в смерти есть предельное обострение любви. Любовь делается особенно жгучей и обращенной к вечности. Духовное общение не только продолжается, но оно делается особенно сильным и напряженным, оно даже сильнее, чем при жизни. Я сказал Лидии перед смертью, что она была огромной духовной поддержкой моей жизни. Она мне написала, что будет продолжать быть такой поддержкой. И это верно. Вот еще что я подумал о значении смерти. Об умерших близких людях обыкновенно с трудом припоминают плохое, которое, может быть, и было в жизни, припоминают лишь хорошее. Общая мудрость утверждает, что об умерших не нужно говорить дурно, нужно или говорить хорошее, или молчать. Что это значит? Смысл этого более глубокий, чем думают. В смерти есть просветление, лица покойников иногда делаются прекрасными, потому что начинается преображение человека для вечности, отпадает все дурное. И если мы творчески активно вспоминаем о покойнике лишь хорошее, то потому, что этим участвуем в преображении человека, активно помогаем этому преображению. Когда в исторической перспективе начинают говорить и писать об умерших дурно и даже считают долгом так говорить во имя правды, то потому, что умерший тут возвращается к земной истории, в которой добро перемешано со злом, свет с тьмой. Тогда человек рассматривается не в перспективе его преображения и просветления. Смерть остается для нас парадоксом. Она есть предельное зло, расставание, с которым нельзя примириться, и она есть потусторонний свет, откровение любви, начало преображения. Любовь и смерть связаны, но любовь сильнее смерти. Смерть есть ужас расставания и вместе с тем продолжение духовного общения. Когда после близости смерти мы возвращаемся к жизни, то чувствуется, что все ничтожно по сравнению со смертью. Смерть есть событие во времени и говорит о власти времени. Но она также есть событие, обращенное к вечности, по ту сторону времени. Я пережил смерть Лидии, приобщаясь к ее смерти, я почувствовал, что смерть стала менее страшной, в ней обнаружилось что-то родное. Мы остались вдвоем с Женей, близким другом и особенным, который трогательно обо мне заботится. Не знаю, как бы я мог жить, если бы и она ушла из этой жизни. Каждый день мы ведем с ней умственные и духовные беседы, иногда спорим. Она многое хорошо понимает в моих мыслях и близка к ним. Мое отношение к ней всегда было исключительным. Я думаю о глубоком драматизме моей жизни, который, вероятно, сделается не более понятным от чтения этой моей автобиографии. Есть конфликты не преодолимые в пределах земной жизни. Преодолимы ли они в вечной жизни?

§

Я никогда не достиг равновесия между мечтой и действительностью. С этим связана дисгармоничность моей жизни. Должен повторить, что я никогда не принадлежал к типу мягко-пассивных мечтателей с преобладанием чувства над мыслью и волей. Для понимания моего характера, а значит, и моего чувства жизни важно понять мое отношение к тому, что называют «счастливыми мгновениями жизни». Я никогда не верил в счастье в условиях этого мира, но счастливые мгновения считал возможными. Беда в том, что я никогда не мог по-настоящему воспользоваться счастливыми мгновениями. И это по той причине, что я не мог испытать удовлетворения ни от чего, что не вечно, что есть дробная часть времени. Радость все-таки нужна человеку, иначе нельзя выдержать жизни. Возможна ли еще для меня радость? Как и в молодости, я мечтаю о необыкновенном подъеме жизни. Моя жизнь по обычному счету времени приходит к концу. Но у меня нет никакого чувства постарения духа, нет даже чувства постарения души, моя восприимчивость, моя чувствительность почти так же сильны, как и в молодости. Я по самочувствию своему (не физическому) неправдоподобно молод. Но когда я представляю себе возможность более радостных и счастливых мгновений, я вдруг вспоминаю, что Лидии уже нет, вспоминаю многое другое, и у меня все падает. Радость, впрочем, для меня всегда была отравлена мыслью о смерти, о страдании людей, о несправедливости жизни в этом мире, о кратковременности и непрочности всего. Есть только одна область, в которой я всегда мог целостно испытать жизненный подъем и радость, это область моего умственного философского творчества. Тут у меня не было раздвоения. Творческая мысль, писание были для меня неизменным содержанием моей жизни. Я не мог бы себе представить, чтобы у меня не было замысла новой книги. Я только так мог жить, это было для меня также гигиеной души. Сейчас я пишу статьи по разным актуальным вопросам, статьи не по политике, а по философии политики, но внутренно я живу замыслом философской книги. Книга должна быть посвящена вопросу об истине и откровении*. В конце концов, это есть вопрос о Боге, вопрос всех вопросов. Меня, употребляя выражение Достоевского, всю жизнь Бог мучил. Я пришел к тому заключению, что безбожие, не легкомысленное или злобное, а серьезное и глубокое, полезно и может иметь очищающее значение. Необходимо радикальное очищение человеческих идей о Боге, которые и привели к безбожию. Необходима критика откровения, раскрытие того, что есть человеческое привнесение в откровение. Необходимо пролить свет также на то, что в человеческом творчестве может быть обогащением самой божественной жизни, что есть ответ человека на Божий призыв. Для этого нужно отказаться от статического понятия о Боге. Это моя коренная тема. Иногда мне кажется, что, в сущности, я пишу всегда на одну и ту же тему. Всякий раз, когда я пишу новую книгу, я думаю, что меня, наконец, лучше поймут. Меня мучит, что меня плохо понимают. Вероятно, я сам тут виноват. Я мало сделал, чтобы объяснить противоречивость моей жизни и мысли. Я очень известен, но мои главные идеи плохо знают и понимают. Мои почитатели иногда пользуются моими идеями для своих целей, иногда мне чуждых. Временами я сомневаюсь, что появление новых книг может тут помочь. Моя мысль очень динамична, и я верен себе в этой динамичности. Между тем как легче понимают статическую мысль. Моя сравнительно слабая способность к систематическому дискурсивному развитию своей мысли мешает пониманию моей центральной философской идеи объективации, с которой связан мой экзистенциальный опыт. С некоторыми философами нашей эпохи могут найти у меня точку соприкосновения, например, с М. Шелером, с Бергсоном, с Ясперсом более всего, но настоящей близости у меня нет ни с кем. Из мыслителей прошлого более всего я обязан Канту, по-другому особенно Я. Беме; по типу философствования у меня есть родство с Фр. Баадером, хотя я с ним во многом расхожусь. Кирхегардт, с которым я познакомился очень поздно, родствен мне лишь в одном мотиве, в восстании индивидуального против общего, в остальном же скорее враждебен. Никогда, ни с кем я не почувствовал настоящего родства, хотя всегда искал родство и готов был его преувеличить (это я думаю сейчас о Я. Беме). Иногда я задаю себе вопрос, оставлю ли я после себя что-нибудь вполне понятное для будущих

---

* Эта книга уже написана.

поколений? Я человек известной эпохи, отражавший ее противоречия и борьбу, и вместе с тем восставший против эпохи и обращенный к грядущему. Человек несет в себе особый мир, с трудом понятный другим людям. И все же общение этих разных человеческих миров возможно, и нужно к нему стремиться. Вопрос этот не решается ясностью мысли, которая у меня довольно большая. Иногда кажется, что мой человеческий мир не похож на другие человеческие миры и что мой Бог не похож на Бога других людей. Общим же, скажем, наиболее понятным, является наиболее банальное, лишенное индивидуальности, отвлеченно-общее. Великая задача, к которой нужно стремиться, это достигнуть общности, общения, понимания в наиболее индивидуальном, оригинальном, единственном. Это и есть трудная задача так называемой экзистенциальной философии, которая выходит за пределы общеобязательного, объективированного, социализированного познания. Остается последний, самый важный опыт, в котором многое должно открыться и который не может быть описан ни в какой автобиографии, это опыт смерти. На этих размышлениях кончаю свою книгу.

Добавление 47 года

47 год был для меня годом мучения о России, это было. <...> Я пережил тяжелое разочарование. После героической войны процессы, происходящие в советской России, протекли не так, как можно было надеяться. Свобода не возросла, скорее наоборот. Особенно тяжелое впечатление произвела история с Ахматовой и Зощенкой. Диалектический материализм по-прежнему является господствующим государственным миросозерцанием. Таково направление господствующей группы Коммунистической партии, которая, во всяком случае, правит журналами и газетами. Журналы производят тяжелое впечатление. Радикально изменилось отношение к Православной церкви, она поставлена почти в привилегированное положение. Но сфера церковной жизни локализована, и свобода ее не означает свободы мысли. В России есть несомненно возрастающее религиозное движение. Христианские верования очень сильны в русском народе. В глубине русского народа происходят в результате пережитого опыта революции и войны очень важные духовные процессы, которые еще не могут себя выявить. Но вот что меня беспокоило и мучило. В официальной церковности, в высшей церковной иерар-

хии преобладает консервативное направление, желание вернуться к 16 и 17 веку. Христианство понимается исключительно как религия личного спасения для вечной жизни. Тема, поставленная русской религиозной мыслью о социальном и космическом преображении, о новой творческой эпохе в христианстве, отсутствует. И это консервативное церковное направление как раз поощряется советской властью. Возрастанию национального чувства можно только сочувствовать. Но есть опасность национализма, которая есть измена русскому универсализму и русскому призванию в мире. Отталкивает также все возрастающий централизованный тоталитарный этатизм. С этим связано и то, что меня более всего мучило в направлениях, сложившихся в эмиграции за последние два года. Все определялось главным образом отношением к советской власти, или стопроцентным и безоговорочным ее принятием, или ненавистью к ней и отвержением всей пореволюционной России. Но отношение к русскому народу, к смыслу революции в исторической судьбе народа, к советскому строю не тождественно с отношением к советской власти, к власти государства. Я могу признавать положительный смысл революции и социальные результаты революции, могу видеть много положительного в самом советском принципе, могу верить в великую миссию русского народа и вместе с тем ко многому относиться критически в действиях советской власти, могу с непримиримой враждой относиться к идеологической диктатуре. Я чувствую себя очень одиноким в эмиграции, как раньше. Особенно отталкивает меня, когда очень ортодоксальные православные определяют свое отношение к советской России на основании принципа: «Несть бо власти, аще не от Бога». Слова апостола Павла имеют историческое, а не религиозное значение. Эти слова были источником рабства, низкопоклонства церкви. Мое критическое отношение ко многому, происходящему в советской России (я хорошо знаю все безобразное в ней), особенно трудно потому, что я чувствую потребность защищать мою родину перед миром, враждебным ей. Остается мучиться, не находя гармонического разрешения. В последнее время я опять остро чувствую два начала в себе: с одной стороны, аристократическое начало, аристократическое понимание личности и творческой свободы; с другой стороны, сильное чувство исторической судьбы, не допускающее возврата назад, и социалистические симпатии, вытекающие из религиозного источника. Я не могу не соединять в себе эти два начала.

Я продолжаю думать, что изменения и улучшения в России могут произойти лишь от внутренних процессов в русском народе. Так я думал и 25 лет тому назад и очень расходился с большей частью эмиграции.

§

Весной 47-го года Кембриджский университет сделал меня доктором теологии honoris causa. Это считается очень почетным. Ни в одной стране я не встречал такого сочувствия, такой высокой оценки моей мысли, как в Англии. В прошлом из русских докторами honoris causa были Чайковский и Тургенев. Это не столько ученая степень, сколько признание заслуг. Меня всегда не очень любили академические круги, считая меня философом слишком «экзистенциального» типа, скорее моралистом, чем ученым философом. Кроме того, я не теолог, а религиозный философ. Религиозная философия есть очень русский продукт, и западные христиане не всегда ее отличают от теологии. Я все-таки много писал о предметах божественных. Кембриджский университет и его теологический факультет считаются свободолюбивого направления, и потому он предпочел меня Карлу Барту и Ж. Маритену, кандидатуры которых тоже выставлялись. В июле месяце я был в Кембридже для получения доктората. Выдача доктората honoris causa таких университетов, как Кембриджский и Оксфордский, очень торжественная средневековая церемония. Надевают красную мантию и средневековую бархатную шапочку. В торжественном шествии в огромной зале, переполненной народом, в которой выдают докторскую степень, я шел в первом ряду, как доктор теологии, то есть высшей из наук. За мной, на некотором расстоянии, шли министр иностранных дел Бевен и фельдмаршал Уэвелль, бывший вице-король Индии, которые получили докторат права honoris causa. Все это мало подходило к моей природе и характеру. Я как будто со стороны смотрел на все это. Думал о странности своей судьбы. В эту же весну мне сообщили из Швеции, что я являюсь кандидатом на получение Нобелевской премии. Думаю, впрочем, что я вряд ли ее получу. Для этого нужно было бы сделать шаги, которых я не сделаю. Да и очень неблагоприятно, что я русский изгнанник. Я постоянно слышу, что я возведен в сан «знаменитости». С трудом поверят, как мало радости это мне дает. Я все-таки чувствую себя довольно несчастным, несчастным не по внешней своей судьбе, а по внутренней своей конструкции, по невозможности испытать удовлетворение, по непреодолимым противоречиям, по нелюбви ни к чему конечному, по склонности к тоске, по постоянному беспокойству. Со стороны внешней должен еще сказать. Я уже стар и утомлен жизнью, хотя еще очень молод душой и полон творческой умственной энергии. Но меня, как и моих близких, преследуют разнообразные болезни. Кроме того, я очень неумел в материальных делах, не способен извлекать выгоду из своей известности и постоянно испытываю материальные затруднения.

Осенью «Les Rencontres internationales de Genève»[1] пригласили меня прочесть доклад и активно участвовать в собраниях. Это было начинание, заслуживающее сочувствия. Тема была «Прогресс технический и прогресс моральный». Это вопрос, о котором я много думал и писал. Я согласился, преодолевая невыносимые хлопоты о визах и прочем. Съехались выдающиеся intellectuels Европы. Женевские организаторы Rencontres принадлежат к «буржуазному» миру, и Швейцария, особенно романская, очень враждебна коммунизму. И тем не менее из девяти докладов два доклада были прочитаны коммунистами. Были и очень активные марксисты, не читавшие докладов. Это было проявление большой терпимости. Меня поразила та роль, которую играл марксизм в этих Rencontres. Одни излагали свой марксизм, другие критиковали марксизм, но все вращались вокруг него. Я почувствовал себя отброшенным на пятьдесят лет назад. И тут обнаружилось, до какой степени я могу быть признан специалистом марксизма, не только по знанию его, но и по внутреннему проникновению в него. Это марксисты признавали. Но я не думал, что придется еще критиковать материализм. В этом было для меня что-то элементарное. Я подумал, что мир переходит к элементарному. И, может быть, нужно пройти через это. Духовное движение, которое существовало и в России и в Европе в конце XIX и начале XX века, оттеснено. В Rencontres были люди «спиритуалистического» направления и гораздо более высокого интеллектуального и духовного уровня, чем марксисты, но они не были в центре внимания. Это очень характерно для эпохи. Сам я играл довольно активную роль, мой доклад привлек даже самое большое количество слушателей. Но роль моя связана была главным образом с тем, что я хорошо знаю марксизм, критиковал марксистскую философию, но признавал в марксизме некоторую социальную правду. Я не чувствовал себя вполне легко и свободно, не мог слишком ударять по марксизму, так как все время чувствовал мир, в отношении которого марксизм был прав. Впрочем, все почти признавали, что капиталистический строй осужден и рушится, но хотели, чтобы дух не был угашен. Ответы марксистов на критику философски были очень слабы. Но за ними чувствовалась сила, организованный, волевой напор. По сравнению с этим историческое христианство не имеет витальной силы, которая у него была в прошлом. Это вполне совпадает с моими мыслями о духовном кризисе мира. Но трудно сделать понятными мои мысли, слишком элементарна среда, которая сейчас имеет силу. Я опять остро почувствовал, до какой степени я одиночка. Я не могу выступать и от организованных религиозных конфессий. Я обращен к векам грядущим, когда элементарные и неотвратимые социальные процессы закончатся. Основное противоречие моей жизни всегда вновь себя обнаруживает. Я активен, способен к идейной борьбе и в то же время тоскую ужасно и мечтаю об ином, о совсем ином мире.

ПРИМЕЧАНИЯ

Впервые книга «Самопознание» была издана в Париже в 1949 году вскоре после смерти автора. При этом (частично по указаниям самого Н. А. Бердяева, содержащимся на полях рукописи, частично по усмотрению редактора, его свояченицы Е. Ю. Рапп) из нее были изъяты довольно значительные отрывки, часть которых впоследствии была опубликована отдельно, но без указания точного местонахождения в тексте. То есть в своем печатном виде книга содержала явные отклонения от автографа, что, в свою очередь, вызвало неизбежные для сохранения связности изложения перестановки частей текста. Кроме того, редактором первого издания была проведена не всегда удачная стилистическая правка рукописи, а в некоторых случаях добавлены предложения и абзацы, почерпнутые из других сочинений философа или личных бесед с ним. Наконец, в книгу вкрались досадные погрешности, связанные с неверным прочтением в рукописи отдельных слов, с опечатками и случайными пропусками предложений.

Во втором, исправленном издании (Париж, ИМКА-Пресс, 1983) выпущенные отрывки были напечатаны в виде приложения к книге.

Настоящее издание является первым полным воспроизведением авторского текста «Самопознания». Оно подготовлено по рукописи, которая хранится (в соответствии с завещанием Бердяева) на его родине (ЦГАЛИ. Ф. 1496. Оп. 1. Д. 36). В нем сохранены особенности авторской орфографии и пунктуации. Сокращенные или недописанные Бердяевым слова в настоящем издании даны полностью, неразобранные слова обозначены отточиями в угловых скобках.

ПРЕДИСЛОВИЕ

[1] *Дневник Амиеля...* — произведение швейцарского писателя и философа XIX века Анри Амиеля (1821—1881). — С. 1.

[2] *«Journal»* А. Жида. — «Дневник» французского писателя Андре Жида (1869—1951) охватывает период с 1889 по 1949 год; при жизни Бердяева выходил частями. — С. 1.

[3] «Я никогда не достигал в реальности того, что было в глубине меня» *(фр.)*. Цитата из книги «Обретенное время», входящей в цикл романов Марселя Пруста (1871—1922) «В поисках утраченного времени». — С. 6.

ГЛАВА I

[1] *...«лица необщее выражение»* — неточная цитата из стихотворения Е. А. Баратынского «Муза» (1829). — С. 9.

[2] *Complex d'infériorité* — комплекс неполноценности *(фр.)*. С. 29.

[3] *«Mémoires d'outre tombe»* — «Замогильные записки», мемуары французского писателя Шатобриана (1768—1848). — С. 32.

⁴ «Мое развитие никогда не определялось стремлением к чему-то конкретно, а всегда было направлено за его пределы, к другому». Морис Баррес (1862—1923) — французский писатель. — С. 32—33.

ГЛАВА II

¹ «*Sartor Resartus*» — «Трудолюбивый крестьянин», произведение английского философа, историка и публициста Томаса Карлейля (1795—1881). — С. 58.

² ...*я прочел книгу Roger Secretain*... — Бердяев цитирует главу «Еретик» из книги Р. Секретена «Пеги, солдат свободы» (а не «истины»): «Мы из тех особых свободолюбцев или вольнодумцев, которые не приемлют никакой власти». Эта фраза из книги «Для меня» продиктована психологией, а не доктриной. Когда Пеги сказал ее, в 1900 году, он говорил не как воинствующий социолог, а как Пеги-человек обо всей своей жизни. Анархизм — его тайная привязанность. Он, конечно, не нигилист, не разрушитель. Он ненавидит легкий путь. Он на позитивной, восходящей стороне анархии. Но самая большая страсть и сила притяжения влечет его к принципу свободы. Неподчиняемость этого парадоксального последователя заключается в принятии лишь внутренне и свободно избранного принуждения. Говорили о какой-то партии Пеги: это партия, в которой он был бы один. Я не вижу для него такого последователя, с которым он вскоре не порвал бы или которого сам бы не вдохновил на разрыв... Этот бунтарь, отрешенный, еретик из инстинкта и гордости таков, что он добивается власти, будучи не в силах переносить над собой опеку. Как гражданин, он не может защищать буржуазное государство (или даже просто государство). Как воинствующий революционер, он не может терпеть указку доктринального и политиканствующего социализма. Как мыслитель, он не может подчиниться метафизике социологов интеллектуальной партии... Неприятие любой земной тирании влечет его к Богу; при условии, однако, что этот Бог — тоже свободолюбец и вольнодумец, почти анархист: «Спасение, которое не было бы свободным и не исходило бы от человека свободного, ничего не сказало бы нам», — говорит Бог — Пеги в «Невинных святых» (*фр.*). Пер. Н. А. Полторацкого. — С. 62—63.

³ «*Nourritures Terrestres*» — «Земная пища» (*фр.*), роман Андре Жида. — С. 75.

⁴ *Ressentiment* — злопамятство; злоба (*фр.*). — С. 76.

ГЛАВА III

¹ *Conversion* — обращение (фр.); в дальнейшем Бердяев пользуется латинской формой этого слова — convertion. — С. 93.

² *Homo mysticus* — человек мистический; *homo religiosus* — человек религиозный (*лат.*). — С. 98.

ГЛАВА IV

¹ *Dasein* — человеческое бытие: *Sein* — бытие; *Existenz* — существование (*нем.*). — С. 113.

² *Urgrund* — причина, изначальный мотив (*нем.*) — С. 113.

³ *Gott* — Бог; *Gottheit* — Божественность (*нем.*). — С. 113.

⁴ «*Esprit et liberté*» — «Дух и свобода» (*фр.*). — С. 114.

⁵ *Sturm und Drang* — буря и натиск (*нем.*); так называлось литературное движение в Германии в конце XVIII века. — С. 115.

ГЛАВА V

[1] *Aufhebung* — снятие; упразднение (*нем.*). — С. 126.
[2] *Est-ce un monsieur...* — это господин или не господин? (*фр.*). — С. 127.
[3] *Communauté* — сообщество; коллектив (*фр.*). — С. 136.
[4] «В жизни нет ничего прекраснее, чем любовь, и ничего правдивее, чем страдание» (*фр.*). Альфред де Мюссе (1810—1857) — французский поэт-романтик. — С. 142.
[5] «*Ты царь, живи один...*» — неточная цитата из стихотворения А. С. Пушкина «Поэту» (1830). — С. 151.

ГЛАВА VI

[1] *Лидия* — Лидия Юдифовна Бердяева, урожденная Трушева (1874—1945). — С. 158.
[2] *Женя* — Евгения Юдифовна Рапп (1875—1960). — С. 158.
[3] *Union pour la vérité* — «Союз истины» (*фр.*). О декадах в Понтиньи см. дальше. С. 321—325. — С. 185.

ГЛАВА VII

[1] *Mysterium tremendum* — ослепляющая тайна (*нем.*) — выражение немецкого теолога и философа религии Рудольфа Отто (1869—1937). — С. 194.
[2] «Александр, если ты будешь продолжать, я уйду» (*фр.*). — С. 197.
[3] «Я знаю, что без меня Бог не может прожить ни одного мгновения, превратись я в ничто, он, лишившись меня, испустит дух» (*нем.*). — С. 208.
[4] *Nordischer Mensch* — северный (скандинавский) человек (*нем.*). — С. 229.

ГЛАВА IX

[1] «*От ликующих, праздно болтающих...*» — неточная цитата из стихотворения Н. А. Некрасова «Рыцарь на час» (1860). — С. 289.

ГЛАВА X

[1] «*Deutschland ist verloren*» — «Германия пропала» (*нем.*). — С. 290.
[2] *Réceptions* — прием; встреча (*фр.*). — С. 299.
[3] *Cher ami* — дорогой друг (*фр.*). — С. 299.
[4] *À bientôt...* — до скорой встречи (*фр.*). — С. 299.
[5] «*Esprit*» — «Дух» (*фр.*); «*Ordre Nouveau*» — «Новый порядок» (*фр.*). — С. 307.
[6] *Causeur* — собеседник; человек, владеющий искусством беседы (*фр.*). — С. 325.
[7] «*Cinq méditations sur l'existence*» — «Пять размышлений о существовании» (*фр.*). — С. 334.
[8] *Pneumatique* — вид почтовой связи (*фр.*). — С. 335.
[9] «*Chien méchant*» — «Осторожно, злая собака» (*фр.*). — С. 336.
[10] *Sensualité* — чувственность (*фр.*). — С. 336.

ГЛАВА XII

[1] *Le moi est haïssable* — я себе ненавистен (*фр.*). — С. 378.

² «Он подменяет в какой-то степени чувства, которые действительно испытывает в те моменты, о которых рассказывает, чувствами, которые появляются у него в тот момент, когда он пишет» *(фр.)*. Шарль Огюстен Сент-Бёв (1804—1869) — французский критик. — С. 379.

³ *Молчи, скрывайся и таи...* — Бердяев не совсем точно цитирует стихотворение Ф. И. Тютчева «Silentium!» (1830, 1854). — С. 379—380.

⁴ *«Si le grain ne meurt».* — «Если зерно не умирает» *(фр.)*. — С. 381.

⁵ *Point d'honneur* — дело чести *(фр.)*. — С. 381.

Добавление 47 года

¹ *«Les Rencontres internationales de Genéve».* — «Международные встречи в Женеве» *(фр.)*, организация ученых и деятелей культуры. — С. 419.

ОГЛАВЛЕНИЕ

мемуары

Николай Бердяев

САМОПОЗНАНИЕ
(Опыт философской автобиографии)

Редактор *Ю. П. Сенокосов*
Оформление художника *В. И. Терещенко*
Художественный редактор *Н. Д. Смольникова*
Технический редактор *Т. С. Орешкова*

ИБ № Н/К

Сдано в набор 04.01.90. Подписано в печать 20.04.90. Формат 84×108¹/₃₂. Бумага тип. № 2. Гарнитура «таймс». Печать высокая. Усл. печ. л. 17,64. Усл. кр.-отт. 18,06. Уч.-изд. л. 21,54. Тираж 500 000 экз. (1-й завод 1—250 000 экз.) Заказ № 713. Цена 7 р. 80 к. Изд. № 17-ДЭМ. Издательство «Международные отношения». 107078, Москва, Садовая-Спасская, 20. Издательство совместного советско-французского предприятия «ДЭМ». 117049, Москва, Добрынинская, 7. Ярославский полиграфкомбинат Госкомпечати СССР. 150014, Ярославль, ул. Свободы, 97.